Office 2010. Curso práctico

Office 2010. Curso práctico

Francisco Manuel Rosado Alcántara

Ana Belén Jorge Blázquez

La ley prohíbe
fotocopiar este libro

Office 2010. Curso práctico

Editado por:

StarBook Editorial
Calle Jarama, 3A, Polígono Industrial Igarsa
28860 PARACUELLOS DE JARAMA, Madrid
Teléfono: 91 658 16 98
Fax: 91 658 16 98
Correo electrónico: edicion@starbook.es
Internet: www.starbook.es
ISBN: 978-84-92650-61-3
Depósito Legal: M. 19.356-2011
Autoedición: Autores
Diseño Portada: Antonio García Tomé
Impresión y encuadernación: Service Point, S. A.
Impreso en España en mayo de 2011

A nuestras familias.

ÍNDICE

INTRODUCCIÓN

Este libro está dirigido a todas aquellas personas que necesiten iniciarse en el conocimiento de las herramientas ofimáticas. Es un libro eminentemente práctico donde irá conociendo y aprendiendo el manejo de las diferentes herramientas de Office.

Los autores pretendemos que el lector sea capaz de tener una visión global de todos los productos que componen la familia Office de Microsoft desde un punto ameno y didáctico.

El objetivo del libro es servir tanto de referencia rápida para consultas del lector como para el aprendizaje de las herramientas que componen el paquete Office de Microsoft.

Capítulo 1

MICROSOFT WORD 2010

Empezaremos con la aplicación Word 2010. Se trata de un procesador de textos, es decir, la herramienta destinada a la creación, modificación, almacenamiento e impresión de documentos, de forma sencilla y rápida.

Con esta herramienta seremos capaces de elaborar todo tipo de documentos tanto personales como laborales y darle diseño a todo tipo de documentos: cartas, informes, folletos, etc.

1.1 INICIAR WORD

1.1.1 Abrir el programa Word 2010

Para empezar a trabajar con Word 2010 tenemos que abrir el programa.

Disponemos de varias formas para abrirlo:

1. Desplegamos el menú **Inicio** de la **Barra de tareas de Windows**, nos situamos en la opción **Todos los programas**, y hacemos clic en **Microsoft Word 2010.**

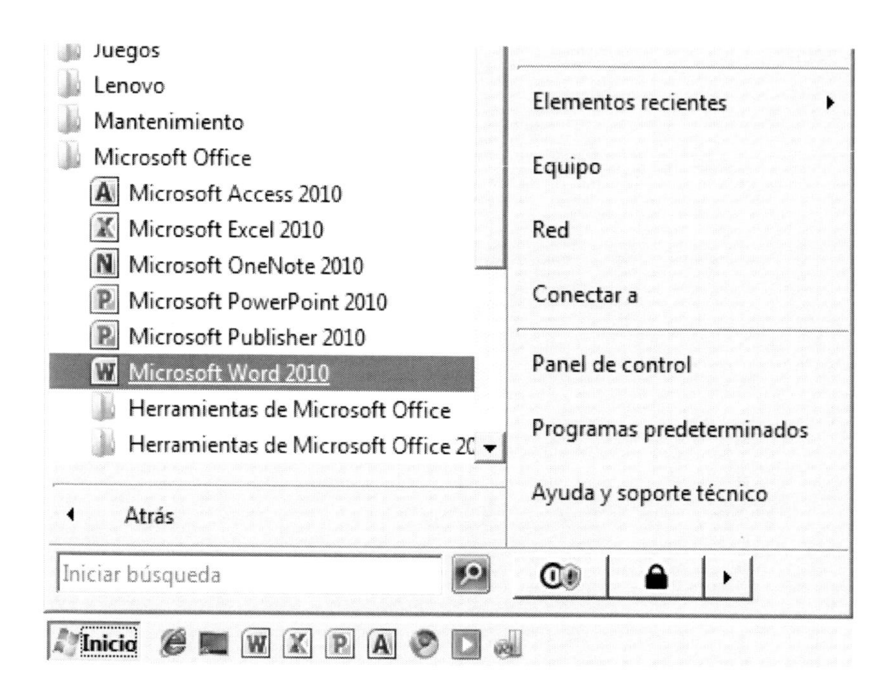

2. A través de un acceso directo que encontramos en el escritorio:

3. A través de la barra de inicio rápido, situada en la barra de tareas, en la parte inferior de la pantalla:

1.1.2 Entorno de trabajo

Al iniciar el programa nos encontramos con la siguiente pantalla:

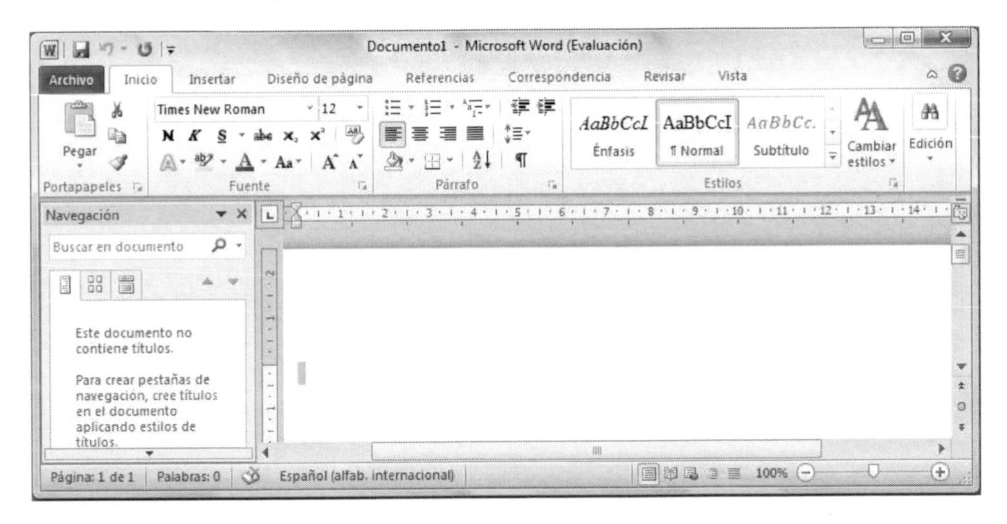

1.1.2.1 BARRA DE TÍTULO

Se encuentra situada en la parte superior de la ventana. En esta barra, aparece centrado el nombre del documento que tenemos abierto y el nombre del programa. Word le asigna por defecto el nombre *Documento1*.

Una vez que guardemos el documento, ese nombre predeterminado se va a sustituir por el nombre que le pongamos.

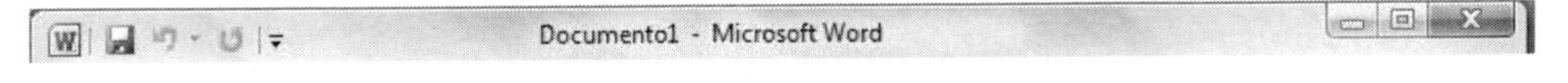

En la parte derecha de la barra de título se encuentran los botones para **Minimizar** (dejar como un botón en la barra de tareas), **Maximizar** (poner a pantalla completa) y **Cerrar** (para cerrar la ventana).

1.1.2.2 BARRA DE ACCESO RÁPIDO

Está situada en la parte izquierda de la barra de título. En ella vamos a encontrar un conjunto de comandos independientes de la cinta de opciones.

Esta barra se puede personalizar e incluir en ella los comandos y opciones que más utilicemos.

Como su nombre indica es una barra que agrupa opciones a las cuales queremos acceder de forma rápida.

En la imagen anterior aparece el aspecto inicial de la barra de acceso rápido. Como hemos dicho anteriormente, ésta se puede personalizar, es decir añadir o quitar botones, de tal forma, que es posible que posteriormente tenga un aspecto diferente.

En la siguiente tabla describimos brevemente la función de cada uno de estos botones:

	Cuando pulsamos este botón se despliega un menú donde se muestran opciones para trabajar con la ventana, como mover, maximizar, minimizar, etc.
	Al pulsar este botón se abre el cuadro de diálogo **Guardar como**, con todas las opciones para guardar un archivo.
	Botón Deshacer. Deshace la última acción realizada en el procesador de textos.
	Botón Rehacer. Repite la última acción.
	Este último botón despliega un menú con un listado de comandos, en el cual podemos seleccionar cualquiera de ellos para que se muestren en la barra de acceso rápido.

1.1.2.3 CINTA DE OPCIONES

Debajo de la barra de título está la **Cinta de opciones**. Está dividida en fichas. Una **ficha** es cada una de las pestañas que aparecen en la parte superior, por ejemplo: Inicio, Insertar, etc. Los botones correspondientes a cada ficha están organizados en grupos, donde cada uno de ellos realiza una acción diferente. A estos grupos los llamamos **grupos de opciones**. Si vamos pasando el cursor por encima de estos botones se irán mostrando etiquetas que nos indican la función que realiza cada uno de ellos.

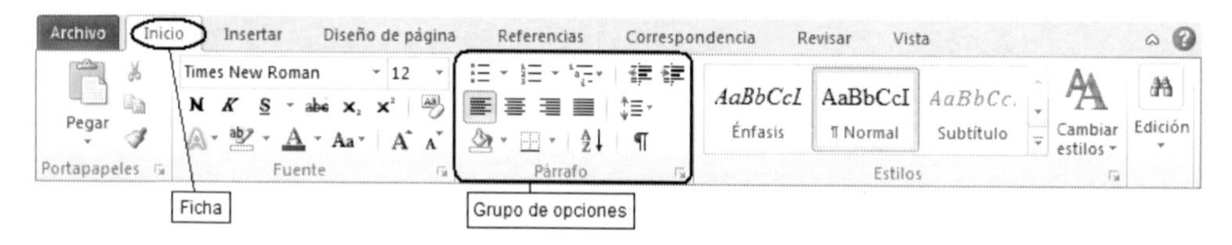

Si vamos pulsando en las diferentes fichas que aparecen en la parte superior de las barras de herramientas (**Inicio**, **Insertar**, **Diseño de página**...) podremos ir visualizando los diferentes grupos de botones.

1.1.2.4 REGLAS

Las barras de reglas aparecen en la parte superior y a la izquierda del documento.

Están numeradas en centímetros. A parte de darnos una idea de la dimensión del documento, las reglas nos va a servir para realizar diversas tareas, como cambiar los márgenes, poner tabulaciones, cambiar sangrías, etc. Si no visualizamos las reglas, pulsaremos en la ficha **Vista** y marcamos la opción **Regla**.

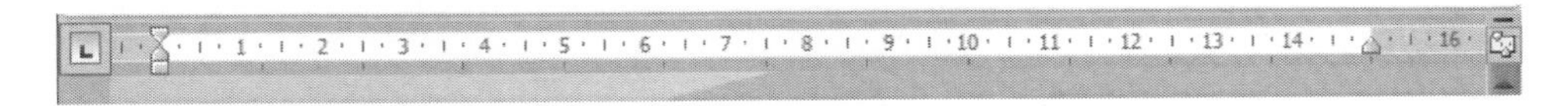

1.1.2.5 BARRAS DE DESPLAZAMIENTO

En la parte derecha e inferior del documento aparecen las **Barras de desplazamiento**. Como su nombre indica sirven para desplazarse por el documento; la barra vertical para desplazarse verticalmente y la horizontal para desplazarse horizontalmente.

1.1.2.6 BARRA DE ESTADO

Es la barra que aparece en la parte inferior de la ventana. En esta barra fundamentalmente lo que se muestra es información sobre el documento, como cuántas páginas y palabras tenemos, el idioma activo, una banda para modificar el zoom y los botones para cambiar la forma de visualizar el documento.

1.1.2.7 PANEL DE NAVEGACIÓN

El panel de navegación se muestra inicialmente en la parte izquierda de la pantalla.

Si no visualizamos dicho panel, podemos activarlo desde la ficha **Vista**, dentro del grupo de opciones Mostrar. Hay encontraremos la casilla correspondiente al Panel de navegación para poder activarlo o desactivarlo.

Este panel va a ser de mucha utilidad en documentos largos:

- Para orientarnos rápidamente.
- Para reorganizar fácilmente los documentos, recolocando las secciones.
- También, a través de este panel vamos a poder realizar búsquedas.

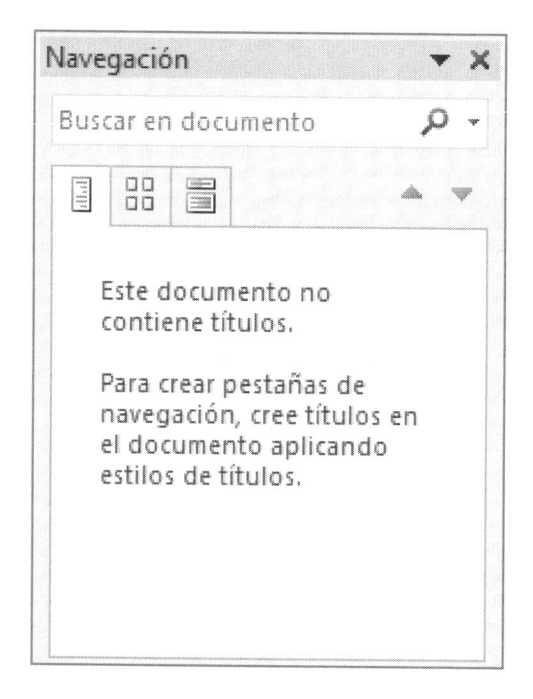

1.1.2.8 DOCUMENTO

En el medio de la pantalla aparece el documento en sí, que es donde vamos a comenzar a trabajar.

1.1.3 Escribir y borrar texto

La barra intermitente que aparece en el documento se denomina **cursor** o **punto de inserción**. Y es este cursor el que tenemos que tener en cuenta a la hora de escribir y borrar texto.

En cualquier procesador de textos el concepto de párrafo es muy importante. Cuando comenzamos a escribir en Word, no debemos pulsar la tecla **INTRO** para pasar a la línea siguiente, esto lo hace Word de forma automática. Si la palabra no entra en la línea, automáticamente pasa a la línea siguiente, sin necesidad de que nosotros hagamos nada. Sólo vamos a pulsar **INTRO** cuando se acabe el párrafo, es decir, cuando pongamos punto y aparte. De esta forma el cursor pasará a la línea siguiente para comenzar un nuevo párrafo.

Si queremos incluir líneas en blanco pulsaremos **INTRO** tantas veces como líneas en blanco queramos incluir. Vamos a copiar el siguiente texto en nuestro primer documento:

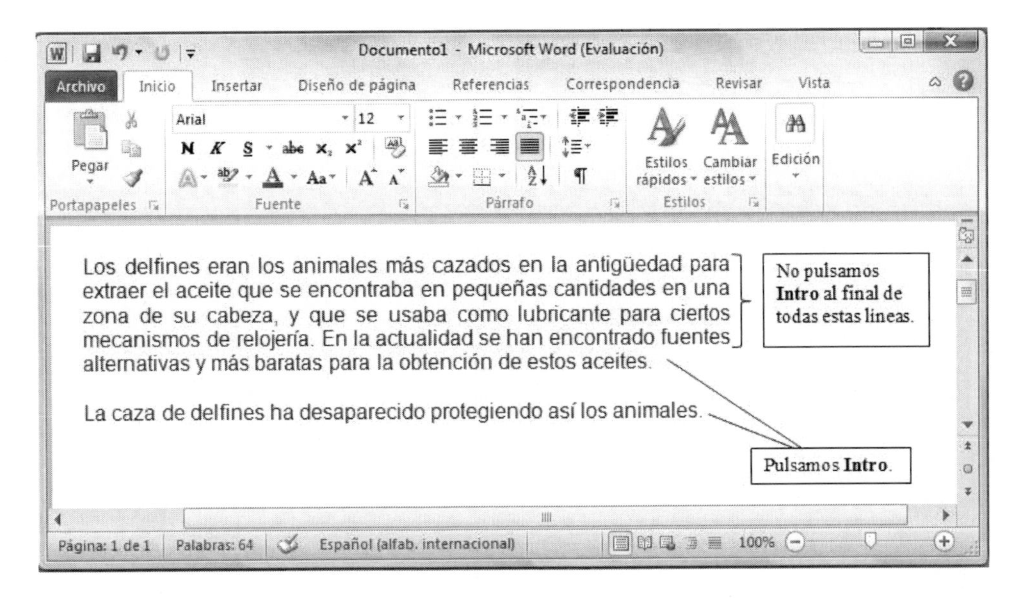

Si con el ratón, una vez escrito el texto, nos situamos en cualquier punto del primer párrafo, al teclear texto de nuevo se va abriendo hueco para ese nuevo texto. No es necesario borrar y volver a escribir.

Si lo que queremos es borrar texto, tenemos dos teclas que nos permiten hacerlo:

1. **Retroceso**: borra carácter a carácter hacia atrás, tomando como base la posición del cursor. Elimina el carácter situado a la izquierda del cursor.

2. **Supr**.: borra desde la posición del cursor hacia delante, el carácter situado a la derecha.

1.1.4 Desplazamientos por el documento

Ya hemos visto que podemos desplazarnos con el ratón a cualquier punto del texto escrito simplemente situando el puntero del ratón en el lugar deseado y pulsando el botón izquierdo.

También vamos utilizar conjuntos de teclas para desplazarnos por el documento.

Tecla	Función
Las flechas de cursor del teclado.	Las fechas hacia la derecha e izquierda nos permiten desplazarnos un carácter hacia la izquierda o hacia la derecha, depende el que pulsemos. Los cursores hacia arriba y abajo una línea hacia arriba o hacia abajo.

Inicio.	Llevaría nuestro cursor al principio de la línea en la que se encuentra.
Fin.	Final de la línea en la que está el cursor.
CTRL + Inicio.	Principio del documento.
CTRL + Fin.	Final del documento.
CTRL + Flecha arriba.	Principio del párrafo anterior.
CTRL + Flecha abajo.	Principio del párrafo siguiente.
CTRL + Flecha derecha o izquierda.	Palabra a palabra hacia derecha o izquierda.
Av. Pág.	Avance de página, avanza sobre la página el trozo que se ve en pantalla.
Re. Pág.	Retroceso de página, retrocede la página el trozo que se ve en pantalla.
CTRL + Av. Pág.	Principio de la página siguiente.
CTRL + Re. Pág.	Principio de la página anterior.

1.1.5 Seleccionar texto

Seleccionar texto quiere decir marcarlo. La tarea de seleccionar texto es una de las mas importantes de Word, porque así es como le indicamos a Word a qué parte del texto queremos darle una determinada característica. Así que, antes de utilizar ninguna opción, tendremos que marcar o seleccionar el texto.

Tenemos varias formas de hacerlo:

- Con el ratón:

  1. Situamos el cursor (con un clic) en el punto a partir del cual nos interesa iniciar la selección. Mantenemos pulsado el botón izquierdo del ratón y, sin soltar, arrastramos, pasando por encima del texto que queremos seleccionar.

  2. Hacemos doble clic sobre una palabra y se selecciona la palabra completa.

  3. Triple clic sobre una palabra y se selecciona el párrafo completo.

4. Para seleccionar una línea, hacemos un clic en la barra de selección situada a la izquierda de la línea.

- Con el teclado:

1. Pulsamos mayúsculas, y sin soltar esta tecla pulsamos cualquier tecla de desplazamiento, por ejemplo el cursor hacia abajo (seleccionaríamos línea a línea hacia abajo), el cursor hacia la derecha (seleccionaríamos caracteres a la derecha del cursor), la tecla fin (seleccionaríamos desde la posición del cursor hasta el final de la línea), etc.

2. Si queremos seleccionar todo el documento pulsamos el conjunto de teclas CTRL + E.

1.1.5.1 SELECCIÓN MÚLTIPLE

Es posible seleccionar varios bloques de texto que no estén situados unos a continuación de los otros.

Para seleccionar distintos bloques de texto, seleccionamos el primero de ellos mediante el método que queramos, y a continuación, manteniendo pulsada la tecla CTRL, seleccionamos el segundo bloque de texto.

1.1.6 Abrir, cerrar, guardar y nuevo archivo

1.1.6.1 GUARDAR

Cuando guardamos un documento lo que estamos haciendo es grabar la información en un medio de almacenamiento del que posteriormente lo podemos recuperar.

Para guardar tenemos que seguir los siguientes pasos:

1. Hacemos clic en la ficha **Archivo** y en el menú que se despliega en la opción **Guardar**.

2. En la parte izquierda, en el panel de exploración, elegimos la carpeta donde vamos a guardar nuestro documento.

3. En la casilla **Nombre de archivo** escribimos el nombre que le vamos a dar al documento.

4. Finalmente pulsamos en el botón **Guardar**.

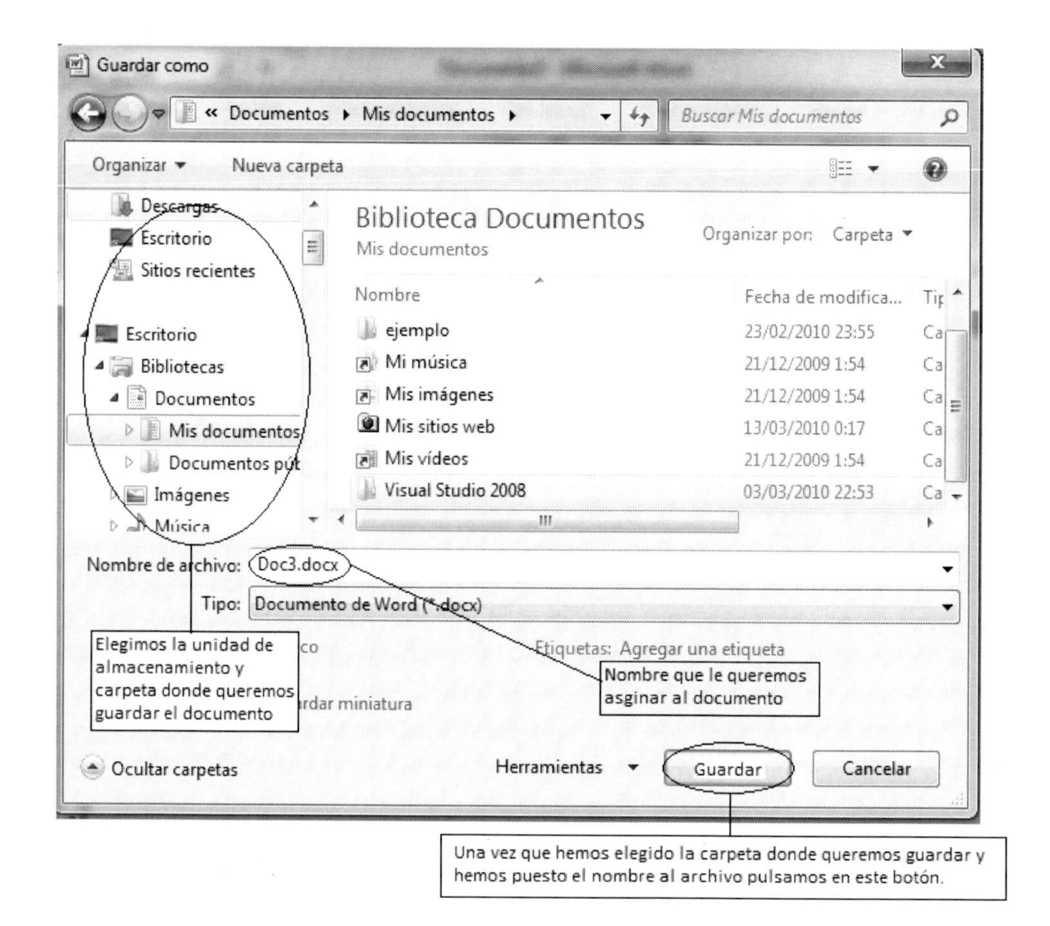

Guardar no implica *Cerrar*, es decir, el documento sigue abierto para que podamos seguir haciendo modificaciones.

Una vez que hemos guardado el documento por primera vez, las siguientes veces que pulsemos en **Guardar**, se guardarán los cambios sin más, es decir, no va a volver a salir el cuadro de diálogo anterior.

Si quisiéramos guardar el archivo de nuevo, con otro nombre o en otro lugar, en vez de pulsar en la opción Guardar, pulsaríamos la opción **Guardar como**. De esta forma volvería a mostrarse el cuadro de diálogo anterior, para indicar un nuevo nombre o un nuevo lugar donde guardarlo.

Para pulsar en esta opción **Guardar** también podemos hacerlo desde la barra de acceso rápido, pulsando en el segundo botón.

1.1.6.2 CERRAR UN DOCUMENTO

Cuando no vamos a seguir usando el documento pulsamos en la ficha **Archivo** y elegimos la opción **Cerrar**. También podemos pulsar en el botón [X] del documento.

1.1.6.3 ABRIR UN DOCUMENTO

Para abrir un documento previamente guardado pulamos en la ficha **Archivo** y después en la opción **Abrir**. Se visualizará un cuadro de diálogo similar al de *Guardar*, donde tenemos que buscar el archivo que queremos abrir. Una vez localizado, simplemente hacemos doble clic sobre su nombre.

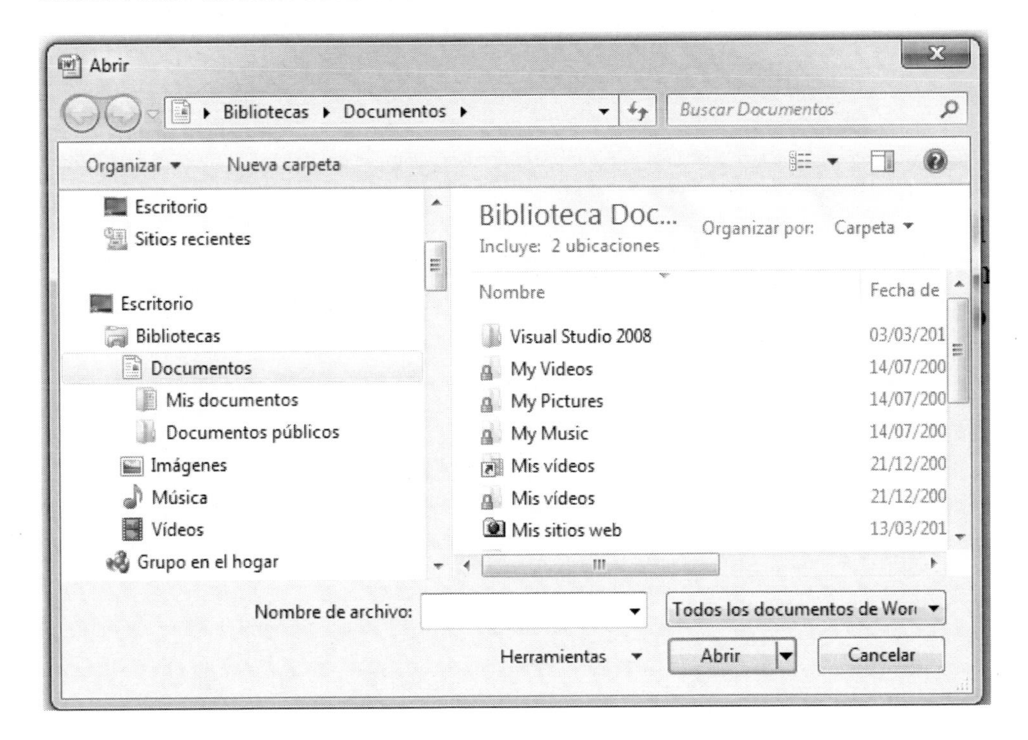

1.1.6.4 ABRIR DOCUMENTO NUEVO

Tenemos la posibilidad de incorporar esta utilidad a la barra de acceso rápido. Para ello pulsamos en el último botón de esta barra de herramientas y en el menú que se despliega elegimos la opción Nuevo. De esta forma se incluirá dentro de esta barra de herramientas el icono correspondiente a la creación de un nuevo documento.

Ahora, solamente tendremos que pulsar sobre este nuevo botón y se creará automáticamente un documento en blanco para comenzar a escribir.

Otra posibilidad es pulsar en la ficha **Archivo** y posteriormente en la opción **Nuevo**. Aparecerá el siguiente cuadro de diálogo:

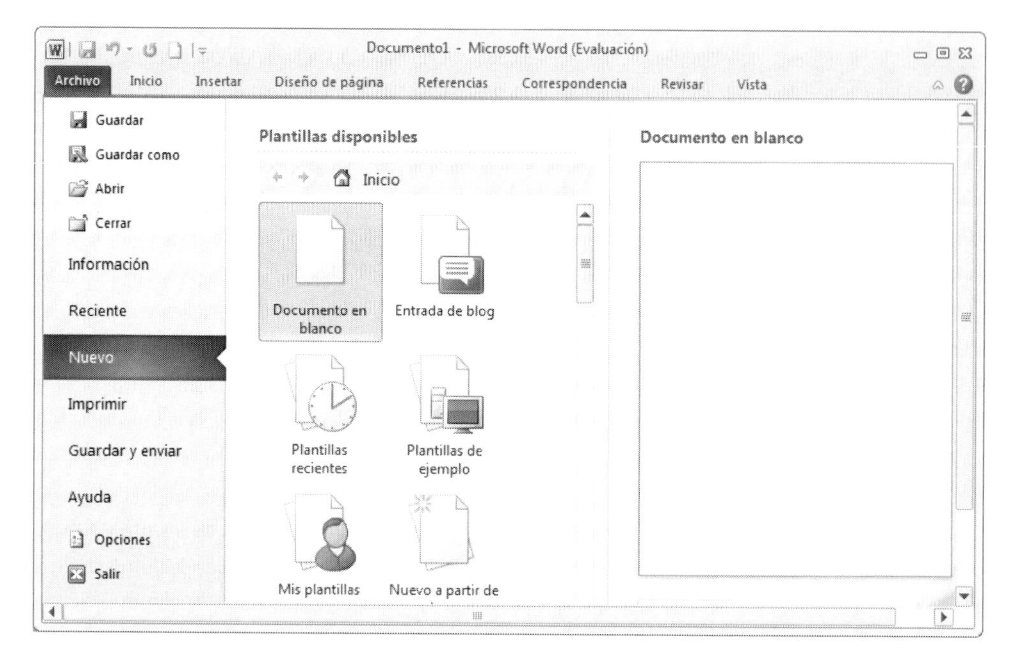

En dicho cuadro de diálogo haremos doble clic en **Documento en blanco**.

1.1.7 Copiar, cortar y pegar

Estas opciones se encuentran en la ficha **Inicio**, en un grupo de opciones llamado **Portapapeles**.

1.1.7.1 COPIAR UN TEXTO

Para copiar un texto seguiremos los siguientes pasos:

1. Seleccionamos el texto que queremos copiar.

2. Pulsamos en el botón **Copiar**, incluido en el grupo **Portapapeles** de la ficha **Inicio**. También podemos utilizar el conjunto de teclas **CTRL + C**, o bien, pulsar sobre el texto seleccionado con el botón derecho del ratón y en el menú que se despliega elegir la opción **Copiar**.

3. Situamos el cursor en el punto donde queremos copiar el texto. Puede ser dentro del mismo documento o en otro diferente.

4. Pulsamos en **Pegar**, incluido en el grupo **Portapapeles** de la ficha **Inicio**. También podemos utilizar el conjunto de teclas **CTRL + V**, o bien pulsar en el lugar donde vamos a colocar el texto con el botón derecho del ratón y en el menú que se despliega elegir la opción **Pegar**.

1.1.7.2 MOVER UN TEXTO

Al trabajar con documentos, es posible que necesitemos reestructurar el texto, mover párrafos de sitio dentro del mismo documento o incluso mover texto de unos documentos a otros.

Los pasos a seguir para desplazar un texto a otro lugar son los siguientes:

1. Seleccionamos el texto que queremos mover.

2. Pulsamos en el botón **Cortar**, incluido en el grupo **Portapapeles** de la ficha **Inicio**. También podemos utilizar el conjunto de teclas **CTRL + X**, o bien, pulsar sobre el texto seleccionado con el botón derecho del ratón y en el menú que se despliega elegir la opción **Cortar**.

3. Situamos el cursor en el punto donde queremos colocar el texto. Puede ser dentro del mismo documento o en otro diferente.

4. Pulsamos en **Pegar**, incluido en el grupo **Portapapeles** de la ficha **Inicio**. También podemos utilizar el conjunto de teclas **CTRL + V**, o bien pulsar en el lugar donde vamos a colocar el texto con el botón derecho del ratón y en el menú que se despliega elegir la opción **Pegar**.

1.2 ASPECTO DEL TEXTO

1.2.1 Grupo de opciones Fuente

En este grupo de opciones se integran todas aquellas características que nos permiten cambiar el aspecto del texto.

Cuando queremos cambiar dichas características primero tenemos que seleccionar el texto que vamos a modificar.

Una vez seleccionado en la ficha **Inicio** tenemos un grupo de opciones que se llama **Fuente**.

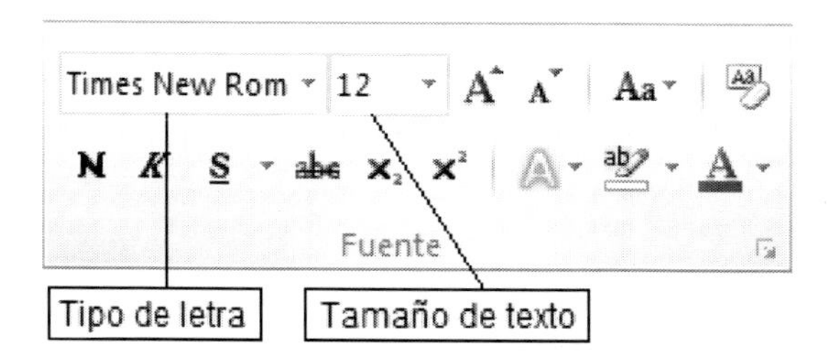

El primer desplegable corresponde al tipo de letra. Pulsamos en la fecha lateral y se despliegan todos los tipos de letra ordenados por orden alfabético. Sólo tenemos que elegir la que queremos utilizar.

A continuación el tamaño para el texto. El tamaño se mide en puntos. Si en el desplegable no aparece el tamaño se puede escribir en la casilla, pulsando posteriormente la tecla **INTRO**.

En la siguiente tabla detallamos la utilidad de algunos de los botones que aparecen en este grupo de opciones:

A A	Aumentar o disminuir fuente.	Estos dos botones nos van a servir para aumentar o disminuir el tamaño de la letra, respectivamente.
	Borrar formato.	Cuando el texto seleccionado aparezca con unas características determinadas y queramos volver a poner las características de texto iniciales, pulsaremos este botón.
N	Negrita.	Pone el texto más grueso.
K	Cursiva.	Inclina el texto.
S	Subrayado.	Subraya el texto.
abc	Tachado.	Aparece una línea sobre el texto.
x_2	Subíndice.	Hace el texto más pequeño y lo lleva un poco hacia abajo.
x^2	Superíndice.	Hace el texto más pequeño y lo lleva hacia arriba.
A	Color del texto.	Cuando pulsamos en la flecha, se despliega una paleta de colores con las diferentes posibilidades de cambio de color del texto.

Todos estos formatos, excepto el último, se aplican cuando se pulsa sobre el botón y se quitan volviendo a pulsar sobre él.

1.2.2 Cambiar mayúsculas y minúsculas

En el grupo de opciones **Fuente**, el botón Aa nos permite pulsando en la fecha lateral cambiar el texto a:

- **Mayúsculas**: todo en mayúsculas.
- **Minúsculas**: todo en minúsculas.
- **Tipo oración**: la primera letra del párrafo en mayúsculas y resto en minúsculas. Si hay algún punto y seguido, después de punto también mayúscula.
- **Poner en mayúsculas cada palabra**: la primera letra de cada palabra en mayúsculas y el resto en minúsculas.
- **Alternar May/Min**: al contrario de como esté el texto.

1.2.3 Resaltar

También en este grupo de opciones está el botón **Resaltar** . Hace la función de los rotuladores fluorescentes. Seleccionamos el color a través del desplegable y posteriormente vamos seleccionando el texto que queremos resaltar. Para desactivar esta opción pulsamos **Escape** en el teclado.

1.2.4 Más características para el texto

Todos estos botones que hemos visto hasta ahora son opciones que también están disponibles en el cuadro de diálogo **Fuente**. ¿Por qué aparecen entonces en este grupo de opciones? Los grupos de opciones nos muestran los botones correspondientes a las opciones más utilizadas, para que sea más rápido y cómodo su uso.

Este cuadro de diálogo completo se despliega cuando pulsamos en la esquina inferior derecha de esta sección.

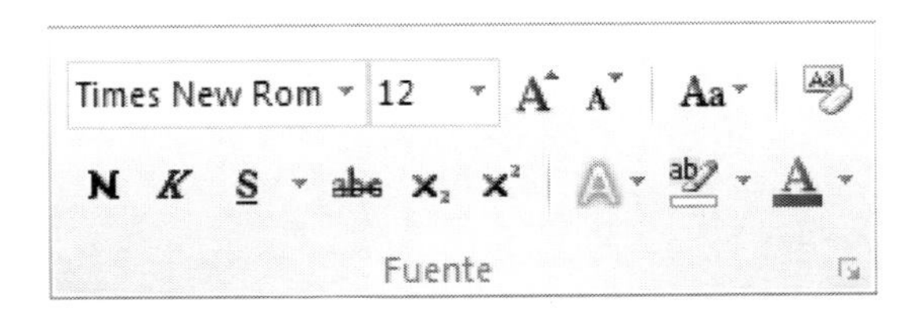

La primera casilla corresponde a los tipos de letra; a medida que vamos seleccionando los diferentes tipos, en la parte inferior de la ventana aparece una vista previa del tipo de letra que hemos elegido.

A continuación aparecen los estilos, *Negrita*, *Cursiva*, *Normal y Negrita-Cursiva.*

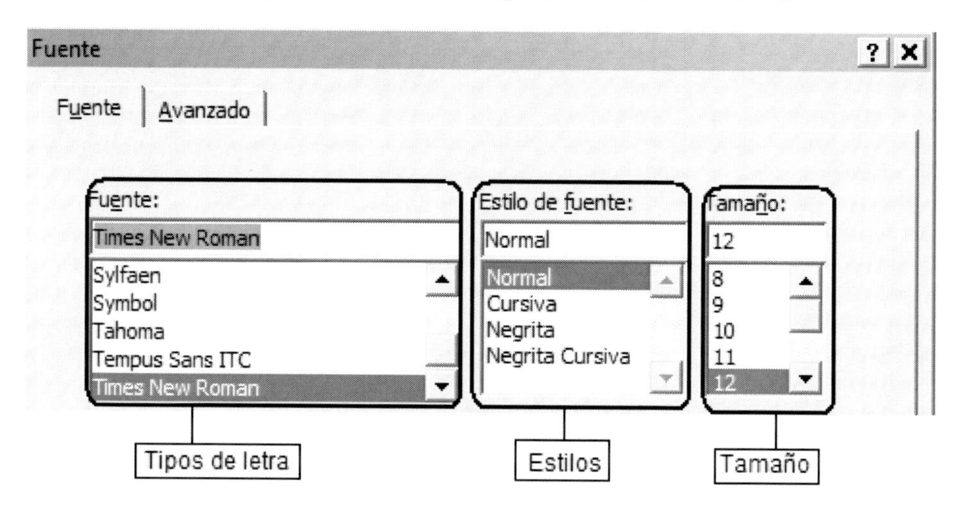

Y a la derecha los tamaños para el texto. Funciona igual que en el grupo de opciones, se mide en puntos y si en el listado no aparece el tamaño que queremos darle lo escribimos en la casilla superior.

En una segunda fila, debajo de los tipos de letra se muestra un desplegable con los diferentes colores para el texto. Solamente tenemos que pulsar en la flecha y elegir el color.

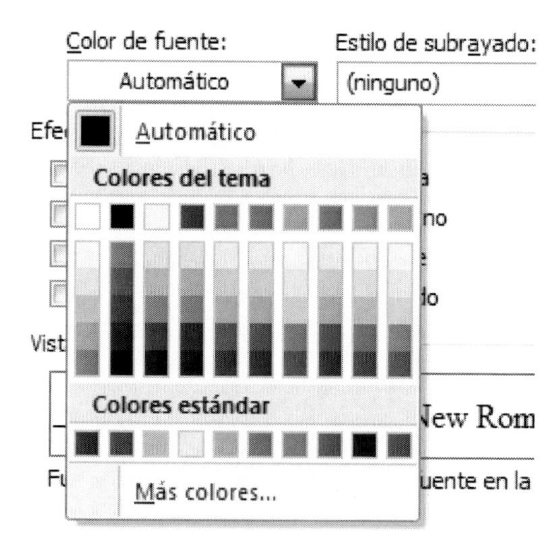

A la derecha del color de subrayado tenemos los tipos de subrayado. Si pulsamos en la flecha se despliegan los diferentes estilos de subrayado que le podemos dar al texto. Por ejemplo: *subrayado doble*, *discontinuo* u *ondulado.*

Y a la derecha del subrayado podemos elegir el color para éste. Por defecto, cuando cambiamos el color al texto el subrayado queda del mismo color, pero a través de esta casilla le podemos dar al subrayado un color diferente que al texto.

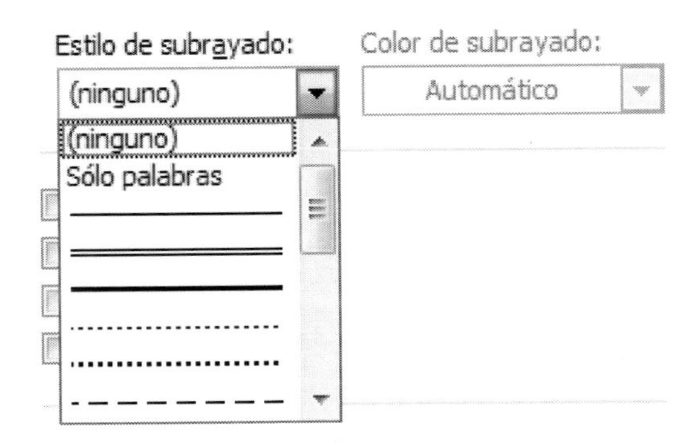

Y por último, los efectos. Se activan marcando la casilla de verificación que les precede y se desactivan desmarcando dicha casilla.

Efectos

- Tachado
- Doble tachado
- Superíndice
- Subíndice
- Versalitas
- Mayúsculas
- Oculto

Efecto	**Función**
Tachado.	Una línea sobre el texto.
Doble tachado.	Dos líneas sobre el texto.
Superíndice.	Eleva el texto de su posición y disminuye la fuente.
Subíndice.	Lleva el texto por debajo de su posición normal y disminuye la fuente.
Versalitas.	Todo el texto en mayúsculas, y el que ya estaba en mayúsculas un poquito más grande que los demás.
Mayúsculas.	Todo el texto seleccionado en mayúsculas.
Oculto.	Se oculta el texto, no será visible.

Vamos a realizar un ejemplo. Copia en un nuevo documento de Word el siguiente texto:

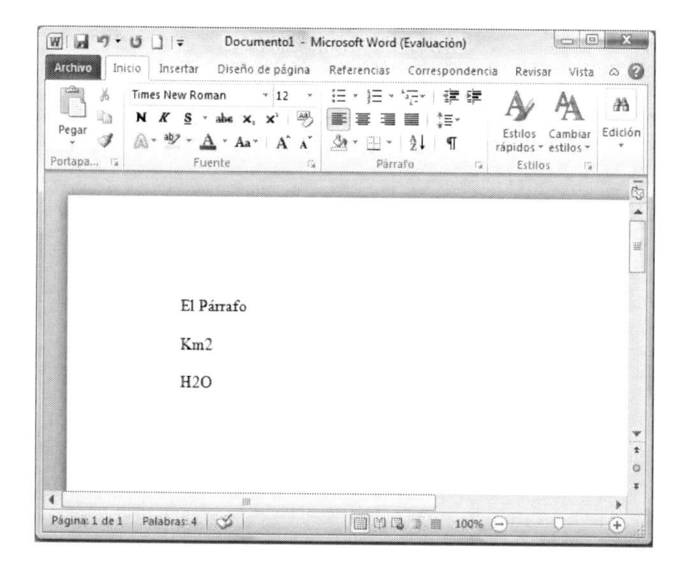

- Seleccionamos la primera línea y le damos efecto *Versales*.
- En la segunda línea seleccionamos el número 2 y le damos efecto *Superíndice*.
- En la tercera línea también seleccionamos el número 2 y le damos efecto *Subíndice*.

Nos quedará así:

1.3 FORMATO BÁSICO PARA PÁRRAFOS

Las opciones para el texto que vamos a ver a continuación, a diferencia de las anteriores, afectan a párrafos completos. Es decir, si previamente seleccionamos los párrafos a los cuales queremos darles determinadas características, éstas se aplicarán a todo lo seleccionado. Pero si no seleccionamos nada se aplicará al párrafo en el que tengamos el cursor.

En la ficha **Inicio** encontramos un grupo de opciones llamado **Párrafo** que aglutina todas las opciones que vamos a estudiar.

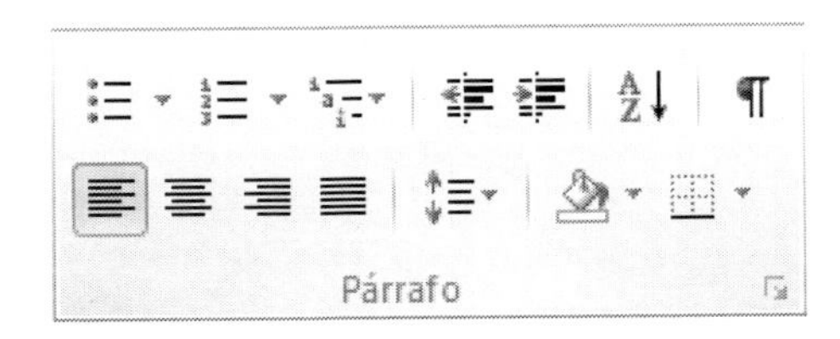

1.3.1 Alineación

La alineación determina la apariencia de los extremos derecho e izquierdo de las líneas de un párrafo.

Disponemos de 4 tipos de alineación:

Tipo	Botón	Ejemplo
Izquierda.		Todas las líneas del párrafo comienzan en el mismo punto, quedando de esta forma el párrafo irregular por su extremo derecho.
Derecha.		Todas las líneas del párrafo terminan en el mismo punto, quedando de esta forma el párrafo irregular por su extremo izquierdo.
Centrada.		Todas las líneas del párrafo quedarán centradas.
Justificada.		Todas las líneas del párrafo empiezan y terminan en el mismo punto, excepto la última línea del párrafo.

Para aplicar cualquier tipo de alineación seleccionaremos el texto y posteriormente, en el grupo de opciones **Párrafo**, pulsaremos en cualquiera de los botones correspondientes a la alineación.

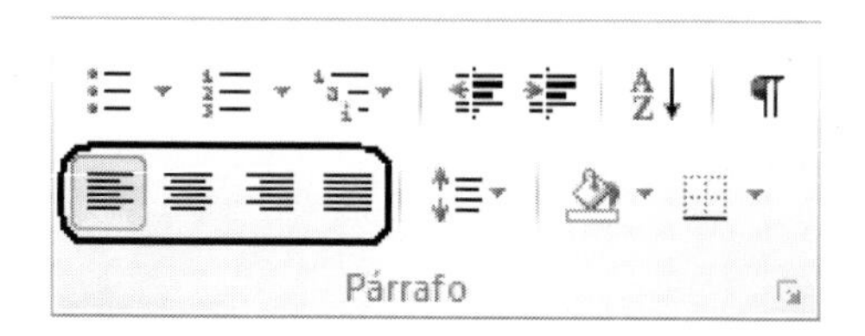

1.3.2 Sangría

La sangría establece la distancia del párrafo respecto a los márgenes izquierdo o derecho. Es una especie de márgenes para párrafos.

Para aplicar los diferentes tipos de sangría seleccionamos el párrafo y pulsamos en la esquina inferior derecha del grupo de opciones **Párrafo** . Se mostrará un cuadro de diálogo donde hay una sección llamada **Sangría**.

Sangría

Izquierda: 0 cm   Especial: En:

Derecho: 0 cm   (ninguna)

Sangrías simétricas

Las sangrías *Izquierda* y *Derecha* afectan a todas las líneas del párrafo. Se miden en centímetros y en sus respectivas casillas indicaremos esa distancia desde el margen hasta el texto.

En la casilla *Especial*, si pulsamos en la flecha que aparece debajo podemos elegir entre *Sangría de primera línea* o *Sangría francesa*.

La primera, *Sangría de primera línea* se aplica sólo a la primera línea de cada párrafo, metiendo hacia dentro esa línea el número de centímetros que le indicamos en la casilla *En*.

La segunda, la *sangría francesa* es contraria a la de primera línea; la primera línea del párrafo queda completa y el resto hacia dentro el número de centímetros que le hayamos indicado en la casilla *En*.

Veamos un ejemplo, el primer párrafo tiene una sangría de primera línea de 2 cm. y el segundo una sangría francesa de 3 cm.

La primera se aplica solo a la primera línea de cada párrafo, metiendo hacia dentro esa línea el número de centímetros que le indicamos en la casilla *En*.

La segunda es contraria a la de primera línea; la primera línea queda completa y el resto hacia dentro el número de centímetros que le hayamos indicado en la casilla *En*.

Las sangrías también se pueden modificar a través de la regla, simplemente seleccionado el texto y moviendo los marcadores que aparecen en ella.

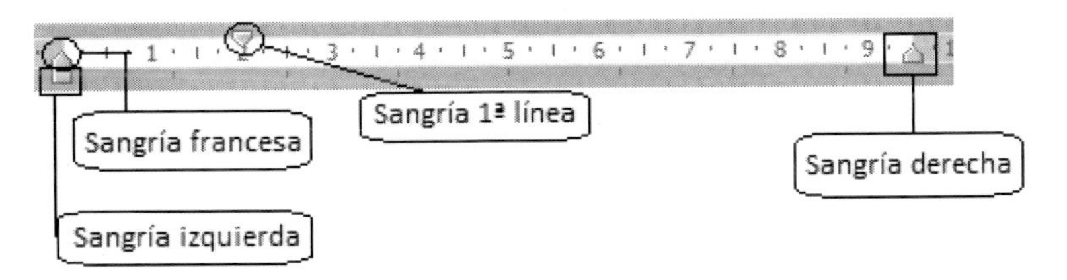

1.3.3 Espaciado

Determina la cantidad de espacio en blanco que hay entre un párrafo y otro.

El *espaciado anterior* indica el espacio en blanco hasta el párrafo anterior y el *espaciado posterior* indica el espacio en blanco que hay hasta el párrafo siguiente.

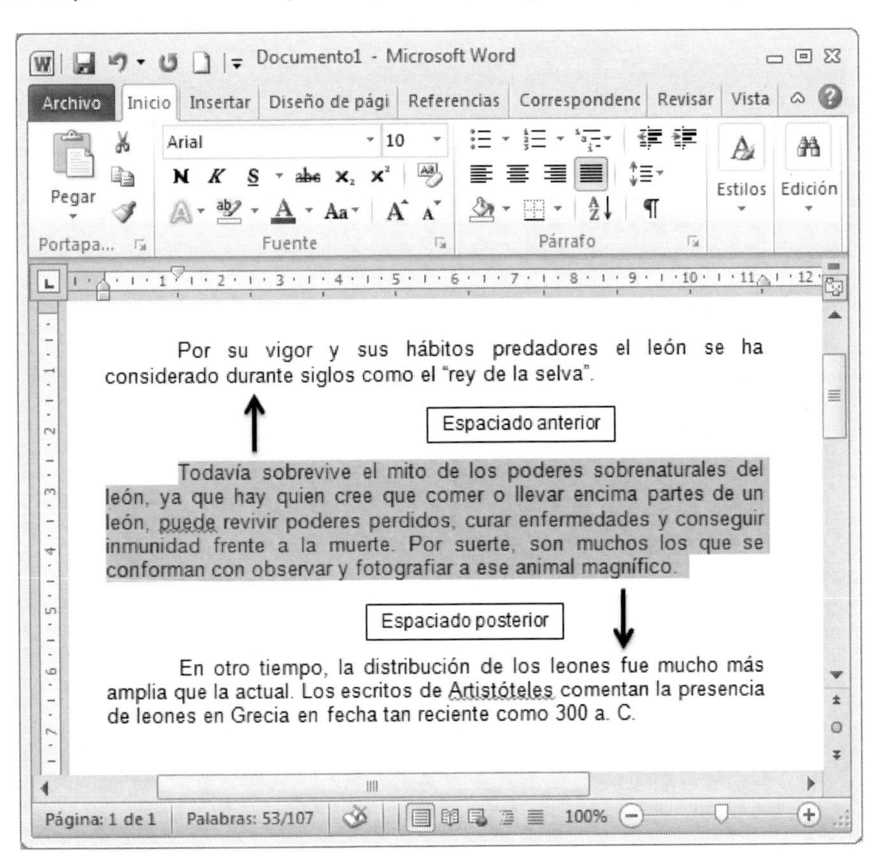

Pulsando en la esquina inferior derecha del grupo de opciones **Párrafo** , se mostrará el mismo cuadro de diálogo anterior, donde podemos ver una sección llamada **Espaciado**. Esta medida se establece en puntos.

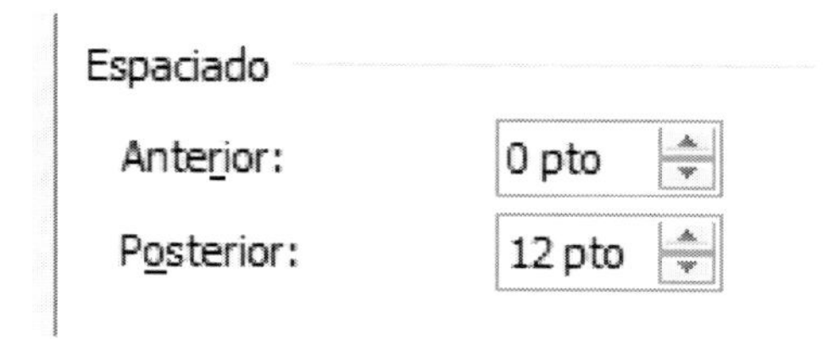

1.3.4 Interlineado

En la misma sección que el espaciado también podemos cambiar el interlineado, que se refiere al espacio entre las líneas de un párrafo.

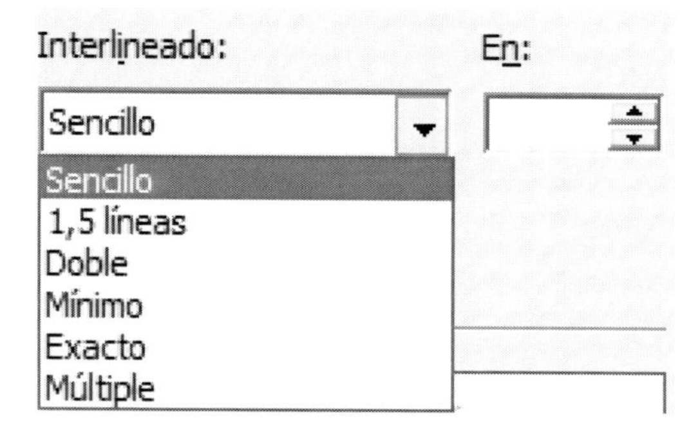

Podemos elegir entre las siguientes opciones:

- **Sencillo**: opción predeterminada.
- **1,5 líneas**: 1,5 veces el interlineado sencillo.
- **Doble**: el doble del interlineado sencillo.
- **Mínimo**: el tamaño mínimo para que quepa el texto escrito. Esta medida se establece en puntos.
- **Exacto**: medida exacta e invariable. Esta medida se establece en puntos.
- **Múltiple**: en la casilla *En* escribimos el número de líneas de interlineado que queremos establecer, por ejemplo 1,7.

También podemos desplegar estas opciones a través del botón [icono] que está en el grupo de opciones **Párrafo**.

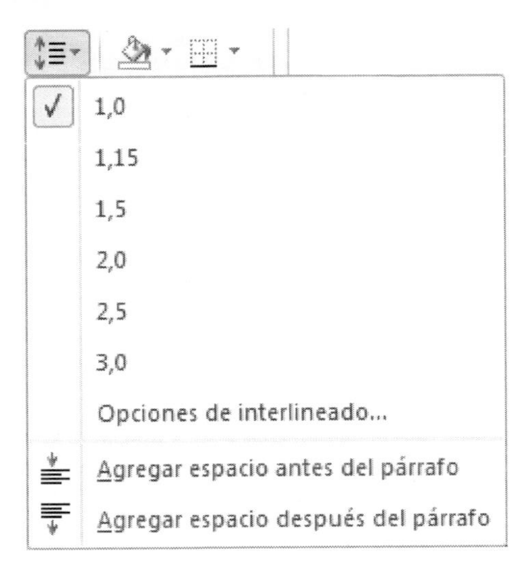

1.4 INSERTAR SÍMBOLOS

Como habréis podido observar hay fuentes que son símbolos. Para insertar cualquiera de estos símbolos tenemos una opción que nos permite visualizar todos los símbolos que componen una fuente.

Colocamos el cursor en la posición donde vamos a insertar el símbolo y pulsamos en la ficha **Insertar**, y en el último grupo de opciones llamado **Símbolos** pulsamos en **Símbolo**.

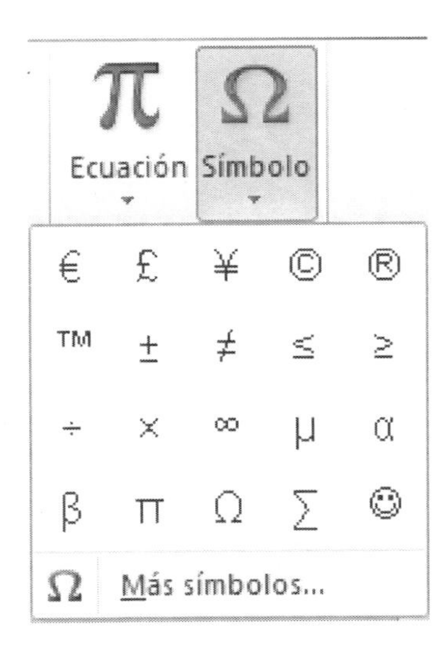

Aparecen los símbolos más comunes, y al pulsar en *Más símbolos* se despliega un cuadro de diálogo donde, en la casilla **Fuente,** elegimos la fuente de la cual vamos a extraer los símbolos. Esto mostrará todos los que contiene esa fuente.

Para insertar el símbolo elegido hacemos doble clic sobre el símbolo a insertar.

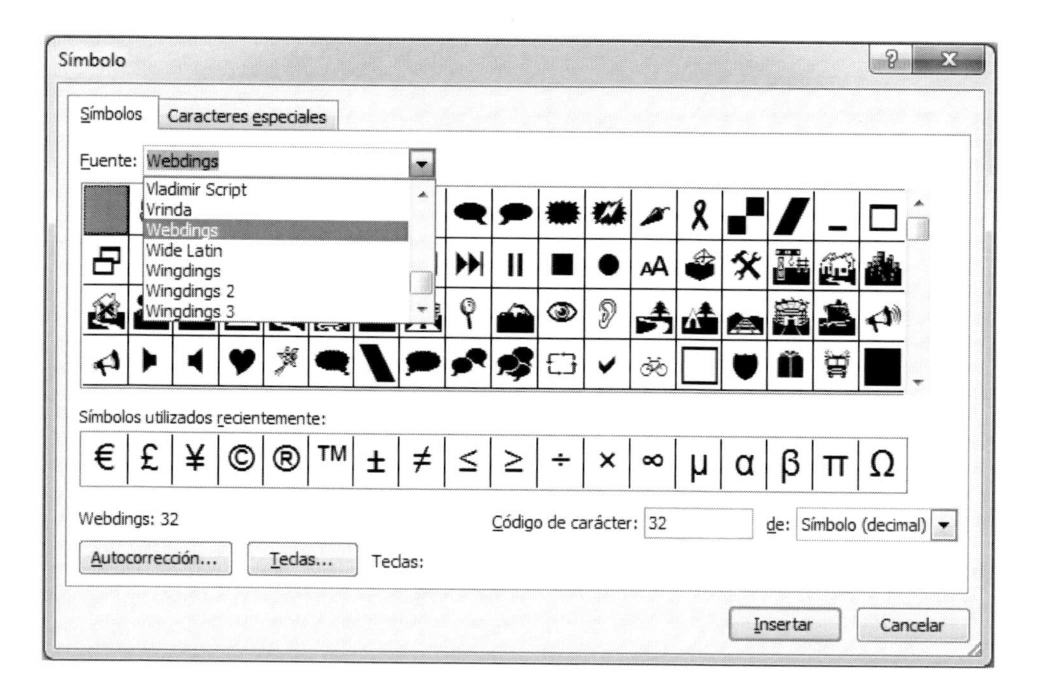

Una vez que el símbolo está en el documento (podemos cerrar el cuadro de diálogo) le podemos aplicar el formato de texto que queramos, como por ejemplo poner el texto más grande, de otro color, etc.

1.5 BORDES Y SOMBREADO

Esta opción nos va a permitir recuadrar los párrafos o textos y ponerles un color de fondo.

Para ello (como para todas las opciones de Word) seleccionamos el texto al cual le vamos a dar dicho formato.

En el grupo de opciones **Párrafo** pulsamos en el botón y en la lista que se despliega en la opción **Bordes y sombreado**.

Visualizaremos el siguiente cuadro de diálogo con tres pestañas.

La primera de ellas se llama **Bordes**, y a través de ella le vamos a dar un contorno al texto o párrafo seleccionado.

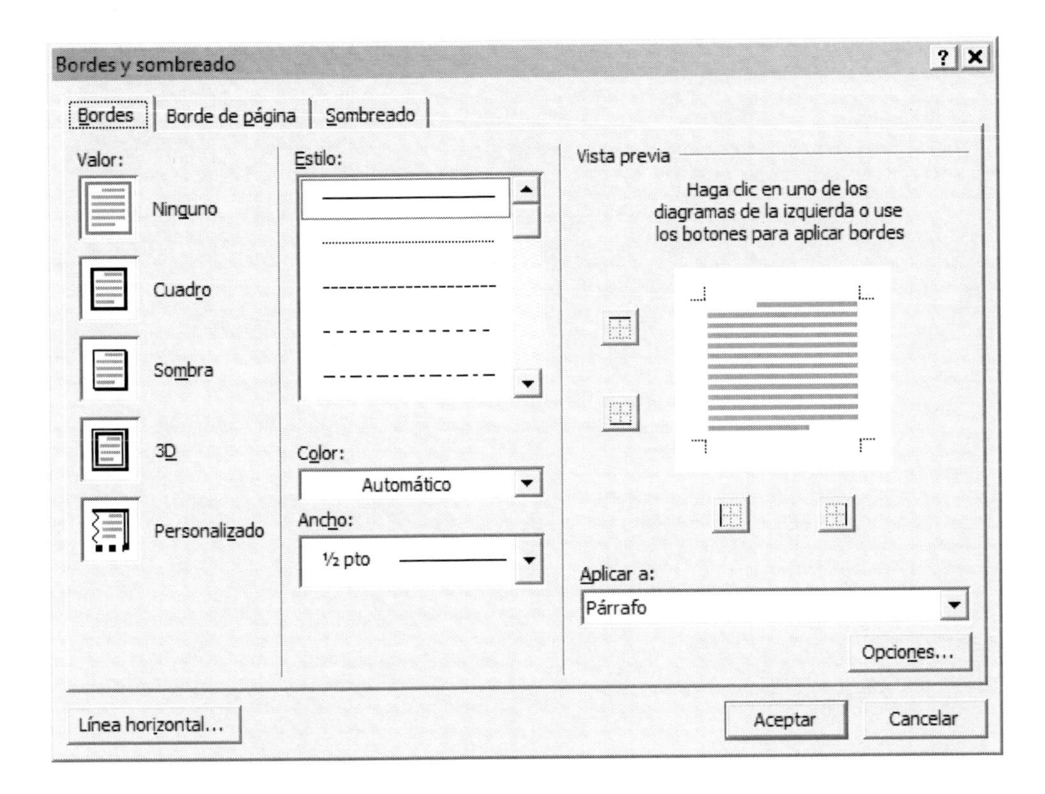

- En la primera columna, **Valor**, vamos a elegir el tipo de contorno: *Cuadro*, *Sombra*, *3D* o *Personalizado*.
- En **Estilo** elegimos el tipo de línea que va a formar el contorno.
- En **Color**, elegimos el color para esa línea.
- En **Ancho**, el grosor para la línea elegida.

Todo esto se irá reflejando en la vista previa, que se muestra a la derecha del cuadro de diálogo.

A través de la vista previa podemos modificar el borde, pulsando en los botones que hay alrededor para poner o quitar alguna de las líneas que forman el contorno.

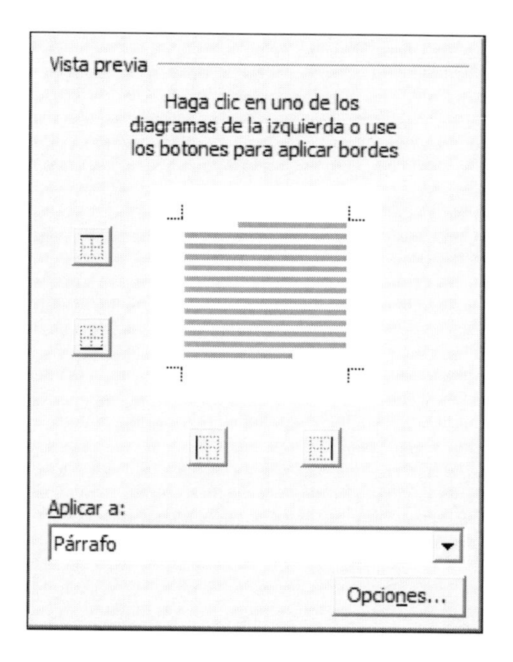

Y en la parte inferior, debajo de la vista previa, tenemos la pestaña **Aplicar a**, donde vamos a poder elegir si queremos aplicar el contorno a texto (sólo al texto seleccionado) o al párrafo (al párrafo completo).

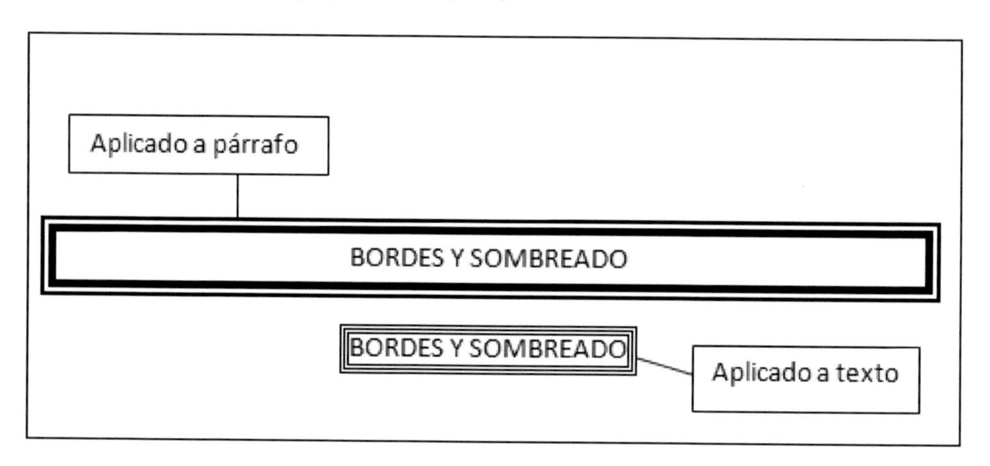

Dentro de la pestaña **Sombreado** vamos a poder elegir el color de fondo y también lo podremos aplicar a texto o a párrafo.

La pestaña **Borde de Página** es igual a la de *Bordes*, con una pequeña diferencia, debajo del *Ancho de línea* hay una nueva casilla llamada *Arte.*

A través de estas opciones incluidas en **Borde de página** vamos a poder establecer el contorno para la página completa y en el desplegable de la sección **Arte**, podremos seleccionar diferentes diseños para dicho contorno.

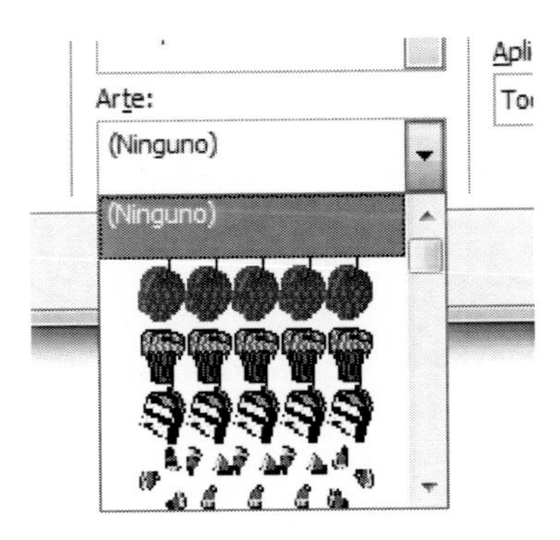

1.6 TABULACIONES

Las tabulaciones nos van a permitir crear listados de datos en columnas. Por ejemplo, un listado de nombres y apellidos. Definimos nuestras posiciones de tabulación, para que al pulsar la tecla tabulador (situada encima del bloqueo de mayúsculas) el cursor se coloque directamente en esa posición.

1.6.1 Fijar tabulaciones

Para crear un listado de este tipo nos situamos donde queremos comenzar a utilizar las tabulaciones y pulsamos en el grupo de opciones **Párrafo** para desplegar el cuadro de diálogo y, posteriormente, en la parte inferior en el botón **Tabulaciones**, aparecerá el siguiente cuadro de diálogo:

En él tenemos que definir cada una de las tabulaciones que queremos colocar. Cada tabulación tiene tres características que nosotros tenemos que indicar: *Posición*, *Alineación* y *Relleno*.

La *Posición* es el centímetro de la regla donde va a estar colocada esa tabulación y se establece en la casilla **Posición**.

La *Alineación* nos va a permitir indicar cómo va a quedar colocada la columna que se va a ir formando, podemos optar por las siguientes posibilidades:

- **Izquierda**: alinea todos los textos a la izquierda con respecto a la posición indicada.
- **Derecha**: alinea todos los textos a la derecha con respecto a la posición indicada.
- **Centrada**: el texto se reparte a partes iguales hacia la derecha o hacia la izquierda.
- **Decimal**: se utiliza para números con decimales y la coma decimal quedaría colocada en la posición del tabulador. La parte entera se extiende hacia la izquierda y la decimal hacia la derecha.
- **Barra**: dibuja una línea vertical en la posición de la tabulación. El cursor no para en esa posición.

Y el *Relleno* es el carácter que rellena el espacio en blanco entre una tabulación y otra. Siempre está a la izquierda de la tabulación.

Una vez que hemos definido para la primera tabulación las tres características pulsamos en el botón **Fijar**, de esta forma la tabulación pasa al listado de tabulaciones y podemos cambiar los valores para definir la siguiente.

Cuando hayamos definido todas las tabulaciones pulsamos en el botón **Aceptar**. En la regla podremos observar unas marcas negras, cada una de las cuales pertenece a una tabulación definida.

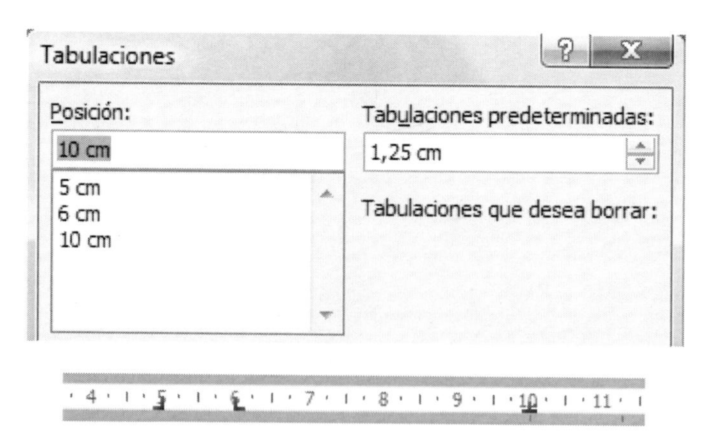

Para escribir, pulsamos el tabulador, el cursor se desplazará hasta la primera marca de tabulación y escribimos el texto correspondiente. Volvemos a pulsar el tabulador y se desplazará hasta la siguiente marca de tabulación, y así sucesivamente.

Veamos el ejemplo de un texto con las tabulaciones anteriores:

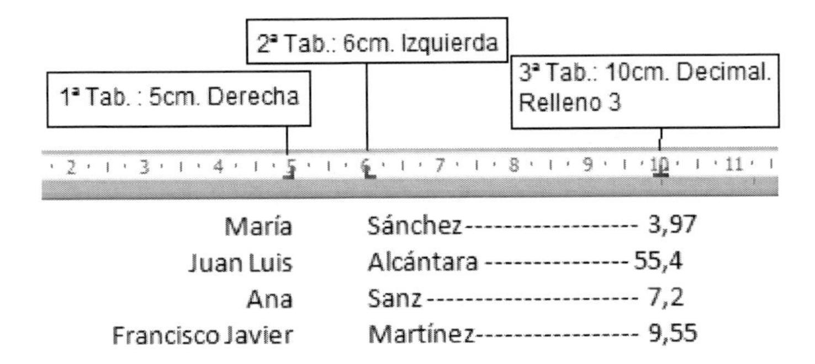

También podemos fijar las tabulaciones directamente desde la regla, sin necesidad de abrir el cuadro de diálogo de tabulaciones. Los pasos que tendremos que seguir son los siguientes:

1. Situarnos en el punto donde vamos a comenzar a escribir con tabulaciones.

2. En la parte izquierda de la regla, seleccionar la tabulación que queremos colocar. Si hacemos clic repetidas veces irán apareciendo las marcas correspondientes a cada una de las alineaciones posibles para tabulaciones, que son:

   Tabulación con alineación izquierda.

   Tabulación con alineación derecha.

   Tabulación con alineación centrada.

   Tabulación con alineación decimal.

   Tabulación con alineación barra.

3. Una vez que aparece la tabulación que nos interesa utilizar hacemos clic en el centímetro de la regla donde vamos a colocar dicha tabulación.

4. Repetiremos estos pasos para cada tabulación.

1.6.2 Modificar tabulaciones

Cuando queremos hacer alguna modificación, tenemos que seleccionar el texto que vamos a cambiar.

Una vez seleccionado podemos modificar: P*osición*, *Alineación* o *Relleno.*

Si es la *Posición* la característica que vamos a modificar, la forma más fácil de cambiarlo es a través de la regla. Localizamos el marcador correspondiente a la tabulación que queremos cambiar y lo arrastramos hacia la derecha o la izquierda.

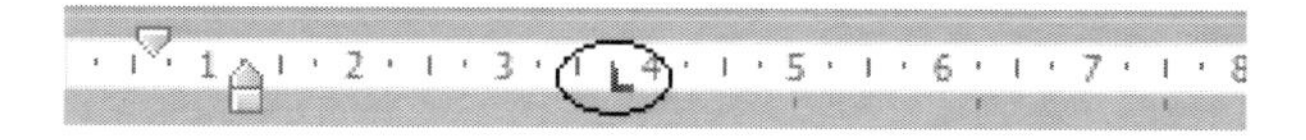

Si lo que queremos cambiar es la *Alineación* o el *Relleno*, entonces debemos acceder al cuadro de diálogo de **Tabulaciones**. Seleccionamos la tabulación que queremos modificar y realizamos los cambios. Una vez hechos estos cambios pulsamos en **Fijar**.

1.6.3 Borrar tabulaciones

Para borrar una tabulación, desde la regla, hacemos clic sobre la posición de tabulación que queremos eliminar y sin soltar la arrastramos fuera de la regla. Al soltar la tabulación habrá sido eliminada.

Cuando queremos dejar de escribir con tabulaciones nos situamos en una línea nueva, es decir, a partir del punto donde ya no utilizaremos las tabulaciones.

Posteriormente eliminamos estas tabulaciones como hemos dicho anteriormente.

1.7 NUMERACIÓN Y VIÑETAS

Llamamos *Lista con viñetas* a una serie de párrafos donde a cada uno de ellos le precede el mismo símbolo.

Y *Lista numerada* es aquella donde a cada párrafo le precede una numeración, que podrán ser de letras, números arábigos, números romanos, etc.

1.7.1 Listas con viñetas

- Lista con viñetas
- Lista con viñetas Lista con viñetas Lista con viñetas Lista con viñetas Lista con viñetas Lista con viñetas
- Lista con viñetas

Para crear una lista con viñetas:

- Nos situaremos en el lugar donde vaya a comenzar dicha lista.
- Pulsamos en el botón , situado en la ficha **Inicio**, dentro del grupo **Párrafo**, y aparecerá el primer símbolo en pantalla.
- Escribimos el texto correspondiente al primer párrafo y pulsamos **Intro**. Al pulsarlo aparece el nuevo símbolo para el siguiente párrafo, escribimos el texto y pulsamos de nuevo **Intro**, y así sucesivamente hasta terminar el listado.
- Cuando queremos volver a escribir texto normal, sin viñetas, pulsamos **Intro** y aparece un nuevo símbolo. Sin escribir texto pulsamos de nuevo la tecla **Intro** y las viñetas quedarán desactivadas.

Si el texto al cual le vamos a asociar viñetas ya está escrito, procederemos de la misma forma, pero previamente seleccionamos el texto al que le vamos a aplicar dicho formato.

Es posible que al realizar la *Lista con viñetas* queramos utilizar un símbolo diferente, o incluso una imagen. Esto puede hacerse pulsando la flecha que incorpora el botón .

Se despliega el siguiente menú:

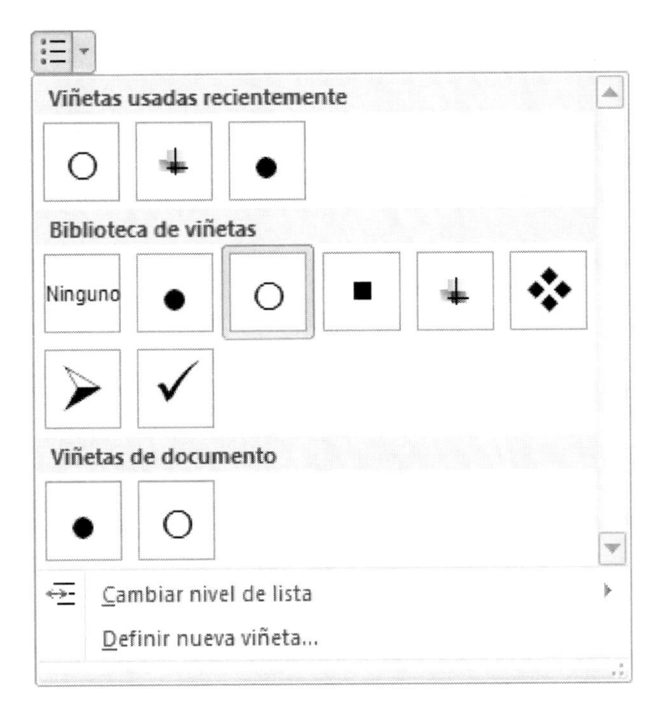

En la parte de arriba aparecen las *Viñetas usadas recientemente*, si entre ellas está la que queremos utilizar, simplemente tenemos que seleccionarla y seguir los pasos que hemos enumerado anteriormente. Si lo que queremos es una viñeta nueva, en la parte inferior vemos una opción llamada *Definir nueva viñeta*, pulsamos y aparecerá un nuevo cuadro de diálogo:

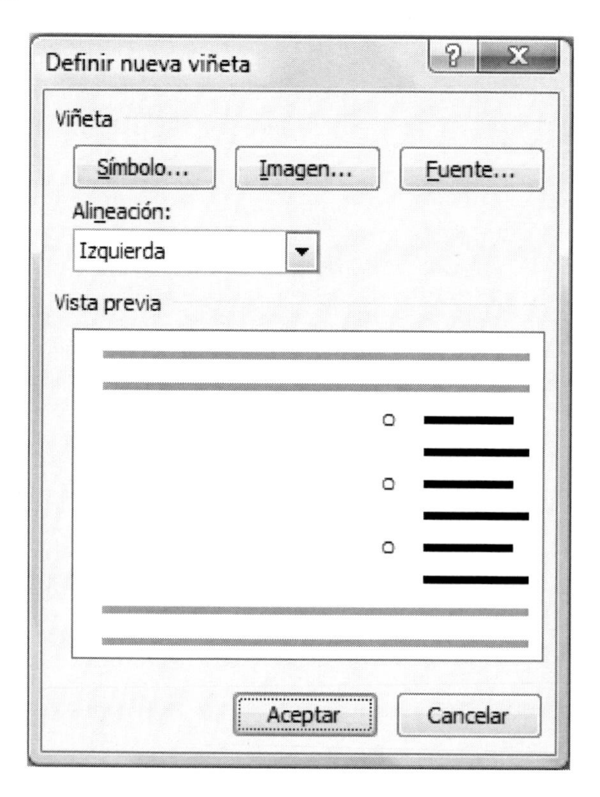

- **Símbolo**: al pulsar este botón podemos elegir a través de la pantalla de símbolos (que ya conocemos) el que queramos utilizar.

- **Fuente**: podemos cambiar las características de fuente para el símbolo, como por ejemplo el color, el tamaño, etc.

- **Imagen**: se visualizarán las imágenes que podemos utilizar como viñetas.

En cualquier caso lo único que hay que hacer es seleccionarlo y pulsar **Aceptar**.

1.7.2 Listas numeradas

El funcionamiento de las listas numeradas es similar al de las listas con viñetas. Pulsamos en el botón situado en el grupo **Párrafo**, dentro de la ficha **Inicio**, en la flecha, y se despliega el siguiente menú:

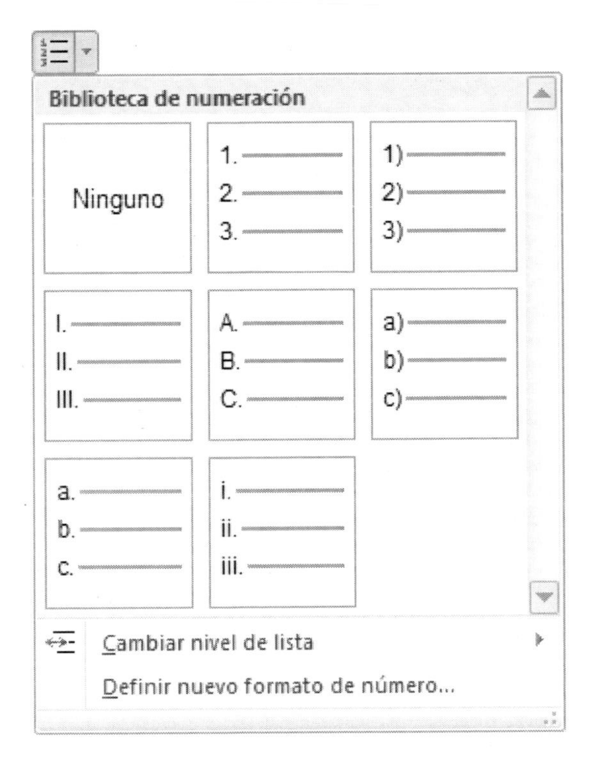

En dicho menú podemos elegir entre los siete tipos distintos de numeración que se muestran en la biblioteca de numeración.

1. Una vez elegida una de estas casillas, el primer elemento de numeración sale en pantalla, escribimos el texto del primer párrafo y pulsamos **Intro**.

2. Al pulsar **Intro**, se muestra el siguiente valor de la lista para continuar con la lista numerada.

3. Si queremos finalizar y volver a escribir normal, volvemos a pulsar **Intro** y la lista numerada se desactiva.

A. Lista numerada.
B. Lista numerada. Lista numerada. Lista numerada. Lista numerada.
C. Lista numerada

Además, en la parte inferior, aparecen dos opciones que vamos a ver a continuación: **Definir nuevo formato de número** y **Establecer valor de numeración**.

Es posible que al elaborar nuestra *Lista numerada* no exista en la biblioteca ningún formato que se adapte a la que queremos utilizar, para ello utilizamos la opción **Definir nuevo formato de número**.

A través de esta opción vamos a poder elegir otros estilos de numeración diferentes y otras características para la lista. Al pulsar en ella nos aparecerá el siguiente cuadro de diálogo:

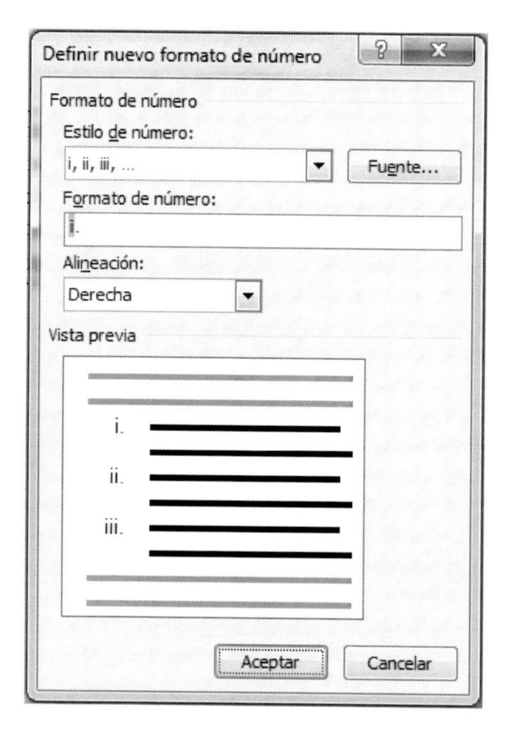

- **Estilo de número**: es donde podemos elegir la numeración que vamos a utilizar. Si pulsamos en la flecha podemos visualizar todos los estilos de numeración disponibles.

- **Formato de número**: se muestra el estilo de numeración que ya hemos elegido. En esta casilla podemos escribir todos aquellos caracteres que queramos repetir a lo largo de la lista, como por ejemplo un punto después del número, un guión, un paréntesis, etc.

- **Fuente**: nos va a permitir cambiar todas las características de texto para los números que forman esta *Lista numerada*. Por ejemplo, que se visualicen en rojo, negrita, etc.

- **Alineación**: elegimos la alineación que queremos para esta numeración.

Una vez dadas todas estas características pulsamos en **Aceptar** y saldrá en pantalla el primer número, escribimos el texto y al pulsar **Intro** aparece el siguiente número, igual que en las viñetas.

Para dejar de usar la *Lista numerada* pulsamos **Intro** otra vez más y se desactiva dicha lista.

Cuando comenzamos una *Lista numerada* siempre empieza por el principio, por el 1, por la A, etc. ¿Cómo podemos comenzar por otro número?

Pues bien, si pulsamos en el botón otra de las opciones que se muestran es **Establecer valor de numeración**. Al pulsar esta opción, se muestra un pequeño cuadro de diálogo que nos va a permitir empezar en cualquier valor.

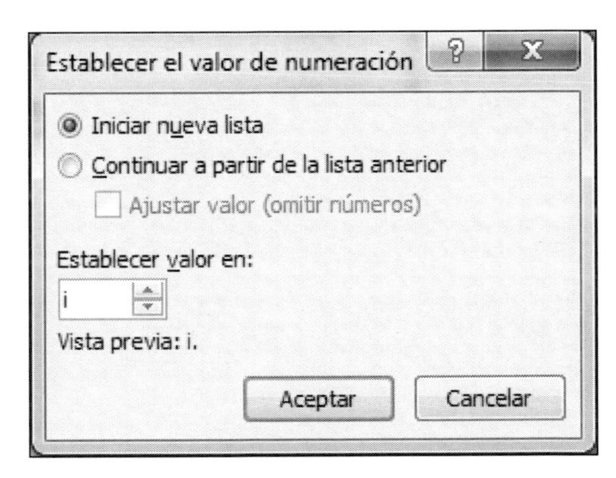

Si pulsamos en la opción **Continuar a partir de la lista anterior**, si en el documento ya habíamos utilizado la misma lista, esta continuará en el número siguiente que terminó la anterior.

Si queremos empezar por otro número sin más, en la casilla **Establecer valor en** le indicamos cuál es el valor en el que queremos comenzar nuestra *Lista numerada*.

1.8 CONFIGURACIÓN DE PÁGINA

A través de las opciones de configuración de página vamos a establecer unas características generales para el documento, como los márgenes, el tamaño del papel, la orientación, etc.

Para acceder a estas características nos situamos en la ficha **Diseño de página** y dentro encontramos un grupo llamado **Configurar página**.

Para acceder al cuadro de diálogo completo pulsamos en la esquina inferior derecha :

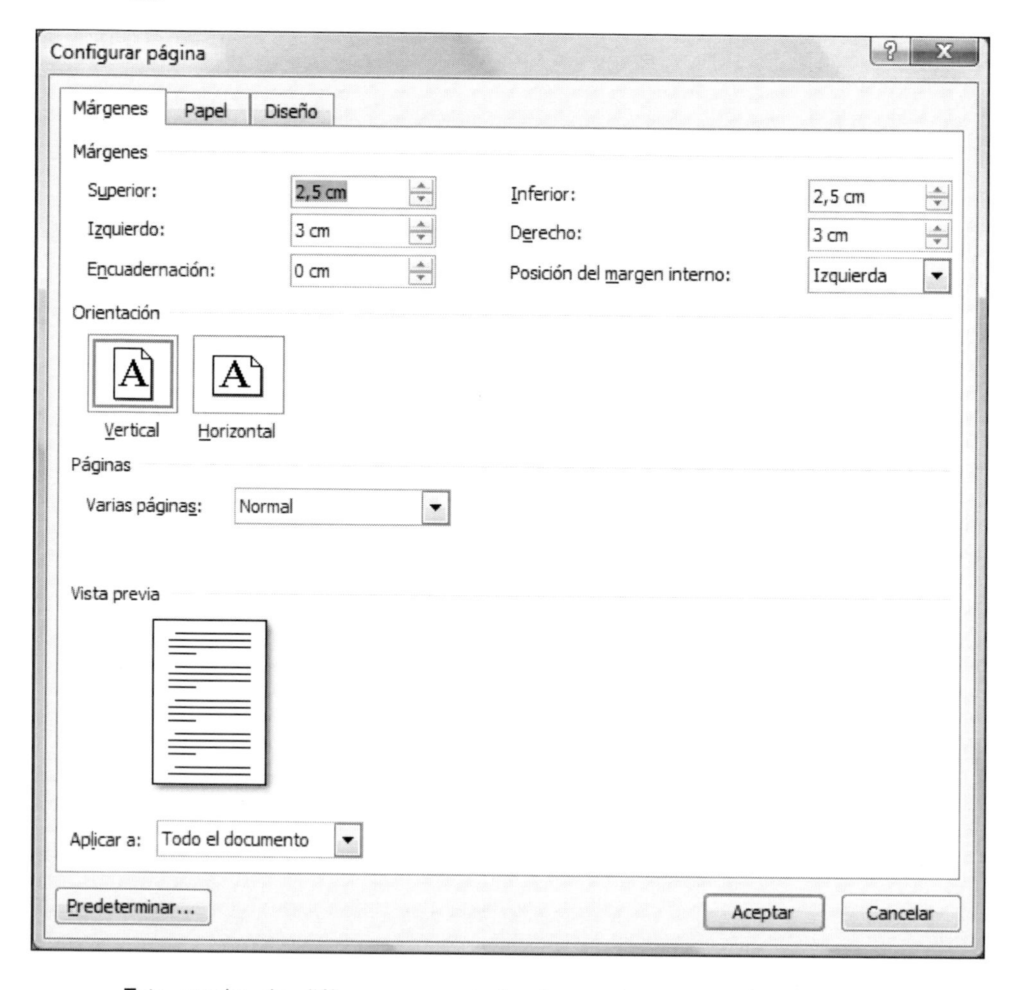

Este cuadro de diálogo agrupa todas las opciones que tienen que ver con la configuración del documento. Vamos a ver las más importantes.

1.8.1 Márgenes

Es la distancia que hay desde el borde de la página hasta el texto, por los cuatro lados del documento.

Al iniciar un documento, éste ya tiene unos márgenes predefinidos que podemos modificar.

En la primera pestaña de este cuadro de diálogo, **Márgenes**, es donde vamos a encontrar las casillas para indicar esa distancia. Se mide en centímetros.

Márgenes

Superior:	2,5 cm	Inferior:	2,5 cm
Izquierdo:	3 cm	Derecho:	3 cm

Pulsando sobre el botón **Márgenes**, el primero del grupo de opciones **Configurar página**, se muestran unas medidas predeterminadas para los márgenes. Si entre estas opciones están los márgenes que vamos a utilizar, simplemente tendremos que pulsar sobre el modelo que queramos usar.

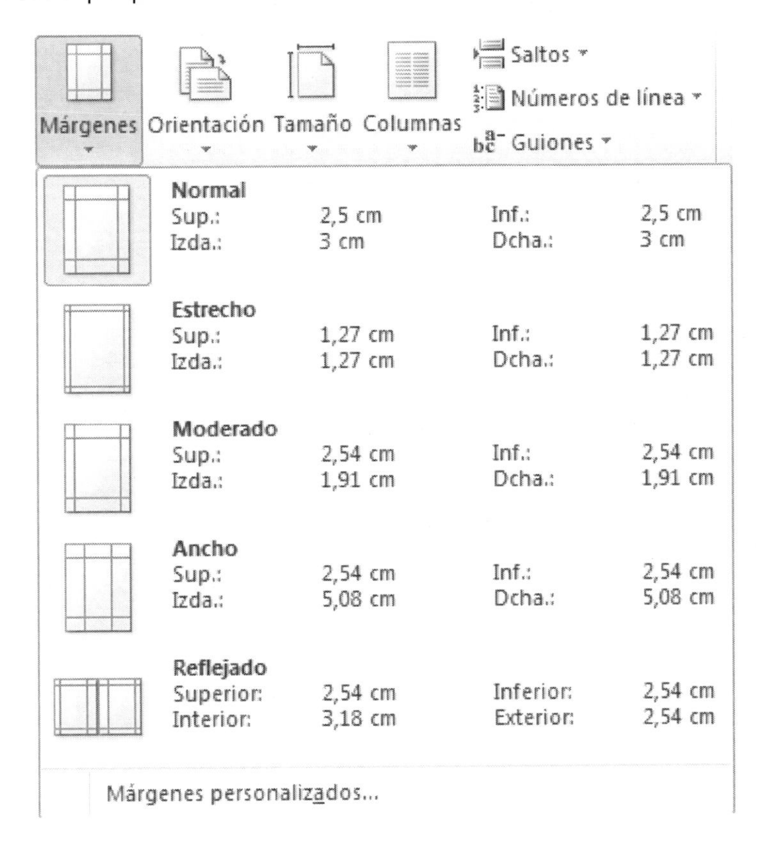

1.8.2 Orientación

La orientación del papel, también se encuentra en la pestaña **Márgenes**. Podemos elegir entre horizontal o vertical.

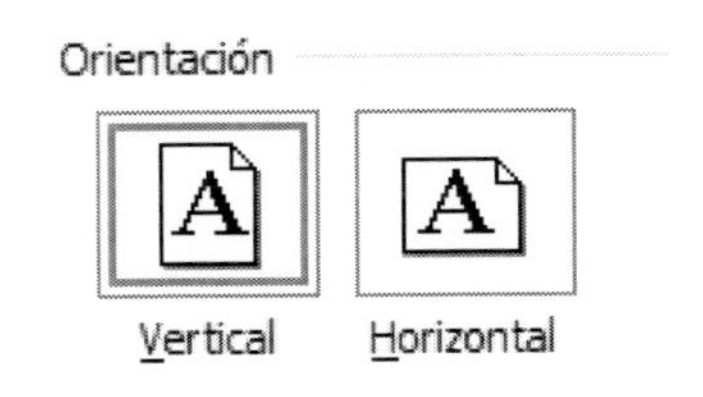

Al igual que para los márgenes, disponemos de un botón con esta utilidad en el grupo de opciones **Configurar página**.

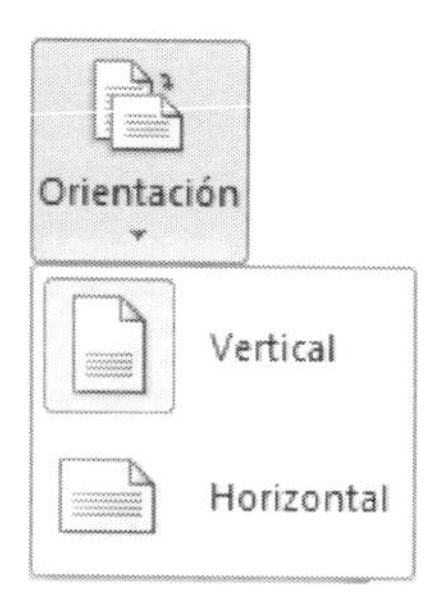

1.8.3 Tamaño papel

De forma predeterminada cuando comenzamos un documento el tamaño del papel es A4 (21cm. x 29,7cm.), pero podemos modificar este tamaño a otro de los definidos o establecer el alto y ancho en cm.

Esta característica se encuentra en la pestaña **Papel**:

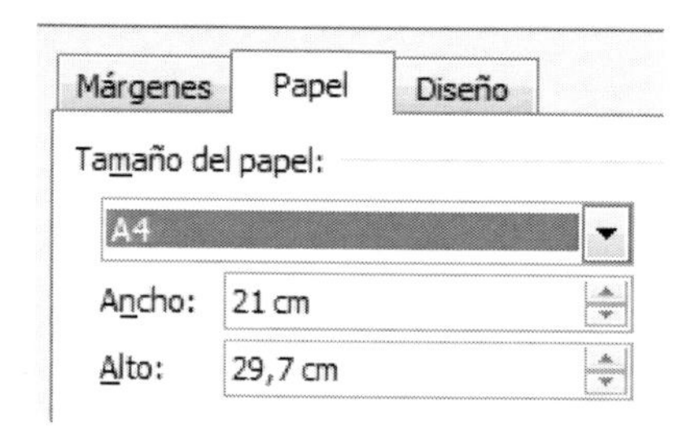

También encontramos esta opción a través del botón Tamaño del grupo de opciones **Configurar página**:

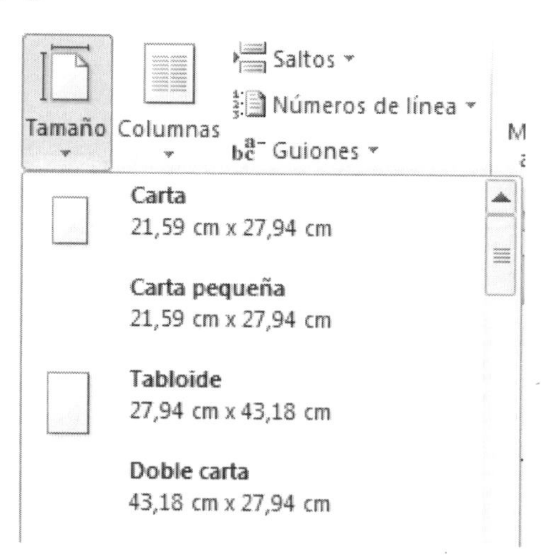

1.8.4 Alineación vertical

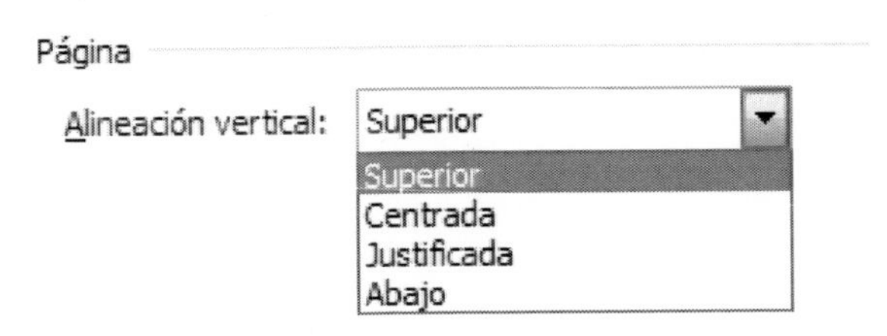

En la pestaña **Diseño** del cuadro de diálogo **Configurar Página**, nos encontramos con esta opción.

Se refiere a la alineación vertical, es decir, la alineación de arriba a abajo de la página.

Veamos un ejemplo:

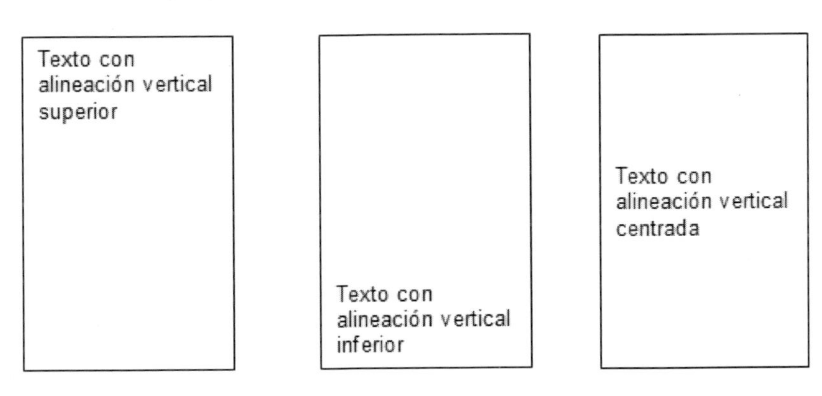

1.9 SALTOS DE PÁGINA

Cuando trabajamos en un documento y elaboramos una página, al finalizar ésta, no es necesario hacer nada para pasar a la siguiente.

Cuando elaboramos un documento, Word pasa de una página a otra de forma automática al sobrepasar el tamaño de ésta. Pero en ocasiones nos interesará pasar a otra página sin agotar el espacio de la anterior.

Para realizar esto disponemos de los saltos de página cuya función es pasar el cursor a la página siguiente.

Un salto de página se puede realizar de dos formas, siguiendo estos pasos:

1. Situar el cursor al final del texto de la página.

2. Pulsar en el botón **Salto de página**, que se encuentra en la ficha **Insertar** dentro del grupo **Páginas**, o bien utilizar el conjunto de teclas **CTRL + INTRO**.

1.10 ENCABEZADO Y PIE DE PÁGINA

El encabezado y pie de página es una parte del documento, en la que podemos insertar texto, imágenes o cualquier otro elemento de Word, que se repetirá en todas las páginas del documento.

La diferencia entre encabezado y pie de página es que el encabezado aparece en la parte superior del documento y el pie en la parte inferior.

En la ficha **Insertar** encontramos el grupo **Encabezado y pie de página**.

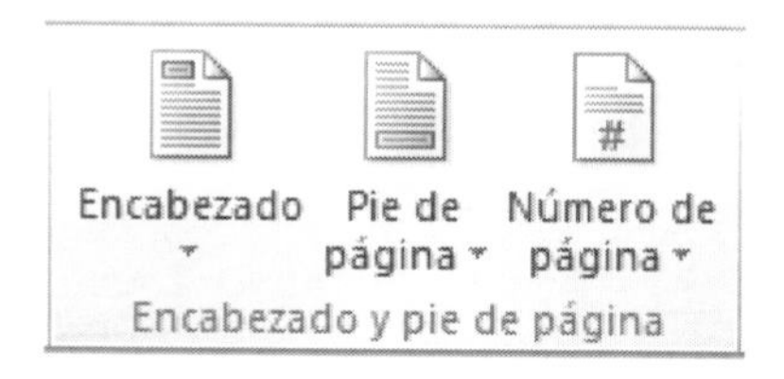

Al pulsar en el botón **Encabezado**, se despliega un menú donde podemos ver un listado con encabezados predeterminados, y en la parte inferior encontramos la opción **Editar encabezado**. Con esto entramos en la sección de encabezado.

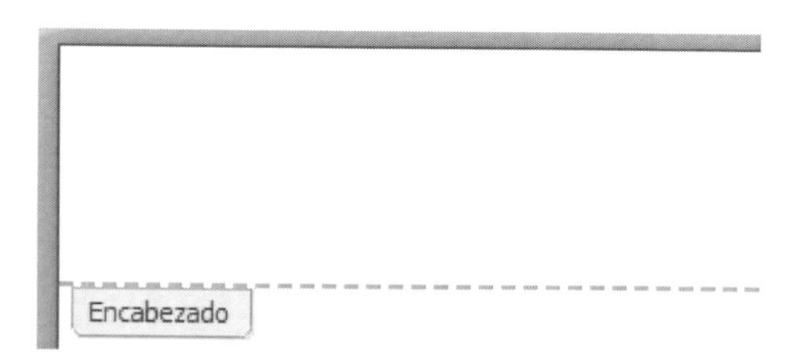

En el interior de esta línea punteada es donde vamos a insertar los elementos pertenecientes al encabezado que queremos que se repitan a lo largo del documento.

También se mostrará una nueva ficha llamada **Diseño**, donde tenemos herramientas para elaborar el encabezado o pie de página.

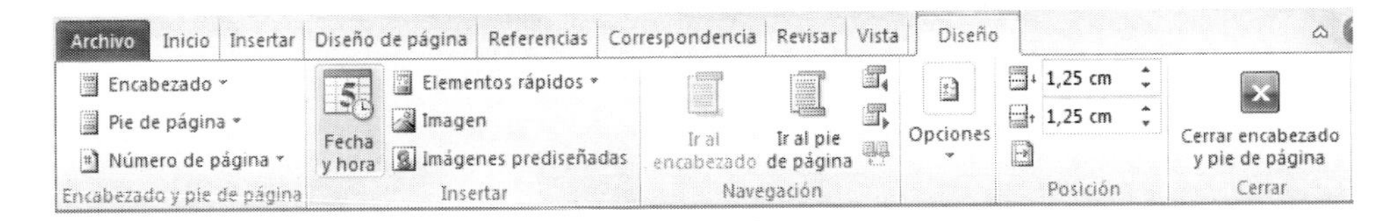

Vamos a realizar un ejemplo:

1. Pulsamos en la ficha **Insertar**, **Encabezado**.
2. En el área correspondiente al encabezado escribimos "*Aprendiendo Word*" y lo alineamos a la derecha.
3. A continuación, pulsamos en el botón **Cerrar encabezado y pie de página** dentro de la ficha **Diseño**. Con esta opción volvemos al documento y el encabezado se muestra en color gris para indicarnos que no forma parte del texto del documento.

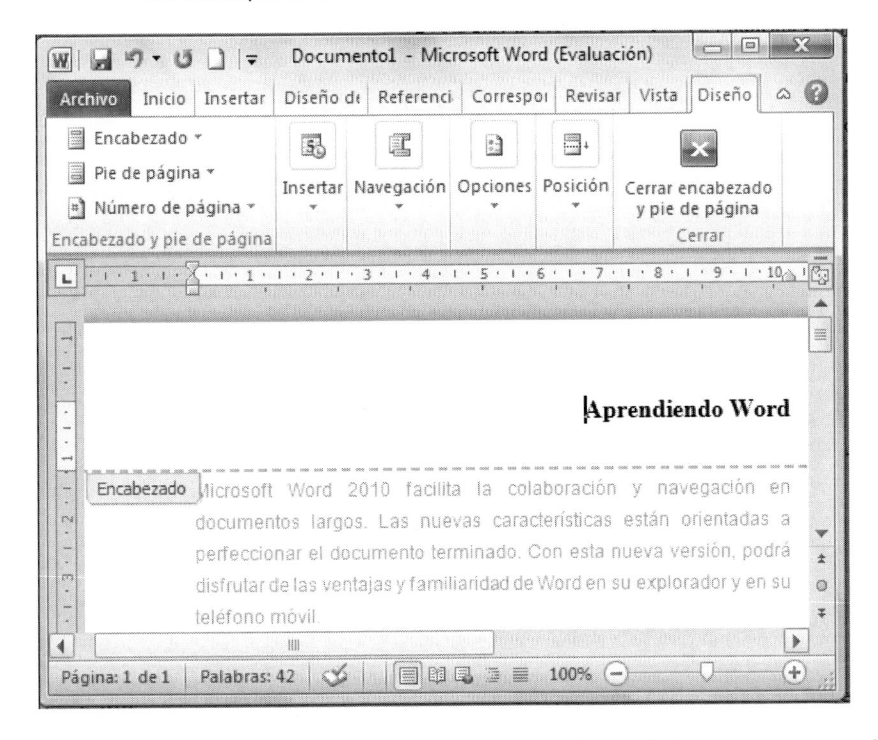

Una vez que tenemos creado el encabezado o pie de página podemos acceder a ellos con doble clic en el área correspondiente donde se encuentran, sin necesidad de ir a la ficha **Insertar**.

Si pulsamos ahora en el documento **CTRL + INTRO** para pasar a la página siguiente podemos comprobar que el encabezado que hemos elaborado se repite sin necesidad de hacer nada.

1.10.1 Cambiar entre encabezado y pie

Una vez que hemos accedido al encabezado podemos cambiar de forma rápida al pie de página pulsando en la ficha **Diseño**, en el botón **Ir al pie de página**, del grupo **Navegación**.

Si de igual forma estamos situados en el pie y queremos ir al encabezado pulsamos en **Ir al encabezado**.

1.10.2 Números de página

Para numerar las páginas de un documento, disponemos de un botón en el grupo **Encabezado y pie de página** llamado **Número de página**, dentro de la ficha **Diseño**.

Al pulsar este botón se despliega un menú para poder elegir la posición donde queremos colocar el número de página, al principio de la página (en el encabezado), al final de la página (en el pie de página), en los márgenes, o en la posición actual del cursor.

Al pulsar en cada una de estas opciones se despliegan las diferentes posibilidades por las que podemos optar.

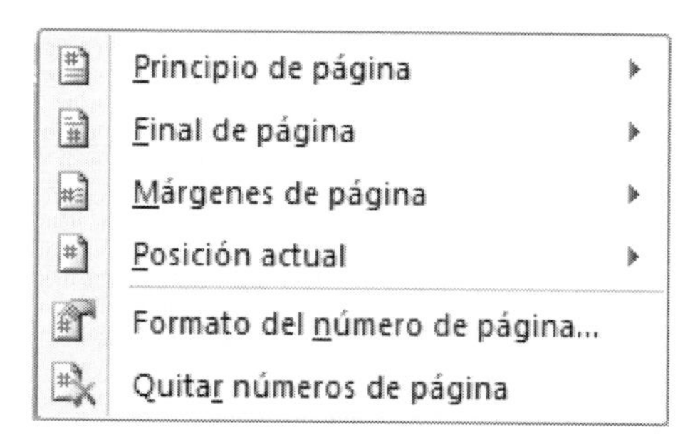

En la parte inferior podemos elegir, a través de la opción **Formato del número de página** el estilo de numeración que vamos a utilizar para nuestro documento.

Por ejemplo, podremos elegir si queremos numerar con números arábigos, números romanos, letras, etc. y en que número o letra deseamos empezar.

- **Formato de número**: elegimos el estilo de numeración que vamos a utilizar; números romanos, letras, etc.

- **Numeración de páginas**: en esta sección podemos elegir si la numeración se va a realizar de forma continua para las distintas secciones del documento o si queremos iniciar en otro número distinto al del comienzo.

1.10.3 Otros elementos

En el grupo de opciones **Insertar**, incluido en la ficha **Diseño**, nos encontramos los siguientes botones:

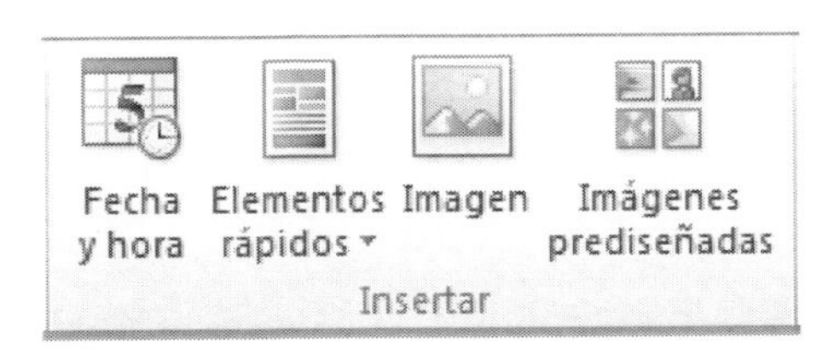

Fecha y hora: a través de este botón podemos insertar la fecha y hora actual. Se despliega un cuadro de diálogo donde podremos elegir el formato que queremos utilizar y si queremos que este dato se actualice de forma automática o no.

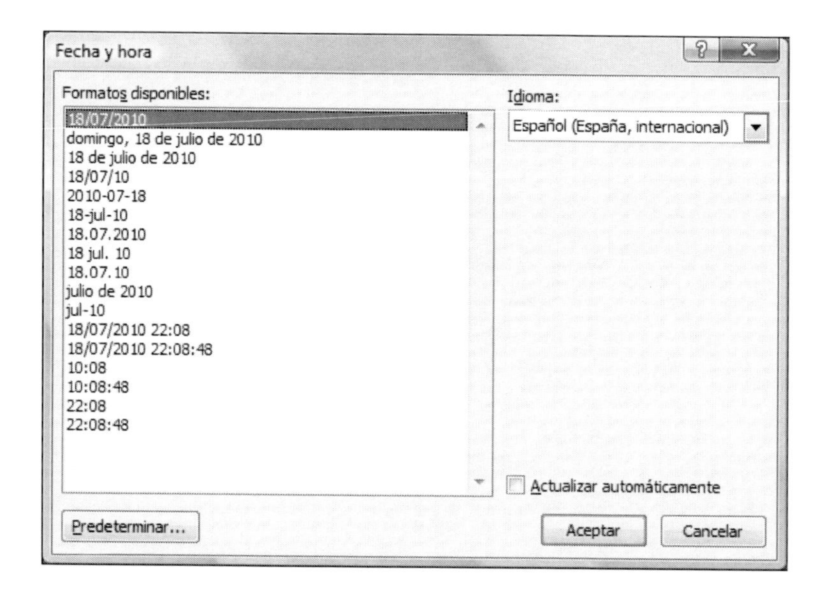

Elementos rápidos: son elementos que ya están elaborados y que solamente tenemos que elegirlos y se insertarán en el punto donde esté colocado nuestro cursor.

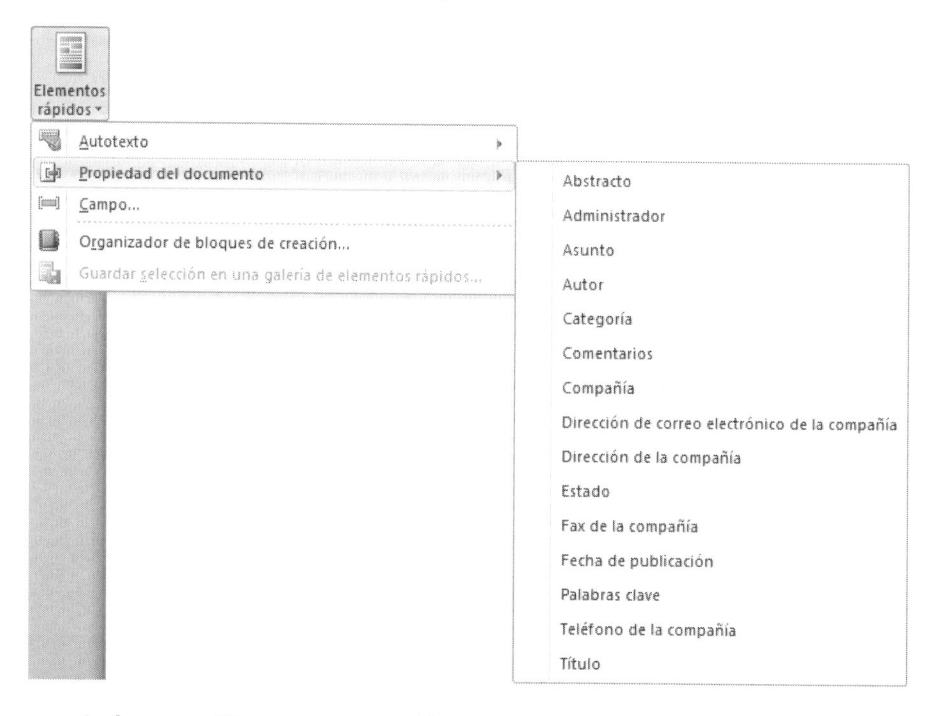

Imágenes: utilizaremos esta opción para insertar imágenes desde archivo.

Imágenes prediseñadas: con este botón desplegamos las imágenes de Office para elegir la que queremos insertar.

1.10.4 Opciones de repetición

Hemos definido anteriormente el encabezado y pie de página como una sección del documento que se repite a lo largo del mismo.

A través del grupo **Opciones** de la ficha **Diseño**, podemos establecer cómo se va a realizar la repetición.

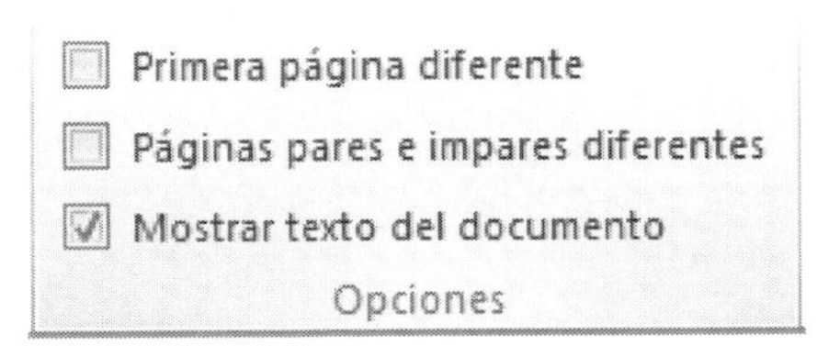

- **Primera página diferente**: si marcamos esta opción tenemos la posibilidad de elaborar un encabezado y pie para la primera página y otro para el resto del documento.

- **Pares e impares diferentes**: con esta opción vamos a poder crear un encabezado que se repita en las páginas pares y otro encabezado para las páginas impares.

Estas dos opciones son compatibles, es decir, si marcamos las dos podremos crear un encabezado exclusivo para la primera página y para el resto del documento, pares e impares diferentes.

La opción **Mostrar texto del documento** nos servirá para visualizar o no el texto ya escrito del documento.

1.10.5 Posición del encabezado

Tanto el encabezado como el pie de página de un documento tienen una posición predeterminada. El encabezado a 1,25 cm. del borde superior de la página y el pie a 1,25 cm. del borde inferior de la página.

Estas posiciones podemos cambiarlas dentro de la ficha **Diseño** en el grupo **Posición**.

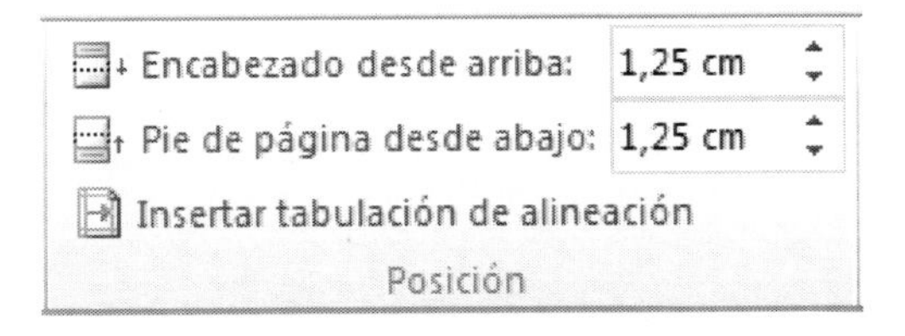

1.11 COLUMNAS

1.11.1 Creación de columnas

Word nos da la posibilidad de hacer más atractivos nuestros documentos incluyendo en ellos el formato de columnas para el texto.

Para crear columnas, colocamos nuestro cursor en el punto donde vamos a comenzar a escribir con este formato y pulsamos en la ficha **Diseño de página**, en el grupo **Configurar página**, en el botón **Columnas**.

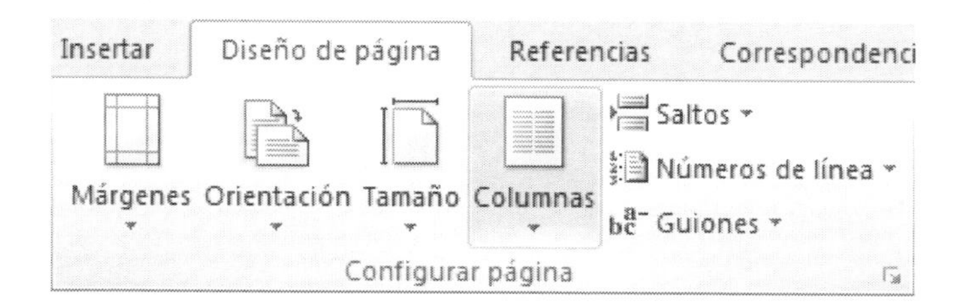

Se despliega un listado con las columnas predeterminadas: Una, Dos, Tres, Izquierda o Derecha. Si es alguna de estas la que vamos a utilizar simplemente pulsaremos sobre la opción correspondiente.

Si queremos acceder al cuadro de diálogo completo para poder elegir todas las opciones para columnas, pulsaremos en la opción que se muestra en la parte inferior del menú que se despliega: **Definir columnas**. Se mostrará la siguiente ventana:

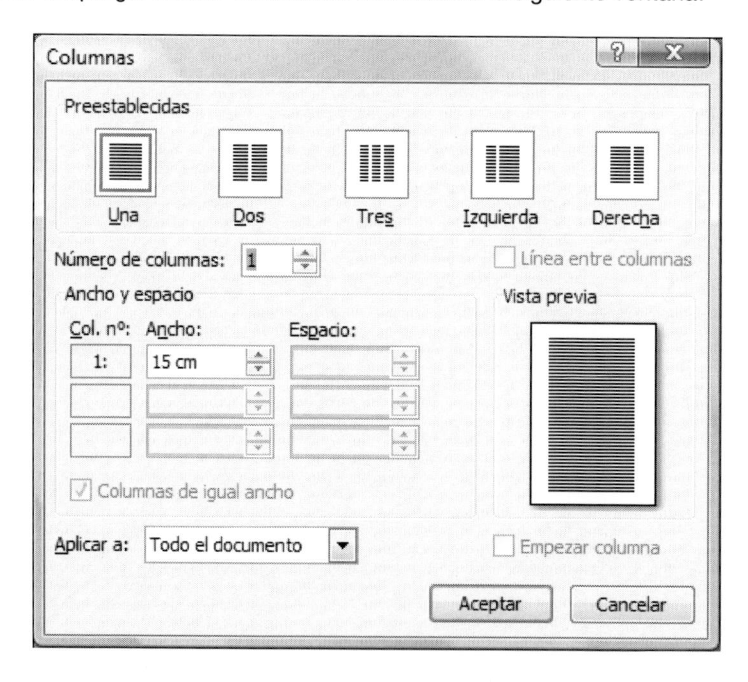

En la parte superior aparecen las columnas preestablecidas, donde podemos elegir si queremos escribir a una, dos o tres columnas iguales; o las dos últimas donde la derecha o la izquierda son más pequeñas.

Además debajo hay una casilla donde podemos establecer directamente el número de columnas.

Y en la parte inferior disponemos de unas casillas donde vamos a poder elegir el ancho de cada columna y el espacio que hay entre ellas. Estas medidas se establecen en centímetros.

A la derecha de este cuadro de diálogo tenemos una casilla de verificación llamada **Línea entre columnas** para dibujar una línea vertical entre cada una de las columnas del documento.

Y por último, y lo más importante, la casilla **Aplicar a**:

- Si elegimos **Todo el documento**, el documento completo se distribuye en el número de columnas elegidas.

- En cambio, si elegimos **De aquí en adelante** la distribución en columnas tendrá efecto solamente desde el punto donde tenemos situado el cursor en adelante.

1.11.2 Trabajando con columnas

Una vez que ya tenemos establecido el formato de columnas, comenzaríamos a escribir el texto en la primera columna. Si rellenamos la primera página completa, de forma automática, sin necesidad de hacer nada empezaríamos a escribir en la segunda columna.

¿Pero qué sucede si escribimos dos o tres líneas y queremos pasar a la segunda columna?

Pues bien, tendríamos que realizar un salto de columna, siguiendo estos pasos:

1. Nos situamos al final del texto de la primera columna.

2. Pulsamos en la ficha **Diseño de página**, dentro del grupo **Configurar página**, el botón **Saltos**.

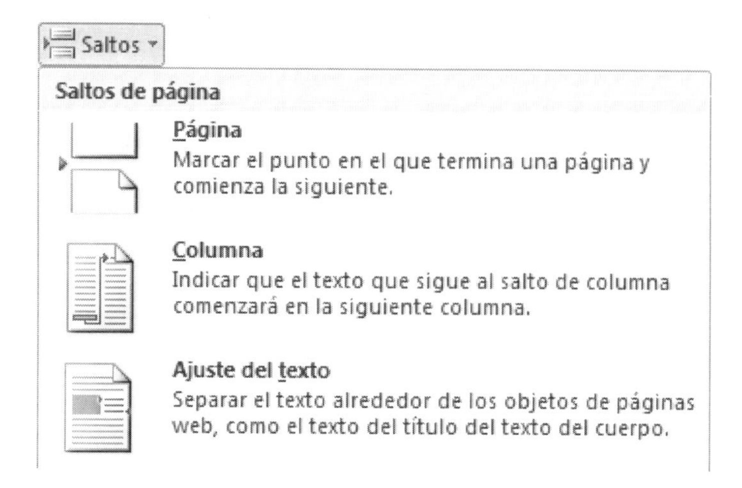

3. Elegimos **Columna** y el cursor se moverá hasta la columna siguiente.

Repetiremos estos pasos cada vez que queramos pasar de una columna a la siguiente.

Sin necesidad de pulsar en estas opciones de menú, podemos realizar el salto de columnas con la siguiente combinación de teclas: **CTRL + MAY + INTRO**.

1.11.3 Cambiar el formato

Una vez que hemos escrito nuestro texto en columnas, es posible que queramos continuar sin columnas o con un número diferente.

Seguiremos estos pasos:

1. Situamos el cursor al final del texto de la última columna.
2. Pulsamos en **Columnas/Definir columnas**.
3. En este cuadro de diálogo elegimos el nuevo formato (una columna, tres columnas, etc.).
4. En la casilla **Aplicar a** elegimos **De aquí en adelante** y **Aceptar**.

El cursor se situará de nuevo a la izquierda con el nuevo formato elegido.

1.12 TABLAS

Las tablas son un potente elemento de Word. Están formadas por filas y columnas, que nos permiten organizar la información muy fácilmente. Cada casilla de la tabla se llama **celda**.

1.12.1 Crear tabla

Para crear una tabla:

- Situamos el cursor en el punto donde queremos insertarla.
- Pulsamos en la ficha **Insertar**, en el botón **Tabla** del grupo **Tablas**.

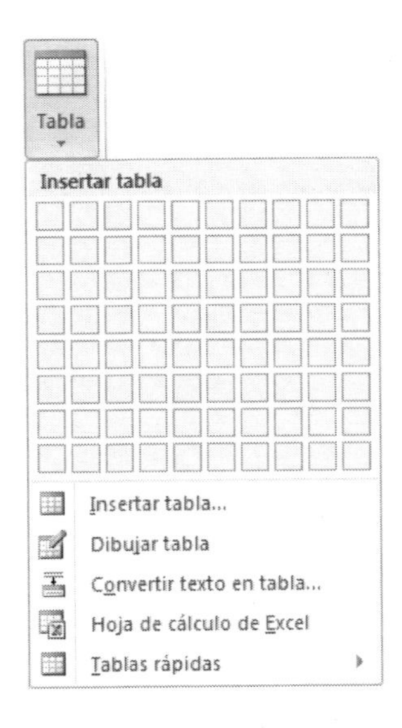

Desde este menú que se despliega podemos insertar la tabla de dos formas:

1. Seleccionando en la cuadrícula el número de filas y columnas que tendrá la tabla.
2. Pulsando en **Insertar tabla**, donde nos aparecerá un cuadro de diálogo como el siguiente, para indicar el número de filas y columnas.

De cualquier forma, en pantalla se mostrará la tabla con el número de filas y columnas elegido.

Otra posibilidad es dibujar la tabla, aunque es menos recomendable, porque hay que dibujarla con el ratón y el proceso es un poco más largo.

Para crearla de este modo, pulsamos en la opción **Dibujar tabla** del menú que se despliega al pulsar en el botón **Tabla**. Entonces el cursor se convierte en un lápiz, para dibujar esta tabla. Primero dibujamos el contorno y posteriormente las líneas que van a formar las filas y columnas.

Una vez creada la tabla aparecen dos nuevas fichas donde se encuentran todas las herramientas sobre las tablas: **Diseño** y **Presentación**.

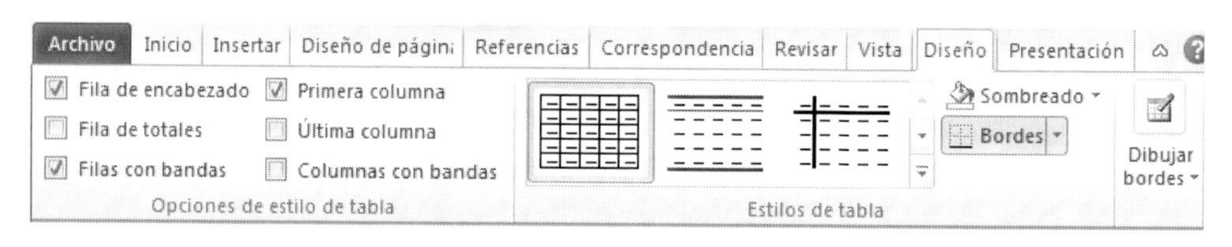

Barra de herramientas de Diseño

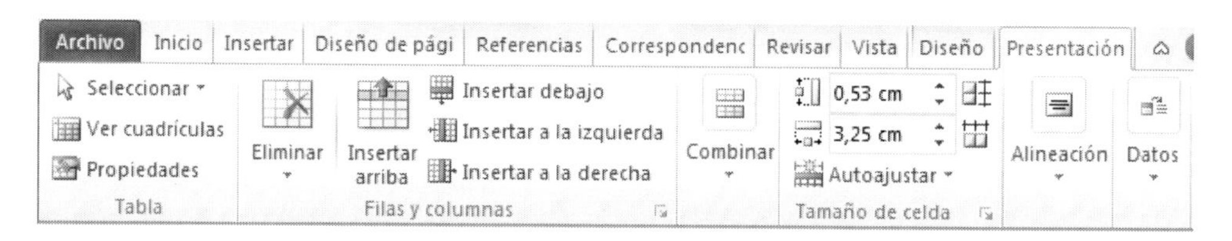

Barra de herramientas Presentación

1.12.2 Desplazamientos por la tabla

Las formas de desplazarse por la tabla son:

- Utilizando la tecla del **Tabulador** pasamos a la celda (casilla) de la siguiente columna. Si estamos al final de una fila, pasará a la primera celda de la fila siguiente.

- Si, en lugar de avanzar, queremos retroceder a la celda inmediatamente anterior, pulsamos la combinación de teclas **MAY + Tabulador**.

- Otra posibilidad es utilizar los **cursores del teclado** para desplazarnos arriba, abajo, a la izquierda o la derecha.

- Directamente con el **ratón** podemos posicionarnos sobre una determinada celda.

Cuando estamos situados en la última celda de la tabla, al pulsar la tecla del **Tabulador**, automáticamente se añadirá una nueva fila, al final de la tabla.

1.12.3 Selección

Al igual que en el texto de un documento, en una tabla también tenemos que seleccionar las celdas a las que le vayamos a aplicar algún tipo de formato.

Parte de la tabla	Como se selecciona
Una celda.	Situamos el puntero del ratón en el extremo izquierdo de la tabla y cuando éste salga como una flecha negra inclinada, entonces hacemos clic.
Una fila.	Situamos el puntero del ratón a la izquierda de la fila que vamos a seleccionar (fuera de la tabla), al hacer clic con el ratón se selecciona la fila completa.
Una columna.	Situamos el puntero del ratón en el extremo superior de la columna que queremos seleccionar (fuera de la tabla). Cuando el cursor se muestra como una fecha negra hacia abajo hacemos clic y se seleccionará la columna completa.
Un bloque de celdas.	Pulsamos en el interior de la primera celda que vamos a seleccionar y arrastramos hasta la última.
La tabla completa.	Al pasar el cursor por el extremo superior izquierdo de la tabla aparece este símbolo ⊞, pulsamos sobre él y se marca la tabla completa.

Además de estas formas disponemos del botón **Seleccionar**, en la ficha **Presentación** y en el primer grupo de opciones, **Tabla**, que nos ofrece diferentes opciones de selección.

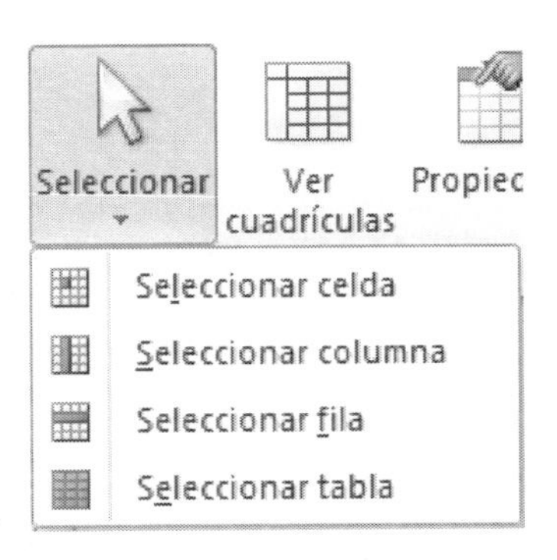

1.12.4 Ancho y alto de filas y columnas

Para cambiar rápidamente la altura o anchura de las filas, debemos situar el puntero del ratón en la línea que divide la columna o fila que pretendemos modificar. Cuando el puntero se muestra como una flecha de doble dirección, arrastramos hacia donde corresponda, arriba, abajo, izquierda o derecha,

Si tenemos seleccionada una parte de la tabla y procedemos a cambiar el ancho o alto de filas o columnas sólo se cambiará de la parte seleccionada.

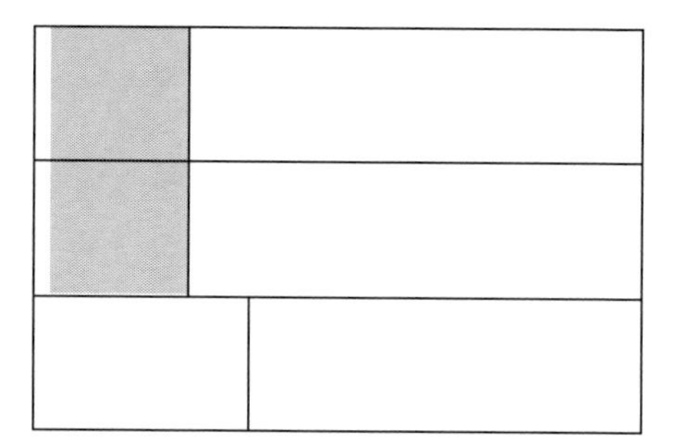

1.12.5 Insertar filas y columnas

Una vez que tengamos elaborada la tabla nos surgirá la necesidad de insertar filas y/o columnas.

Disponemos de un grupo de opciones en la ficha **Presentación** que agrupa todas ellas. Se llama **Filas y columnas**.

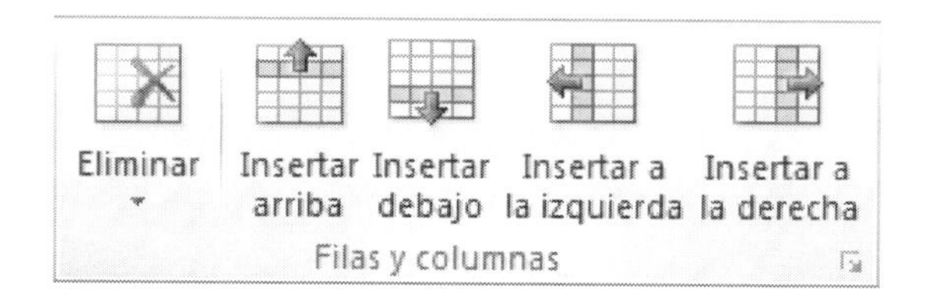

Para insertar una fila:

Situamos el cursor al lado de donde queremos insertar la fila, y vamos a tener la posibilidad de insertarla por encima de la posición del cursor, en cuyo caso pulsaremos el botón **Insertar arriba** o insertarla por debajo, en este caso pulsaremos **Insertar debajo**.

Para insertar una columna:

En el caso de nuevas columnas vamos a poder situarlas a la izquierda o derecha de la posición del cursor, pulsando en **Insertar a la izquierda** o en **Insertar a la derecha**, según corresponda.

1.12.6 Eliminar filas, columnas o tabla

Cuando vamos a eliminar una parte de la tabla o la tabla completa, lo mejor es seleccionar aquella parte que deseamos quitar.

Una vez seleccionado, pulsamos en el botón **Eliminar** del grupo de opciones anterior, y en el menú que se despliega elegimos la opción que corresponda.

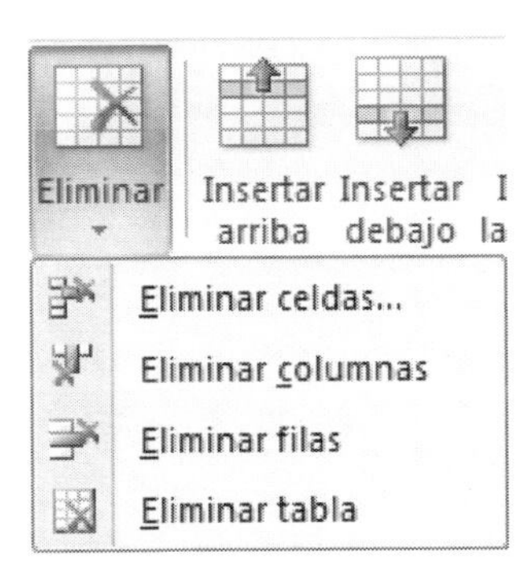

1.12.7 Estilos de tabla

Una vez que hemos introducido todos los datos en la tabla, aunque también podemos hacerlo antes, es posible mejorar la apariencia de la misma. Para ello disponemos de dos alternativas, o bien aplicamos a la tabla un diseño personalizado (más laborioso, en el que tenemos que seleccionar la apariencia del texto, de las celdas, la alineación, etc.) o bien podemos aplicar directamente a la tabla uno de los estilos que el programa nos proporciona.

Para realizar esta operación nos situamos sobre la tabla a la cual queremos aplicarle algún estilo. A continuación, dentro de la ficha **Diseño**, pulsamos en uno de los estilos que se visualizan en el grupo **Estilos de tabla**. Al seleccionar el estilo la tabla se muestra con las características del elemento seleccionado.

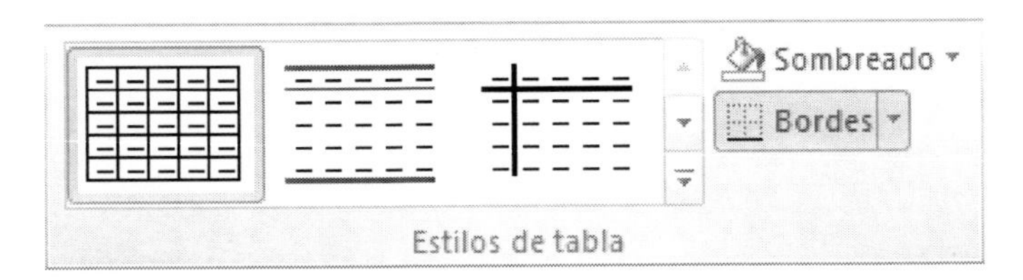

A través del grupo **Opciones de estilo de tabla**, podemos elegir a qué parte de la tabla queremos aplicarle o no el estilo elegido.

Fila de encabezado
Primera columna
Fila de totales
Última columna
Filas con bandas
Columnas con bandas
Opciones de estilo de tabla

Generalmente en las tablas, la primera y última fila, y la primera y última columna se destinan a títulos y resultados, de tal forma que se les da un formato especial. Pues bien, a través de las **Opciones de estilo de tabla** podemos aplicar o desactivar el estilo a estas filas y columnas.

1.12.8 Color de fondo y bordes

Al elegir un estilo la tabla por completo cambia y se adapta a las características del estilo.

También es posible aplicar estas características sin elegir ningún estilo en particular, sino que vamos a ir seleccionando celdas y aplicando el color de fondo y borde que nos interese.

Para aplicar un color de fondo, previamente seleccionamos las celdas que vamos a modificar y a continuación pulsamos en el grupo **Estilos de Tabla**, situado en la ficha **Diseño**, en el botón **Sombreado**.

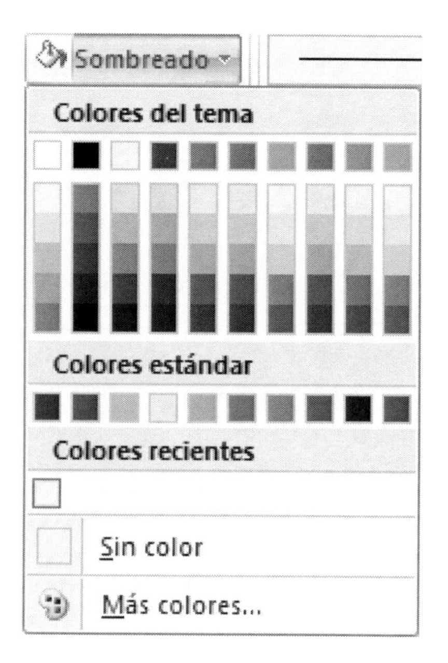

Para cambiar las líneas de división, disponemos de un grupo de opciones completo.

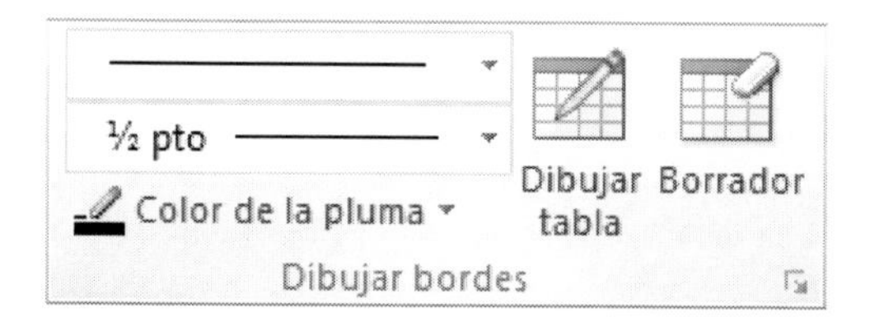

Para cambiar las líneas de la tabla seguiremos estos pasos:

- Pulsamos en el botón **Dibujar tabla**. De esta forma el puntero del ratón se convierte en un lápiz.
- Elegimos en el primer desplegable el tipo de línea que vamos a utilizar (discontinua, doble, etc.).
- Elegimos el grosor de esta línea en el segundo desplegable.
- Por último, en la parte inferior elegimos el **Color de la pluma**, es decir, el color para la línea que vamos a dibujar.
- Ahora arrastramos el puntero del ratón por las líneas que queremos modificar.

De esta forma también podemos dibujar nuevas líneas, por ejemplo, para crear una nueva columna.

1.12.9 Combinar y dividir celdas

Combinar significa unir celdas.

En la ficha **Presentación** tenemos el grupo **Combinar**, donde vamos a encontrar estas opciones.

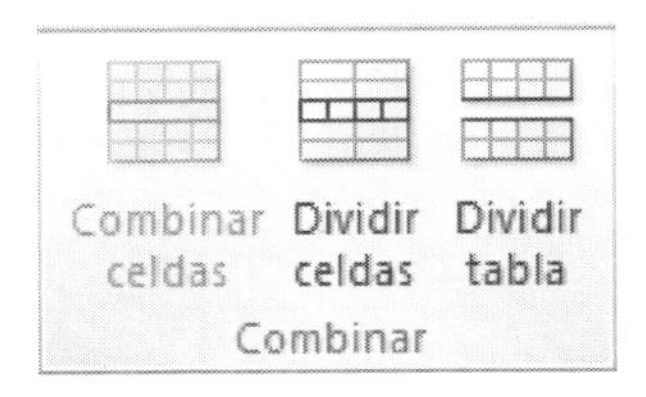

Word nos permite combinar conjuntos de celdas contiguas. Para ello tenemos que seleccionarlas y pulsar el botón **Combinar celdas**. Todas las celdas seleccionadas se convierten en una sola.

Veamos un ejemplo:

<table>
<tr><td colspan="3">TITULO DE LA TABLA</td></tr>
<tr><td></td><td></td><td></td></tr>
<tr><td></td><td></td><td></td></tr>
<tr><td></td><td></td><td></td></tr>
</table>

En este ejemplo se ha seleccionado la primera fila y se han combinado las tres celdas para poder colocar el título.

En el caso de la división de celdas, nos tenemos que situar en la celda que vamos a dividir y pulsar el botón **Dividir celdas**. Se mostrará un cuadro de diálogo para indicar el número de filas y columnas en que vamos a dividir la tabla.

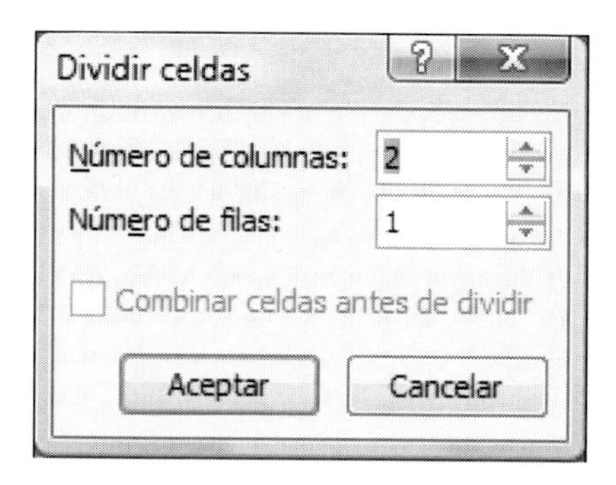

1.12.10 Alineación

Para modificar la alineación del contenido de las celdas de una tabla seguimos estos pasos:

- Seleccionamos el bloque de celdas cuya alineación queremos cambiar.
- Nos situamos en la ficha **Presentación**, grupo de opciones **Alineación**. Disponemos de nueve alineaciones diferentes.

- Seleccionamos el tipo de alineación que más nos interesa.

Ejemplo de las diferentes alineaciones:

Superior Izquierda	Superior Centro	Superior Derecha
Centrada Izquierda	Centrada Centro	Centrada Derecha
Inferior Izquierda	Inferior Centro	Inferior Derecha

1.12.11 Dirección del texto

El texto de una celda lo podemos mostrar con tres direcciones distintas. Tal y como aparece por defecto es en horizontal, en vertical hacia arriba o en vertical hacia abajo.

Texto con alineación horizontal	Texto con alineació n vertical hacia arriba	Texto con alineació n vertical hacia abajo

Para cambiar la dirección del texto seleccionamos las celdas a modificar y pulsamos en el botón **Dirección del texto** del mismo grupo anterior, **Alineación**. Lo pulsamos de forma repetida hasta visualizar la dirección elegida.

1.12.12 Distribución de filas y columnas

En la ficha **Presentación**, dentro del grupo **Tamaño de celda**, disponemos de dos botones muy útiles que nos permiten redistribuir el espacio:

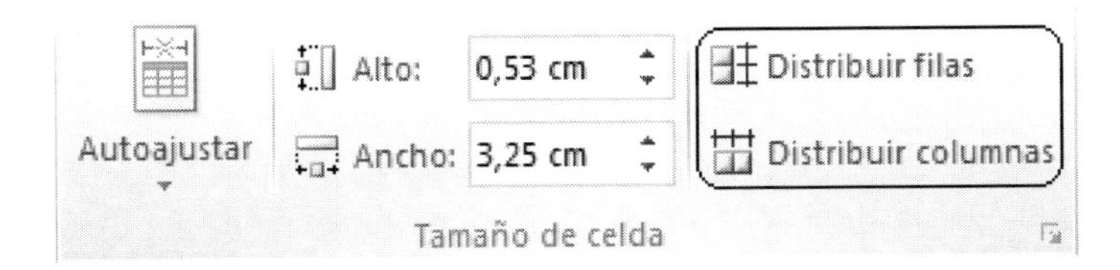

- **Distribuir filas**: redistribuye el espacio de las filas seleccionadas para que queden todas de la misma altura.

- **Distribuir columnas**: redistribuye el espacio de las columnas que hemos seleccionado para que queden todas del mismo ancho.

En este mismo grupo de opciones tenemos también el botón **Autoajustar**, que nos permite adaptar el tamaño de la tabla a la ventana, al contenido, etc. Las opciones que se despliegan son las siguientes:

- **Autoajustar a la ventana**: el ancho de la tabla se ajusta al ancho disponible en el papel.

- **Autoajustar al contenido**: el ancho de la tabla se ajusta al contenido de las celdas de la tabla.

- **Ancho de columna fijo**: El ancho de las columnas permanece fijo aunque varíen las características del papel o del contenido de la tabla.

1.12.13 Propiedades

Para acceder al cuadro de diálogo de propiedades de la tabla pulsamos en la ficha **Presentación**, y en el primer grupo llamado **Tabla** tenemos el botón **Propiedades**, que despliega el siguiente cuadro de diálogo:

- Pestaña **Tabla** agrupa opciones para la tabla completa:

Tamaño: aquí podemos establecer el ancho de la tabla, en centímetros o en porcentaje.

Alineación: a través de esta opción elegimos si la tabla va a estar situada a la derecha de la página, centrada o a la izquierda.

Ajuste: en el caso de que la tabla no ocupe todo el ancho del papel, podemos optar por que el texto se sitúe alrededor de la tabla.

Opciones: si pulsamos en este botón se abre un nuevo cuadro de diálogo donde podemos establecer un espaciado entre celdas.

- Pestaña **Fila**:

- Tamaño: se refiere a la altura de la fila o filas seleccionadas.

- Opciones: estas opciones se utilizan cuando la tabla ocupa más de una página. **Permitir dividir las filas entre páginas**, permite que si la fila no entra completa en una página, se divida en dos partes y un trozo quede en una página y el resto en la siguiente. Y **Repetir como fila de encabezado en cada página**, se utiliza para cuando la tabla tiene una fila de títulos, que esta fila se repita al principio de cada página.

- Pestaña **Columna**:

En esta pestaña vamos a poder configurar el ancho de cada columna, que lo podemos medir en porcentaje o en centímetros.

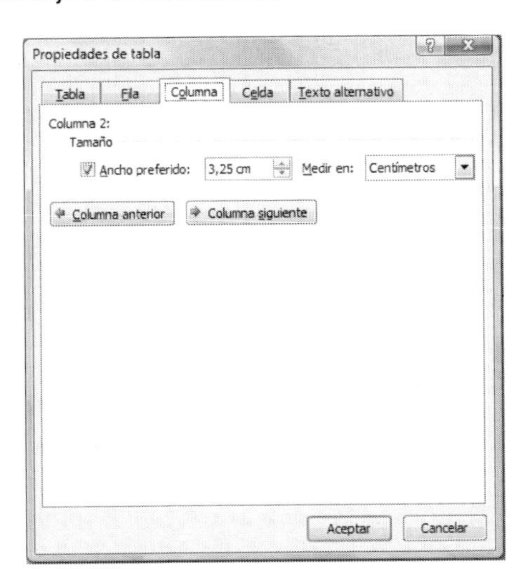

- Pestaña **Celda**:

A través del botón **Opciones** podemos configurar los márgenes internos de las celdas.

1.13 IMÁGENES

Podemos hacer más vistosos nuestros documentos incluyendo junto al texto imágenes.

Word nos proporciona una extensa biblioteca de imágenes que abarca gran cantidad de temas, son las *Imágenes prediseñadas*.

Por otro lado, podemos insertar imágenes que provengan de otras fuentes, como por ejemplo, de una cámara digital, de un escáner, o simplemente imágenes descargadas de Internet. En este caso serían imágenes desde *Archivo*.

1.13.1 Insertar imagen

Para insertar imágenes en un documento, nos situamos en la ficha **Insertar** y donde encontramos el grupo **Ilustraciones**.

1.13.1.1 IMÁGENES PREDISEÑADAS

Al pulsar en el botón correspondiente a **Imágenes prediseñadas** se despliega, en la parte derecha de la pantalla el **Panel de Tareas**, donde vamos a tener las herramientas necesarias para buscar la imagen que queremos insertar.

En el área **Buscar** vamos a incluir el texto relativo a la imagen que buscamos. Por ejemplo queremos insertar la imagen de un coche, escribimos "coches", y pulsamos en **Buscar**.

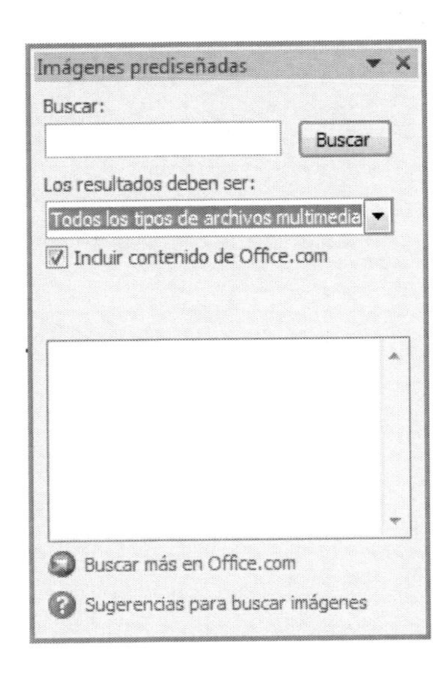

Automáticamente Word nos visualiza las imágenes prediseñadas asociadas a dicho texto, tal y como demuestra la imagen siguiente:

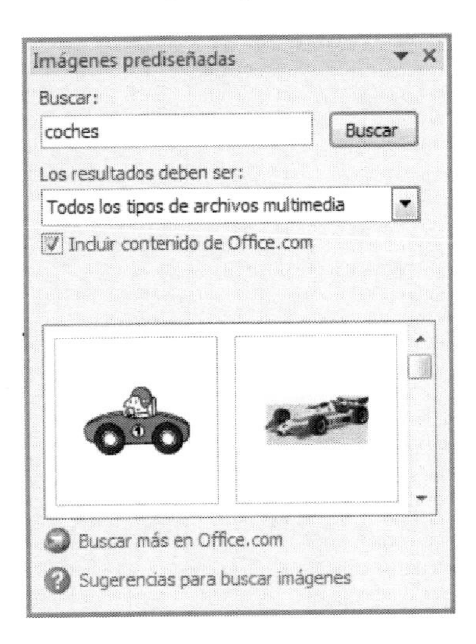

Una vez localizada la imagen a insertar, hacemos un simple clic en ella y se insertará en el documento, en la posición donde tengamos colocado el cursor.

1.13.1.2 IMÁGENES DESDE ARCHIVO

Cuando son imágenes que tenemos almacenadas en nuestro equipo o en alguna unidad de almacenamiento externa, pulsamos en el botón **Imagen**. Se despliega un cuadro de diálogo para buscar la imagen que vamos a insertar.

Localizada la imagen hacemos doble clic sobre ella y se insertará en la posición donde esté colocado el cursor.

Una vez que la imagen está en el documento, da igual de donde provenga, las propiedades son las mismas. Estas propiedades las encontramos en una nueva ficha llamada **Formato**.

1.13.2 Borrar imagen

Para eliminar una imagen, la seleccionamos y pulsamos el botón del teclado **Supr**.

Para seleccionar una imagen pulsamos una vez sobre ella y se muestran alrededor unos puntos, llamados puntos de selección. Esto es lo que nos indica que la imagen está seleccionada.

1.13.3 Dimensiones de la imagen

A través de los puntos de selección podemos modificar fácilmente el tamaño de las imágenes.

Para cambiar el tamaño de la imagen, sin cambiar la proporción de altura y anchura que tiene, situamos el puntero del ratón sobre los puntos de selección redondos. Cuando estamos situados sobre ellos el cursor del ratón cambia de forma y se muestra como una flecha de doble dirección. Cuando se muestra así es cuando arrastramos hacia dentro para hacer mas pequeña la imagen, o hacia fuera para hacerla mas grande.

En cambio, si nos situamos sobre los puntos de selección cuadrados, y arrastramos, estaremos cambiando la altura o anchura de la imagen, variando así su proporción y pudiendo por ejemplo ensanchar o hacer más alta la imagen.

Cambio proporcional *Cambio de altura*

Otra forma más precisa de cambiar el tamaño de las imágenes es a través del grupo **Tamaño** situado en la ficha **Formato**. Disponemos de casillas para indicar altura y anchura de la imagen en centímetros.

El punto de selección verde nos sirve para girar la imagen. Al situar el puntero del ratón sobre este punto, cuando el cursor cambia de forma, arrastramos hacia la derecha o hacia la izquierda.

1.13.4 Ajuste del texto

La propiedad **Ajustar texto** es la más importante de las propiedades que tienen las imágenes. Con ella le indicamos a Word cómo tiene que distribuirse el texto del documento alrededor de la imagen.

No tenemos que dejar el hueco para la imagen, sino que a través de esta propiedad indicamos cómo se va a colocar el texto alrededor de la imagen.

Esta propiedad la encontramos en la ficha **Formato**, incluida en el grupo **Organizar**.

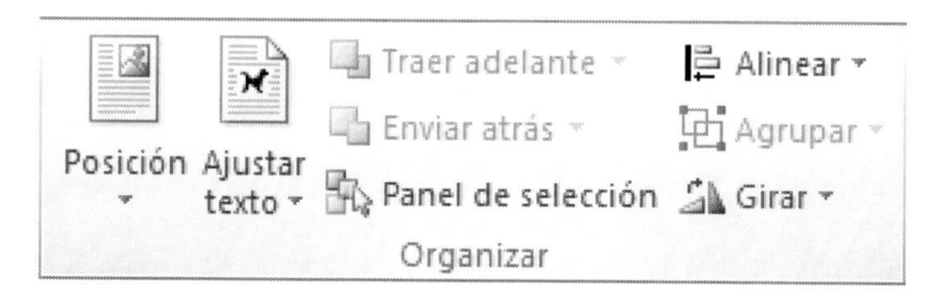

Al pulsar en el botón **Ajustar texto**, se despliegan las siguientes opciones:

- **En línea con el texto**: la imagen se coloca en la posición del cursor y funciona como un carácter más.

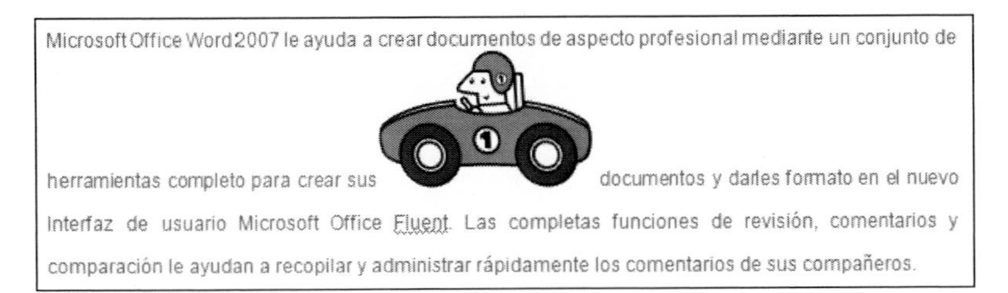

Microsoft Office Word 2007 le ayuda a crear documentos de aspecto profesional mediante un conjunto de herramientas completo para crear sus documentos y darles formato en el nuevo Interfaz de usuario Microsoft Office Fluent. Las completas funciones de revisión, comentarios y comparación le ayudan a recopilar y administrar rápidamente los comentarios de sus compañeros.

- **Cuadrado**: el texto se distribuye alrededor de la imagen dejando un rectángulo.

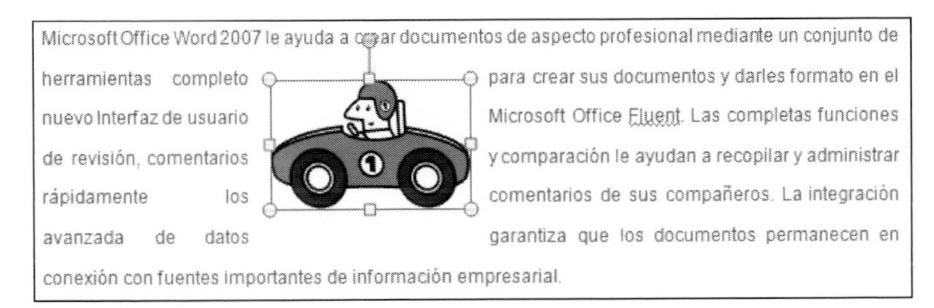

Microsoft Office Word 2007 le ayuda a crear documentos de aspecto profesional mediante un conjunto de herramientas completo para crear sus documentos y darles formato en el nuevo Interfaz de usuario Microsoft Office Fluent. Las completas funciones de revisión, comentarios y comparación le ayudan a recopilar y administrar rápidamente los comentarios de sus compañeros. La integración avanzada de datos garantiza que los documentos permanecen en conexión con fuentes importantes de información empresarial.

- **Estrecho**: el texto también se distribuye alrededor de la imagen, pero en este caso se adapta al contorno de dicha imagen.

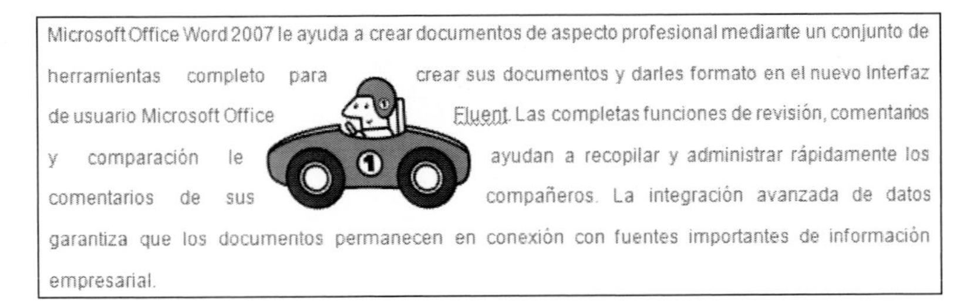

Microsoft Office Word 2007 le ayuda a crear documentos de aspecto profesional mediante un conjunto de herramientas completo para crear sus documentos y darles formato en el nuevo Interfaz de usuario Microsoft Office Fluent. Las completas funciones de revisión, comentarios y comparación le ayudan a recopilar y administrar rápidamente los comentarios de sus compañeros. La integración avanzada de datos garantiza que los documentos permanecen en conexión con fuentes importantes de información empresarial.

- **Delante del texto**: la imagen se coloca encima del texto tapando el texto que esté debajo.

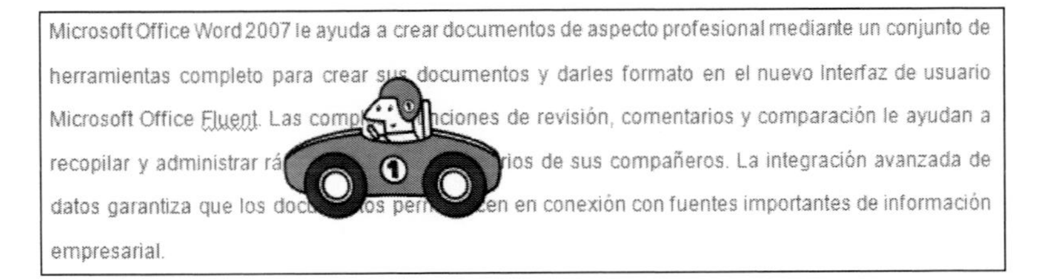

Microsoft Office Word 2007 le ayuda a crear documentos de aspecto profesional mediante un conjunto de herramientas completo para crear sus documentos y darles formato en el nuevo Interfaz de usuario Microsoft Office Fluent. Las comp ciones de revisión, comentarios y comparación le ayudan a recopilar y administrar rá ios de sus compañeros. La integración avanzada de datos garantiza que los doc os per en en conexión con fuentes importantes de información empresarial.

- **Detrás del texto**: la imagen se coloca por detrás del texto, de tal forma que el texto sobrescribe la imagen. Se suele utilizar para poner imágenes en el fondo del documento.

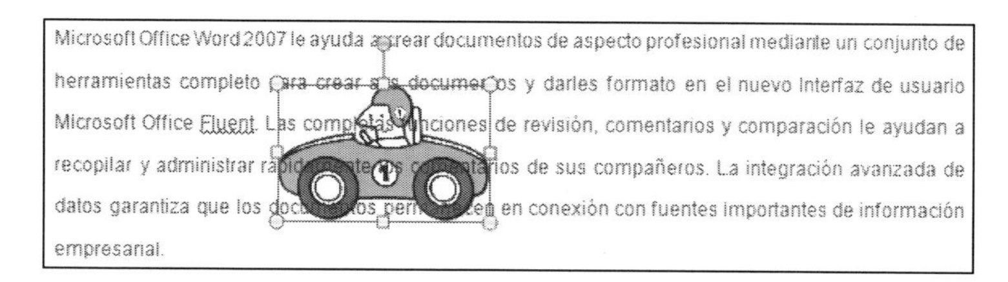

- **Arriba y abajo**: el texto se colocará por la parte de arriba de la imagen y por la parte de abajo, pero no en los laterales.

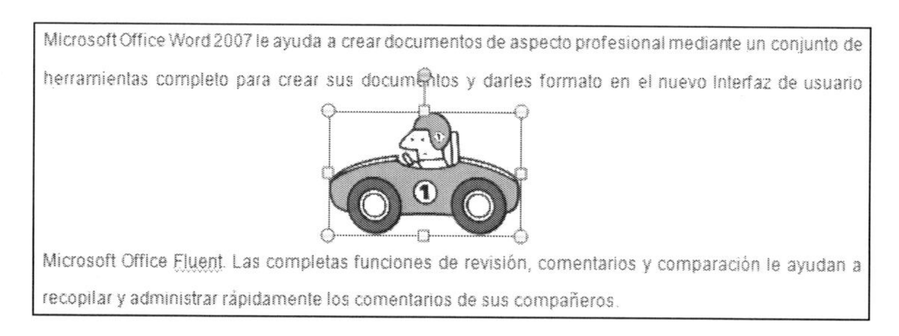

1.13.5 Mover la imagen

Para desplazar una imagen con el ratón pulsamos encima de ella y la arrastramos hasta la nueva posición. Dependiendo del ajuste que le demos el texto circundante quedará colocado de una forma u otra.

También, dentro del grupo **Organizar**, en la ficha **Formato**, encontramos el botón **Posición** que nos ofrece una serie de posibilidades para posicionar la imagen en distintos lugares dentro del documento.

1.13.6 Otras propiedades

Dentro de la ficha **Formato** encontramos el grupo **Estilos de imagen**.

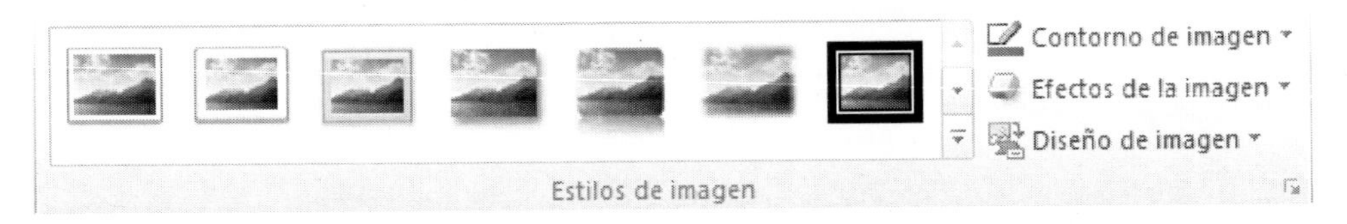

Al desplegar los diferentes **Estilos de imagen** podemos darle a las imágenes un aspecto diferente poniéndolas un marco, con reflejos, etc.

Contorno de imagen: para elegir el color del contorno de la imagen.

Efectos de la imagen: diferentes efectos de sombra, 3D, reflejos, etc. para aplicar a la imagen. A medida que pasamos el puntero del ratón por encima de estas opciones podemos ir viendo la imagen tal y como quedaría con el efecto sobre el que estamos situados.

Diseño de imagen: convierte la imagen en un gráfico SmartArt para organizar, poner título y cambiar el tamaño con facilidad.

1.14 OTROS ELEMENTOS GRÁFICOS

1.14.1 Cuadros de texto

Un cuadro de texto es un rectángulo con texto en su interior.

Para crear un cuadro de texto realizamos los siguientes pasos:

1. Nos situamos en la ficha **Insertar**, dentro del grupo **Texto** y pulsamos en el botón **Cuadro de texto**.

2. Se despliega un listado con diferentes estilos para crear nuestro cuadro de texto, en cuyo caso elegiremos uno de ellos y de forma automática se creará en nuestro documento, o bien elegimos la opción que se muestra en la parte inferior de este listado, **Dibujar cuadro de texto**; en este caso llevaremos el cursor al papel y dibujaremos un rectángulo arrastrando el ratón en sentido diagonal.

3. En cualquiera de los dos casos el cuadro de texto se muestra en el documento y ahora tendremos que escribir el texto en el interior, simplemente haciendo clic en el interior.

A partir de ahora el cuadro de texto se trata como una imagen, es decir tiene todas las propiedades que pueda tener una imagen, como el ajuste del texto, color de fondo, tamaño, posición, etc.

Además, en la cinta de opciones se mostrará la ficha **Formato** donde se recogen todas las opciones que nos permiten cambiar el aspecto del cuadro de texto.

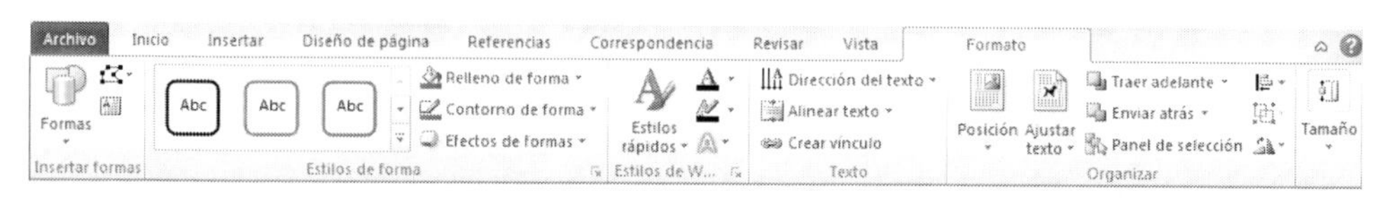

Para eliminar un cuadro de texto, una vez seleccionado, pulsamos la tecla **Supr**.

1.14.2 Word Art

Word Art es una galería de estilos de texto que se pueden agregar a los documentos de Word 2010 para crear efectos decorativos, por ejemplo, texto sombreado o reflejado. También podemos convertir en *Word Art* texto existente.

1.14.2.1 INSERTAR UN TEXTO DE WORDART

Para crear un rótulo *Word Art*:

1. Ficha **Insertar**, grupo **Texto**, botón **Word Art**. Se despliega la galería de estilos y elegimos uno de ellos.

2. Se creará entonces un elemento similar a un cuadro de texto parecido a la siguiente imagen.

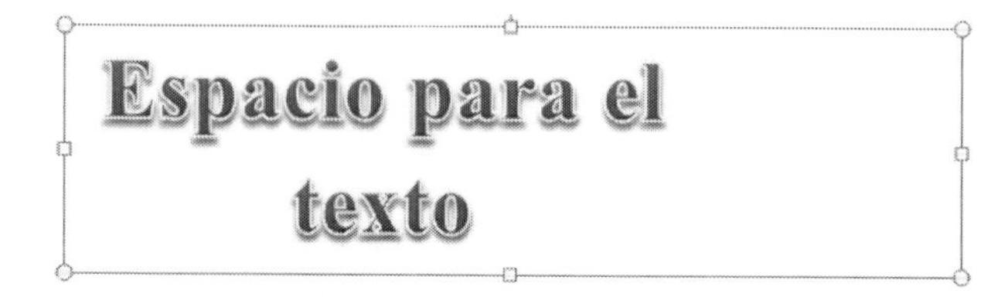

3. El texto que se muestra hay que sustituirlo por el que queremos representar.

1.14.2.2 FORMATO

Una vez escrito el texto, en la cinta de opciones se mostrará la ficha **Formato**, donde se recogen todas las opciones que nos permiten modificar el aspecto y formato del rótulo.

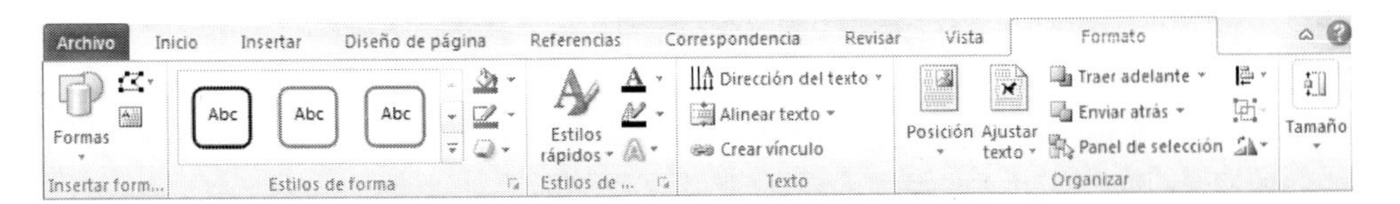

Con respecto al tamaño, posición y ajuste del texto, se modifica exactamente igual que con las imágenes.

Disponemos del grupo de opciones **Estilos de Word Art**, donde lo primero que podemos modificar es el estilo general del rótulo. Pulsando en el desplegable veremos la galería de estilos.

Además, tenemos los siguientes botones:

- **Relleno de texto** : para poder cambiar el color del interior de las letras.
- **Contorno de texto** : para cambiar el color de la línea de contorno.
- **Efectos de texto** : se despliegan una serie de efectos para aplicar al rótulo como sombras, efectos 3D, etc. Dentro de este listado, la última opción llamada **Transformar**, nos permite elegir las diferentes formas que le podemos aplicar al rótulo, como ondas, forma de stop, círculo, etc.

1.14.2.3 ELIMINAR UN TEXTO DE WORDART

Se elimina igual que el resto de objetos: una vez seleccionado, pulsamos **Supr**.

1.15 REVISIÓN ORTOGRÁFICA

Cuando se acerca una fecha límite, no suele haber tiempo suficiente para revisar la ortografía y la gramática de un documento. Word ofrece herramientas que ayudan a corregir los errores más rápidamente.

En la ficha **Revisar** se encuentra el botón **Ortografía y gramática**, incluido en el grupo **Revisión**.

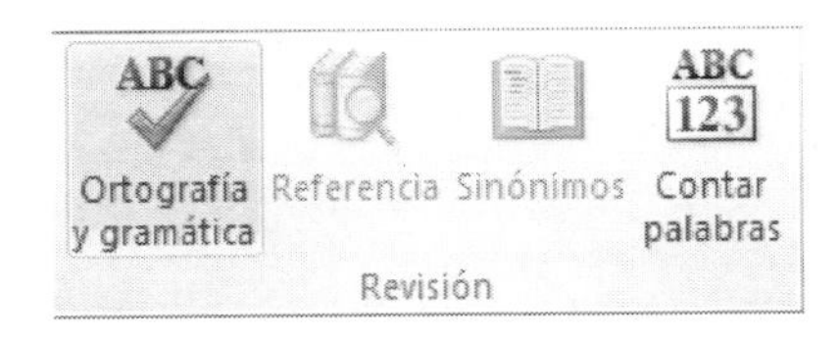

1.15.1 Corrector ortográfico y gramatical

Word marca con un subrayado rojo los errores ortográficos y con un subrayado verde los errores gramaticales.

Para revisar la ortografía y la gramática de un documento pulsamos el botón **Ortografía y gramática**.

Inmediatamente Word comienza a revisar, palabra por palabra, la ortografía y gramática del documento. Cuando el programa detecta algún error hace una pausa en la revisión ortográfica y gramatical y nos muestra un cuadro desde el que podemos elegir, en función del error, qué operación queremos hacer.

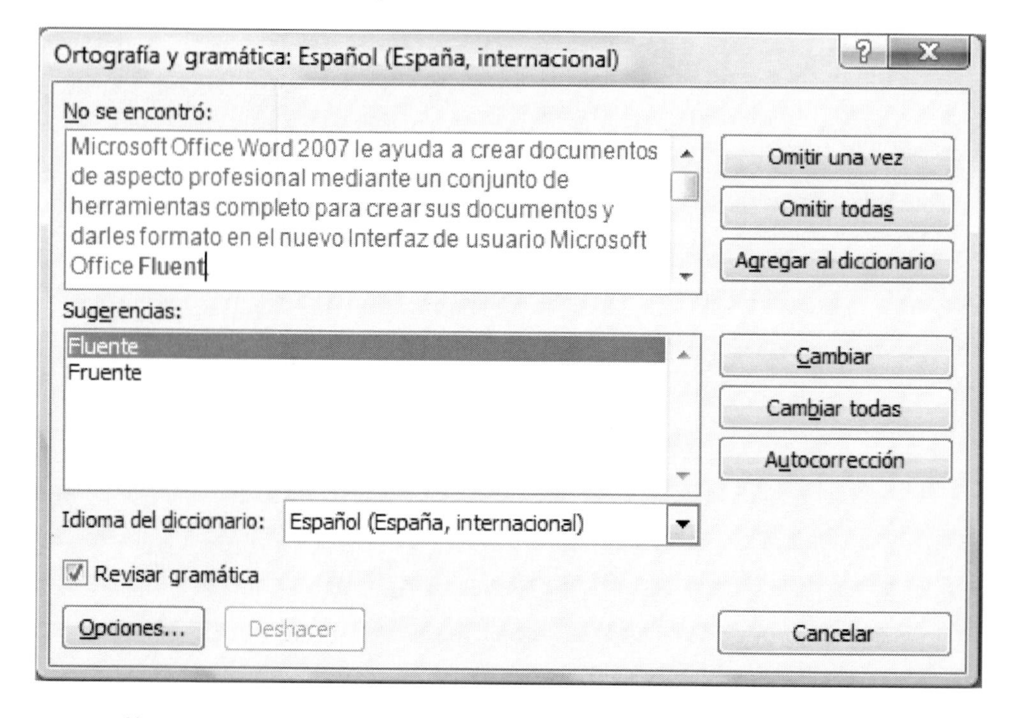

Nos encontraremos con las siguientes circunstancias:

- **Que la palabra esté mal escrita**: si la palabra está mal escrita se pueden dar varias situaciones:

    1. Entre las sugerencias aparece la palabra correcta. Si es así seleccionamos la palabra correcta y pulsamos en el botón **Cambiar**. Word sustituye la palabra mal escrita por la que hemos seleccionado y se sitúa en el siguiente error.

    2. Entre las sugerencias no aparece la palabra bien escrita o no aparecen sugerencias. En este caso cambiamos manualmente el texto en el área **No se encontró** y pulsamos el botón **Cambiar**.

- **Que la palabra esté bien escrita**: a veces Word considera una palabra como error porque no la tiene incluida en su diccionario. En este caso pulsamos el botón **Omitir una vez** (omite esa palabra) u **Omitir todas** (omite el error todas las veces que aparezca en el documento). Al pulsarlo, se pasa al siguiente error.

De esta forma iremos pasando de un error a otro hasta finalizar el documento, donde se mostrará un mensaje indicándonos que la revisión ortográfica finalizó.

1.16 IMPRIMIR

Para imprimir un documento pulsamos en la ficha **Archivo**, la opción **Imprimir**.

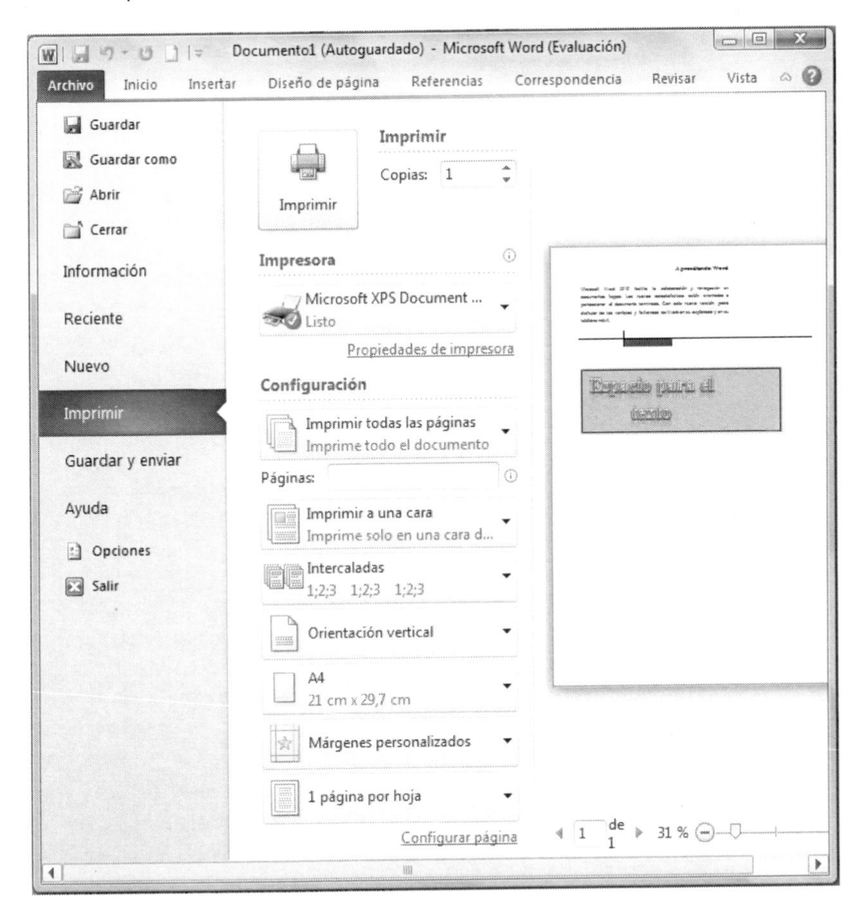

1.16.1 Opciones de impresión

Cuando nos situamos sobre esta opción se visualizan a la derecha las opciones para imprimir, como cuántas copias, qué páginas vamos a imprimir, etc. Una vez elegidas estas opciones pulsamos en el botón Imprimir.

Capítulo 2

MICROSOFT EXCEL 2010

Microsoft Excel es una aplicación de hoja de cálculo.

¿Para que sirve una hoja de cálculo? Como su nombre indica nos permite realizar cálculos, ya sean sencillos o complejos. También nos va a permitir realizar y trabajar con gráficos, nos proporciona herramientas para el tratamiento y organización de datos, etc.

Al final de este capítulo ser a capaz de trabajar con la herramienta de forma fácil y rápida.

2.1 INICIANDO EXCEL 2010

Lo primero que tenemos que hacer para trabajar con Excel 2010 es abrir la aplicación.

Hay varias formas de abrir Excel:

1. Desplegamos el menú **Inicio** de la **Barra de tareas de Windows**, nos situamos en la opción **Todos los programas**, y hacemos clic en la opción **Microsoft Excel 2010**.

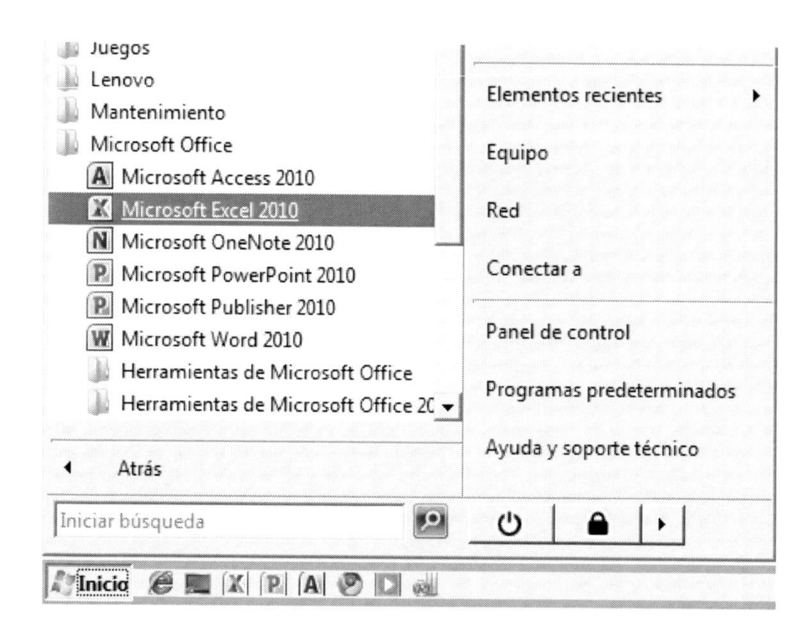

2. A través de un acceso directo que encontremos en el escritorio.

3. A través de la barra de inicio rápido.

2.2 ENTORNO

2.2.1 Barra de título

Es la barra que se encuentra en la parte superior de la ventana. En esa barra, como su nombre indica aparece en el centro el nombre del libro abierto y el nombre del programa. El nombre del libro es *Libro1*, que es el que Excel asigna al archivo por defecto. Cuando elaboremos la hoja de cálculo y lo guardemos ese nombre predeterminado se va a sustituir por el nombre que le demos.

En la parte derecha de la **Barra de título** se encuentran los botones para **Minimizar** (dejar como un botón en la barra de tareas), **maximizar** (poner a pantalla completa) y **cerrar** (para cerrar la ventana).

2.2.2 Barra de acceso rápido

Se encuentra situada en la parte izquierda de la barra de título y agrupa botones de uso muy común para facilitarnos su acceso.

En la parte izquierda, el primer icono que nos encontramos es el logotipo de Excel, si pulsamos sobre el se desplegará el menú de control de la ventana: minimizar, maximizar, tamaño, etc.

A continuación se visualizan los botones de la barra de acceso rápido. Como ya comentamos anteriormente esta barra de herramientas se puede personalizar y añadir los botones con las funciones que mas utilizamos.

El primer botón de esta barra de herramientas es **Guardar** . Al pulsar este botón se abre el cuadro de diálogo **Guardar como**, con todas las opciones para guardar un archivo.

A continuación están los botones Deshacer y Rehacer . El primero deshace la última acción realizada. Y el segundo repite la última acción.

El último botón despliega un menú con un listado de comandos, en el cual podemos seleccionar cualquiera de ellos para que se muestren en la barra de acceso rápido.

2.2.3 Cinta de opciones

Debajo tenemos la **Cinta de opciones**. Está dividida en diferentes **Fichas** (ficha es cada una de las pestañas que aparecen en la parte superior), y además los botones correspondientes a cada ficha están organizados en **Grupos**, donde cada uno de ellos realiza una acción diferente. Si vamos pasando el cursor por encima de estos botones se irá mostrando una etiqueta que nos indica la función que realiza cada uno de ellos.

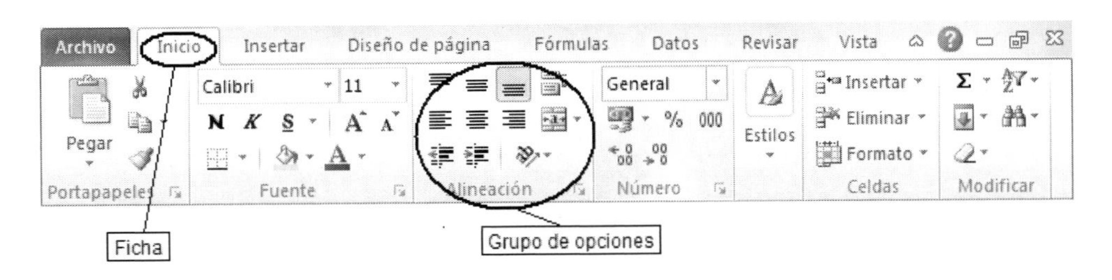

Si vamos pulsando en las diferentes fichas que aparecen en la parte superior de la cinta de opciones, **Inicio**, **Insertar**, **Diseño de página**... podremos ir visualizando los diferentes grupos de botones.

2.2.4 Barra de fórmulas

En la primera parte de la **Barra de fórmulas** nos indica el nombre de la celda activa, es decir, la celda donde está situado el cursor, y a continuación el contenido de ésta.

2.2.5 Barras de desplazamiento

En la parte derecha e inferior del documento aparecen las **Barras de desplazamiento**. Como su nombre indica sirven para desplazarse por la hoja de cálculo; la barra vertical verticalmente y la horizontal horizontalmente.

2.2.6 Barra de estado

Es la barra que aparece en la parte inferior de la ventana. Esta barra fundamentalmente lo que nos ofrece es información sobre la hoja de cálculo. En su parte derecha se visualizan unos botones que nos permiten cambiar la forma de ver el libro y una barra para modificar el *zoom*.

2.2.7 Hoja de cálculo

En el centro vemos la hoja de cálculo. Está formada por filas y columnas que forman casillas. Cada una de estas casillas se llama **Celda**.

Cada columna se nombra con una letra y cada fila con un número, de tal forma que cada celda tiene su propio nombre, A1, B7, etc. La letra siempre antes que el número.

Al principio de cada columna aparece el nombre que se le da a cada una de ellas, la letra, a esta parte se llama **Cabecera de columna**, y para la fila se muestra el número que le corresponde a cada una y se llama **Cabecera de fila**.

Cada archivo de Excel, es decir, cada **Libro**, puede tener una o varias hojas de cálculo. En la parte inferior, se muestran las pestañas de las hojas que contiene el *Libro* para poder ir pasando de una hoja a otra.

2.3 CONCEPTOS BÁSICOS

Un libro de Excel está formado por **Hojas**, que son las pestañas que aparecen en la parte inferior de la pantalla de Excel. Aunque inicialmente se muestran tres hojas de cálculo, es posible añadir nuevas hojas o eliminar las ya existentes.

Una hoja de cálculo está formada por 1.048.576 filas y las columnas que se nombran con letras van desde la A hasta la XFD, es decir, una hoja de cálculo es muy extensa y es difícil que rellenemos todas sus celdas. Es más eficiente tener menos datos y más hojas de cálculo (más pestañas) en el *Libro*.

2.3.1 Introducción de datos

En una hoja de cálculo podemos introducir tanto datos de texto como datos numéricos y Excel los trata como tal, es decir, si son números los trata como números y si son textos los trata como textos.

Cuando introducimos datos numéricos en una hoja de cálculo hay algunos caracteres que siguen manteniendo el valor numérico de las celdas, son los siguientes:

Símbolo	Utilidad	Ejemplo
-	Para los números negativos.	-1000
+	Para los números positivos. Este carácter se puede omitir, un número sin el símbolo + se entiende como positivo.	+1000 ó 1000
.	Separador de miles.	1.000
,	Carácter decimal.	1000,5
%	Divide el número por 100.	100%

Con respecto al símbolo **%**, si nos situamos en cualquier celda y escribimos 5%, lo único que tenemos que tener en cuenta es que no es el número 5 si no 0,05, es decir, escribir 5% es igual que escribir 0,05.

Nos situamos en la celda **A1** y escribimos "Este es un curso de Excel básico", pulsamos **Intro**. El texto, como completo no entra en la celda **A1**, se visualiza en **B1**. Solamente se visualiza, porque la celda contigua está vacía.

Si volvemos a situarnos en la celda **A1** y nos fijamos en la barra de formulas, pone el texto completo. Nos situamos ahora en la celda B1, en la barra de contenido no pone nada, aunque aparentemente la celda si tiene contenido. Esto sucede, es decir el texto se visualiza también en la celda **B1**, porque está vacía; si esta tuviera algún contenido el texto de la celda **A1** no se visualizaría completo.

Por esta razón es conveniente que nos fijemos siempre en la barra de fórmulas, que nos va a mostrar el contenido real de cada celda.

Situados en la celda **B1**, escribimos un número y pulsamos **INTRO**. Parte del contenido de la celda **A1** ya no se visualiza. No quiere decir que parte del texto se haya eliminado, simplemente no se visualiza de forma completa.

2.3.2 Cambiar fácilmente alto y ancho de filas y columnas

Podemos hacer más grandes o más pequeñas las filas y columnas de nuestra hoja de cálculo.

En el ejemplo anterior, situamos el cursor en la cabecera de columna, entre la columna A y B, el cursor se mostrará como una flecha de doble dirección, en ese momento, arrastramos hacia la derecha para hacer mas ancha la columna y poder visualizar su contenido completo. Si queremos hacerla más estrecha en vez de arrastrar hacia la derecha arrastraremos hacia la izquierda. En el caso de las filas es exactamente igual, arrastrando hacia arriba para hacerlas más pequeñas o hacia abajo para hacerlas más grandes.

Una forma rápida de autoajustar el ancho de la columna al contenido de las celdas es hacer doble clic en la intersección de la columna que queremos ajustar, en este ejemplo entre A y B, en la cabecera de columna.

2.3.3 Modificar el contenido de las celdas

Para modificar el contenido de las celdas basta con hacer doble clic sobre la celda que deseamos modificar, se edita su contenido y podemos hacer las modificaciones oportunas.

Si directamente nos situamos sobre la celda y sin hacer doble clic escribimos, lo que estamos haciendo es sustituir el dato nuevo por el anterior.

2.3.4 Mover celdas

Otra operación importante en Excel es poder mover el contenido de las celdas.

Podemos hacerlo de modo muy sencillo con el ratón:

- Seleccionamos las celdas cuyo contenido queremos mover de sitio.
- Situamos el puntero del ratón en el contorno de la selección.
- Cuando el cursor se muestre como una flecha con cuatro direcciones, arrastramos hasta la nueva ubicación.

2.3.5 Seleccionar

Al igual que en Word seleccionamos el texto para darle formato, en Excel tenemos que seleccionar celdas para poder darles formato o realizar operaciones.

Para seleccionar podemos hacerlo con el ratón o con el teclado.

- Con el ratón:

  Pulsamos en la primera celda que queremos seleccionar y arrastramos hasta la última. Aunque la primera celda seleccionada queda de otro color, está seleccionada, simplemente nos muestra cuál es la primera celda de la selección. A este conjunto de celdas se le llama **Rango**.

  Si queremos seleccionar celdas que no estén seguidas o diferentes rangos, mantendremos la tecla CTRL pulsada mientras seleccionamos todas la celdas.

  Para seleccionar una columna completa pulsamos en la cabecera de la columna (donde pone la letra). En este caso debemos tener en cuenta que seleccionaríamos todas las celdas de la columna, desde la 1 hasta la 1.048.576.

  Para seleccionar una fila pulsamos también en su cabecera. Sucede igual que para la columna, al seleccionar la fila completa se selecciona hasta la celda XFD.

  Si queremos seleccionar la hoja de cálculo completa pulsamos en la casilla gris que hay entre la columna A y la fila 1.

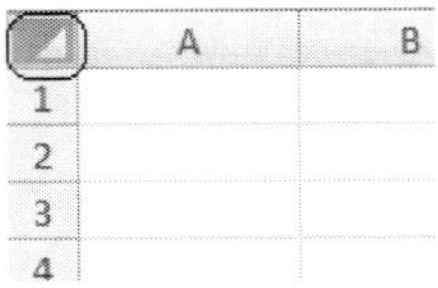

	A	B
1		
2		
3		
4		

- Con el teclado:

  Mantenemos pulsada la letra MAY y pulsamos las teclas de cursor, según la dirección en la que queramos seleccionar.

2.3.6 Desplazamientos

Podemos utilizar el ratón para situarnos en cualquier celda de la hoja de cálculo. Y con las flechas de cursor podemos desplazarnos fila hacia arriba, fila hacia abajo y columna a la izquierda o a la derecha.

Además con los conjuntos de teclas que enumeramos a continuación, también podemos realizar desplazamientos rápidos por la hoja de cálculo:

1. **CTRL + flecha arriba**: primera fila.
2. **CTRL + flecha abajo**: última fila.
3. **CTRL + flecha izquierda**: primera columna.
4. **CTRL + flecha derecha**: última columna.
5. **CTRL + Av.Pag**: nos lleva a la siguiente hoja de cálculo del libro.
6. **CTRL + Av.Reg**: nos desplaza a la hoja de cálculo anterior del libro.

Cuando en la hoja de cálculo no hay datos estos conjuntos de teclas nos desplazan por la hoja de cálculo completa, pero si hay datos, la primera y última columna y primera y última fila se referirán al rango de datos escritos.

2.4 TRABAJO CON ARCHIVOS

2.4.1 Abrir un libro

Para abrir una hoja de cálculo previamente guardada pulsamos en la ficha Archivo. De las opciones que se despliegan elegimos **Abrir**. Se visualizará un cuadro de diálogo como el siguiente donde tenemos que buscar el archivo que queremos abrir. Una vez localizado, simplemente hacemos doble clic sobre su nombre.

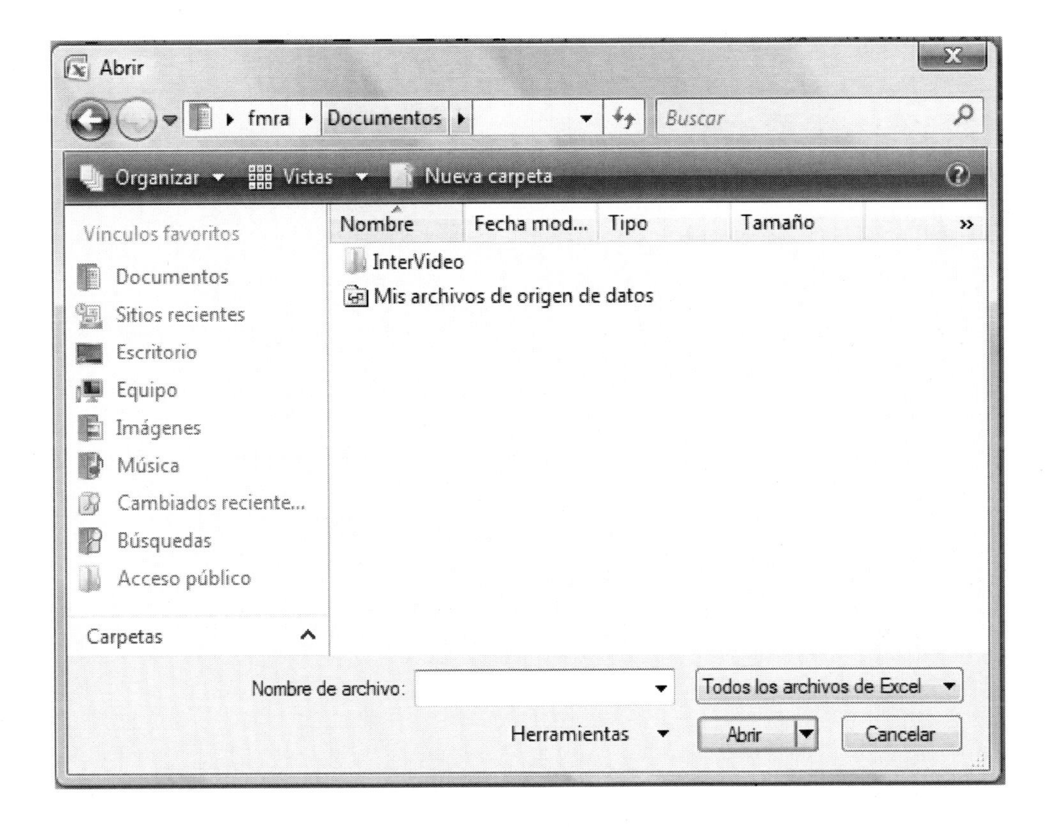

2.4.2 Guardar un libro

Cuando guardamos un libro lo que estamos haciendo es grabar la información en un medio de almacenamiento del que posteriormente lo podemos recuperar.

Para guardar tenemos que seguir los siguientes pasos:

1. Pulsamos en la ficha **Archivo** y en el menú que se despliega en la opción **Guardar**.

2. Se abre el cuadro de diálogo **Guardar Como**. En la parte izquierda, en el panel de exploración, elegimos la unidad de almacenamiento y carpeta donde vamos a guardar nuestro libro.

3. En la casilla **Nombre de archivo** escribimos el nombre que le vamos a dar al libro.

4. Posteriormente pulsamos en el botón **Guardar**.

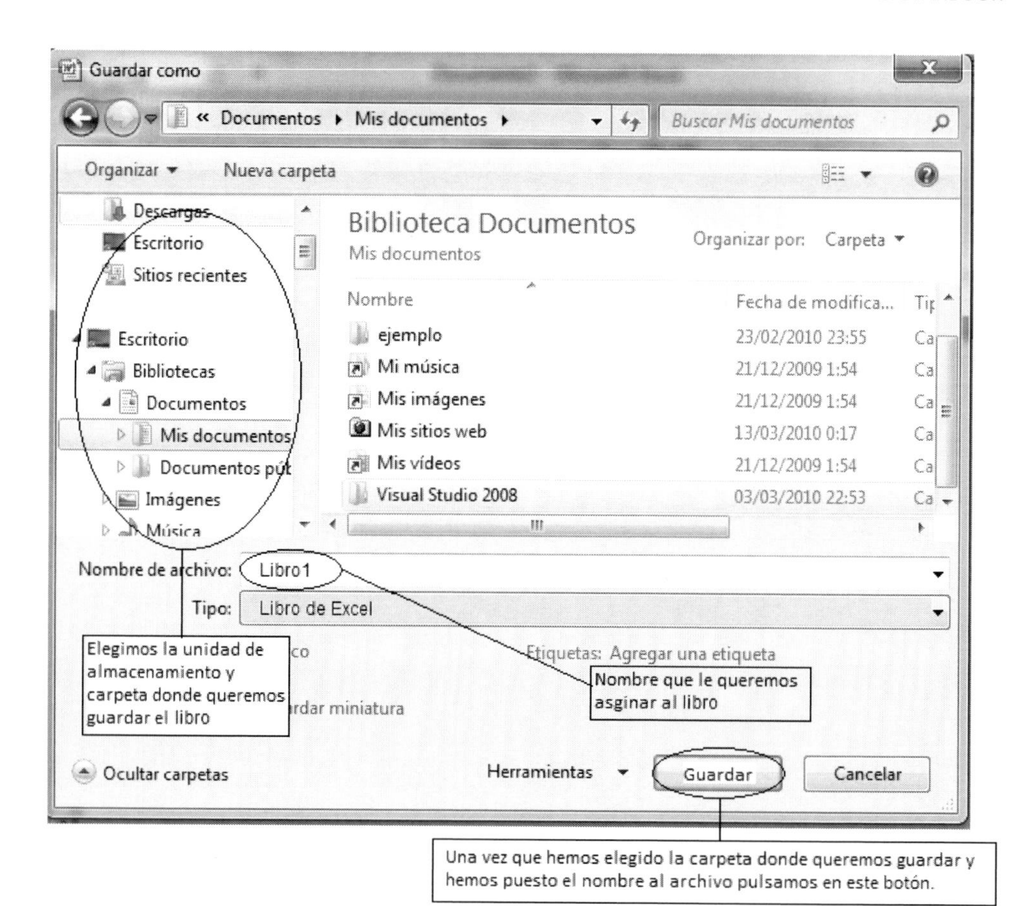

Guardar no implica *cerrar*, es decir, el documento sigue abierto para que podamos seguir haciendo modificaciones.

Una vez que hemos guardado el documento por primera vez, las siguientes veces que pulsemos en **Guardar**, se guardarán los cambios sin más, es decir, no va a volver a salir el cuadro de diálogo anterior.

Si quisiéramos guardar el archivo de nuevo, con otro nombre o en otro lugar, en vez de pulsar en la opción **Guardar**, pulsaríamos la opción **Guardar como**. De esta forma volvería a mostrarse el cuadro de diálogo anterior, para indicar el nuevo nombre o el nuevo lugar.

2.4.3 Cerrar un libro

Cuando no vamos a seguir usando la hoja de cálculo pulsamos en la ficha Archivo y elegimos la opción **Cerrar**.

También podemos pulsar en el botón ☒ del libro.

2.4.4 Crear un nuevo libro

Para empezar a trabajar con un nuevo libro pulsamos también el botón de **Office** y posteriormente en la opción **Nuevo**. Aparece el siguiente cuadro de diálogo:

En dicho cuadro de diálogo haremos doble clic en **Libro en blanco**.

2.5 FORMATO DE CELDAS

El formato de una hoja de cálculo es tan importante como las operaciones que contiene.

Para dar formato a las celdas previamente tenemos que seleccionarlas.

Una vez hecho esto, tenemos en la ficha **Inicio** tres grupos de opciones que agrupan las características más comunes de formato:

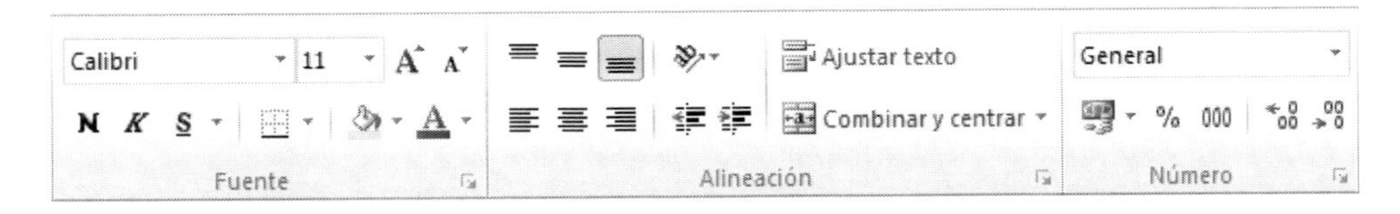

En cualquiera de los tres grupos podemos hacer clic en la esquina inferior derecha para acceder al cuadro de diálogo de formato completo.

Este cuadro de diálogo está dividido en diferentes pestañas, cada una de las cuales nos va a permitir cambiar un aspecto de la celda.

2.5.1 Pestaña Número

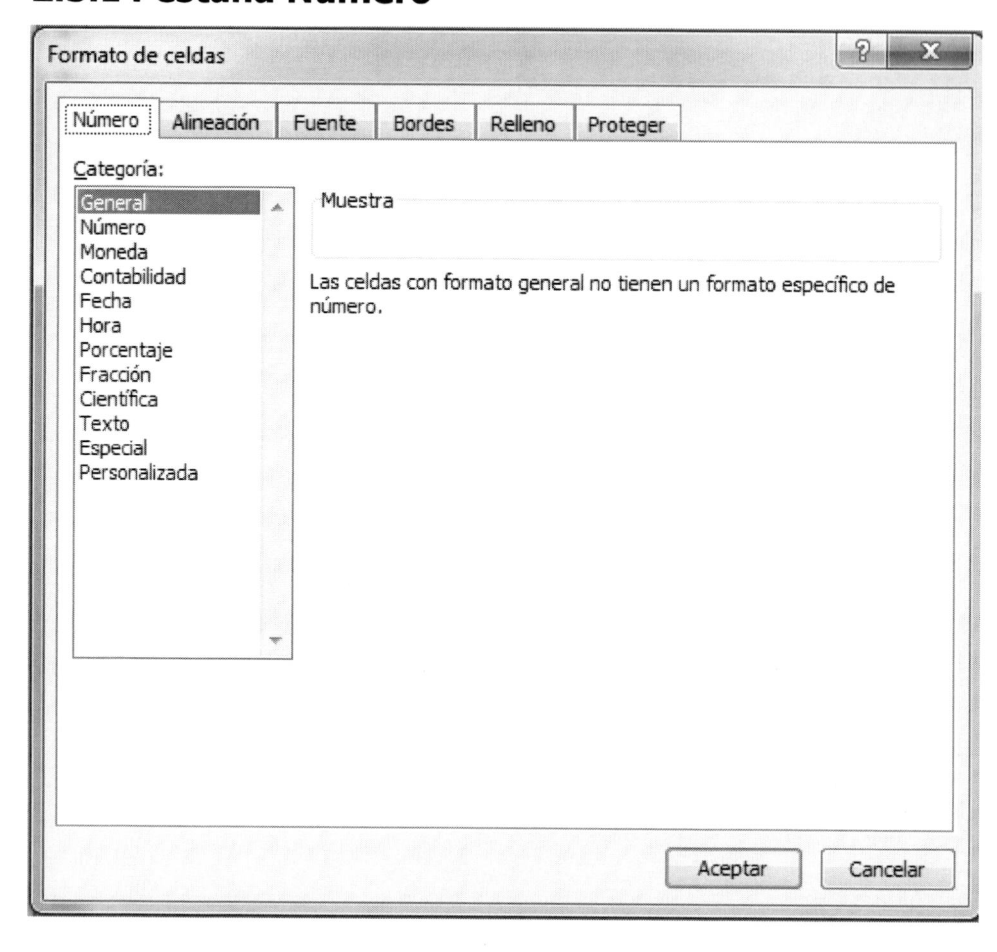

En esta pestaña aparecen todos los formatos para los datos numéricos y de texto que podemos seleccionar:

- **General**: cuando introducimos datos de texto o numéricos Excel le da este formato predeterminado.

- **Número**: aquí podemos seleccionar para los datos numéricos cuántos decimales queremos visualizar, si queremos separador de miles y el formato que vamos a utilizar para los números negativos.

- **Moneda**: es igual que el *formato número*, pero además podemos elegir el símbolo de moneda que queremos que acompañe al número.

- **Contabilidad**: igual que *formato número*, pero sin posibilidad de elegir formato para los números negativos.

- **Fecha**: para dar formato a las fechas introducidas. Se visualizarán todos los formatos definidos para mostrar una fecha (fecha larga, fecha mediana, etc.).
- **Hora**: formatos para mostrar las horas.
- **Porcentaje**: multiplica el valor de la celda por cien y le añade el símbolo de %.
- **Fracción**: muestra el número en formato fracción.
- **Científica**: muestra el número en notación científica.
- **Texto**: el contenido se trata como un texto, es decir, si son números pierden su valor numérico.
- **Especial**: formatos para teléfonos, código postal, etc.
- **Personalizada**: nos permite crear nuestros propios formatos de celdas.

En la ficha **Inicio** tenemos el grupo *Número* donde están alguna de estas opciones.

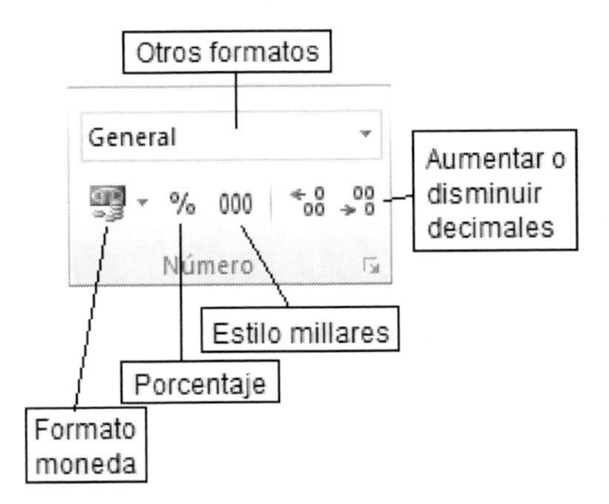

2.5.2 Pestaña Alineación

Lo primero que encontramos en este cuadro de diálogo es la alineación **Horizontal** donde tenemos las opciones para colocar el texto de izquierda a derecha. Debajo se encuentra la alineación **Vertical**, con opciones para la colocación del texto en la parte superior, inferior o centro de la celda.

También disponemos de una casilla donde podemos aplicar sangría para el texto introducido en la celda.

En la parte derecha del cuadro de diálogo tenemos las opciones de **Orientación** del texto. En la casilla donde aparece el semicírculo, pulsando en el punto rojo y arrastrándolo hacia arriba o abajo podemos modificar su inclinación. También podemos elegir la casilla anterior, que nos pondrá el texto en vertical.

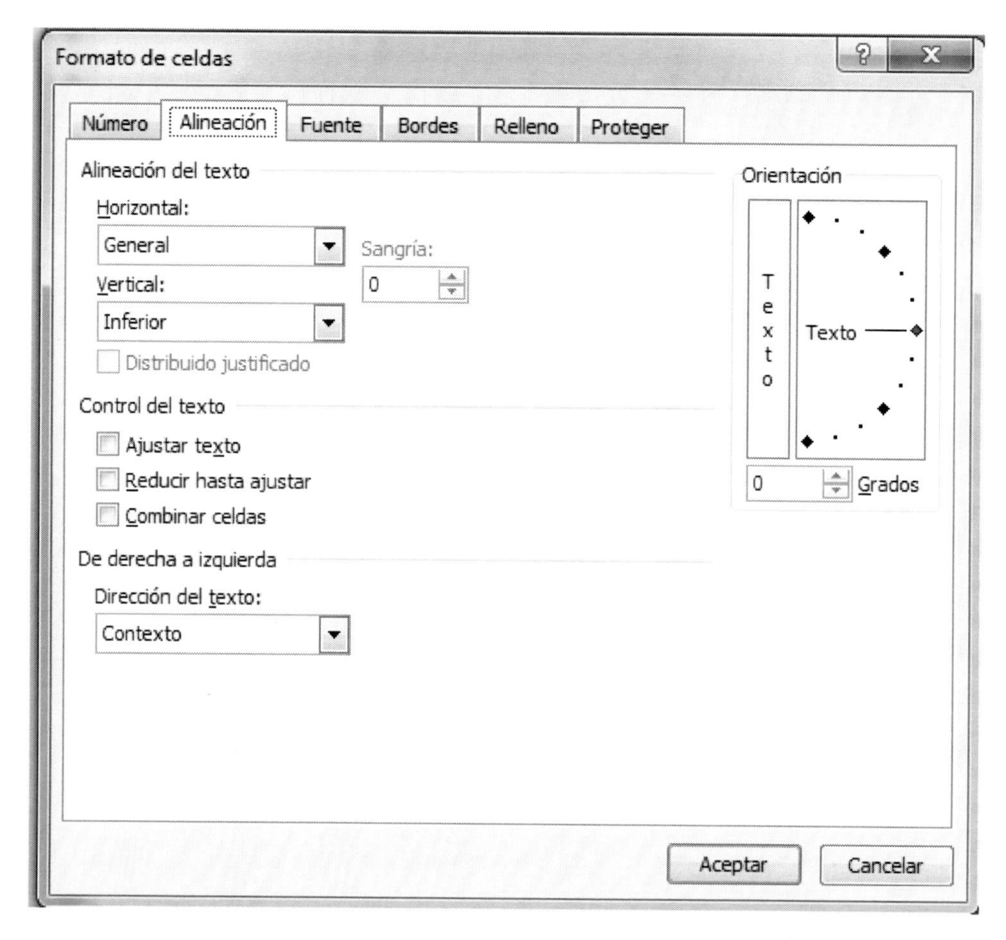

En la sección **Control del texto** encontramos las siguientes opciones:

- **Ajustar texto**: si pulsamos esta opción, los bordes de la celda actuarán como márgenes para su contenido, de tal forma que si el texto no entra en una primera línea, se colocará en una segunda o tercera, según sea necesario.

- **Reducir hasta ajustar**: con esta opción el texto se reduce hasta que entra en la celda.

- **Combinar celdas**: une en una todas las celdas seleccionadas.

Muchas de estas opciones, las más comunes, están recogidas en el grupo de opciones **Alineación**, dentro de la ficha **Inicio**.

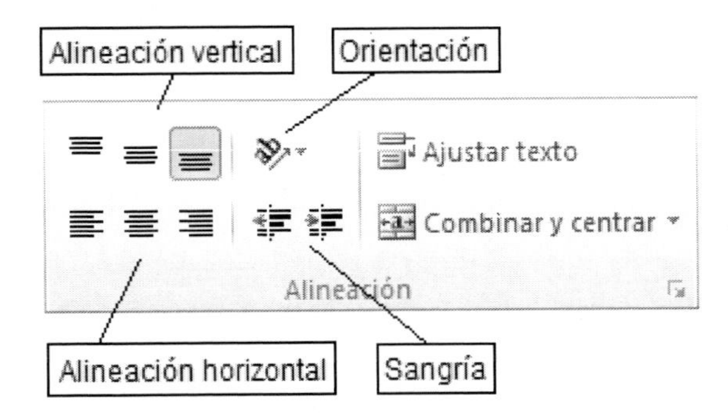

2.5.3 Pestaña Fuente

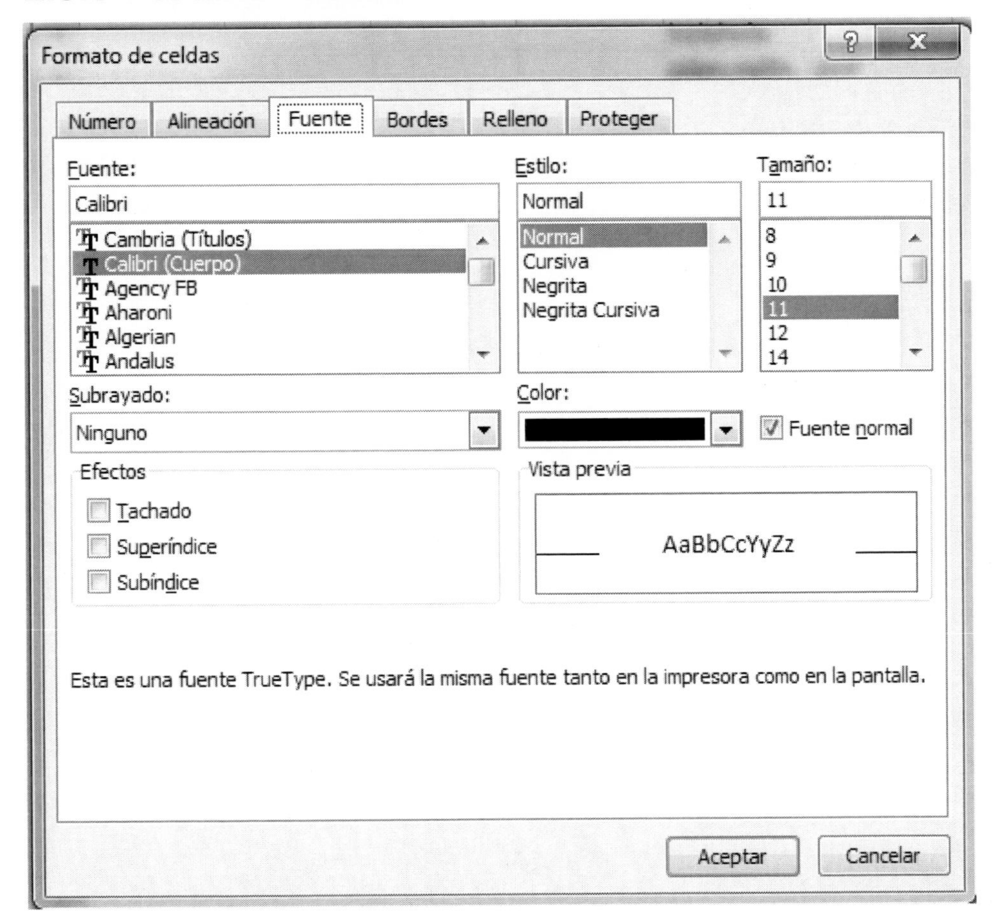

En este cuadro de diálogo encontramos todas las opciones de formato para el texto: **Tipo de letra**, **Estilo**, **Tamaño**, **Color para el texto**, **Subrayado** y **Efectos**.

Casi todas estas opciones aparecen en el grupo de opciones **Fuente**, con lo cual, simplemente tendríamos que seleccionar las celdas a las cuales queremos darle alguna de estas características y pulsar el botón que corresponde a la opción que queremos aplicar.

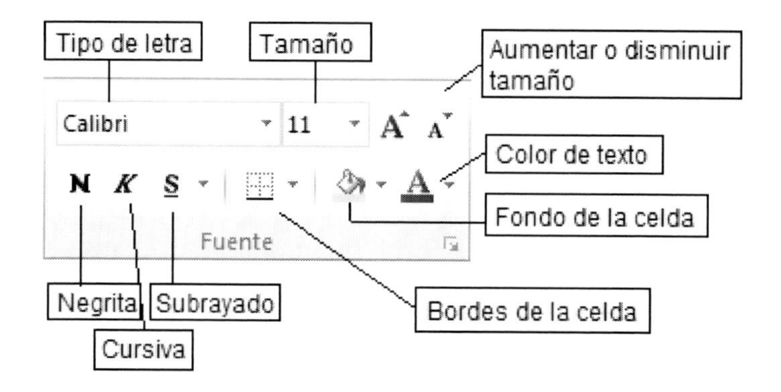

2.5.4 Pestaña Bordes

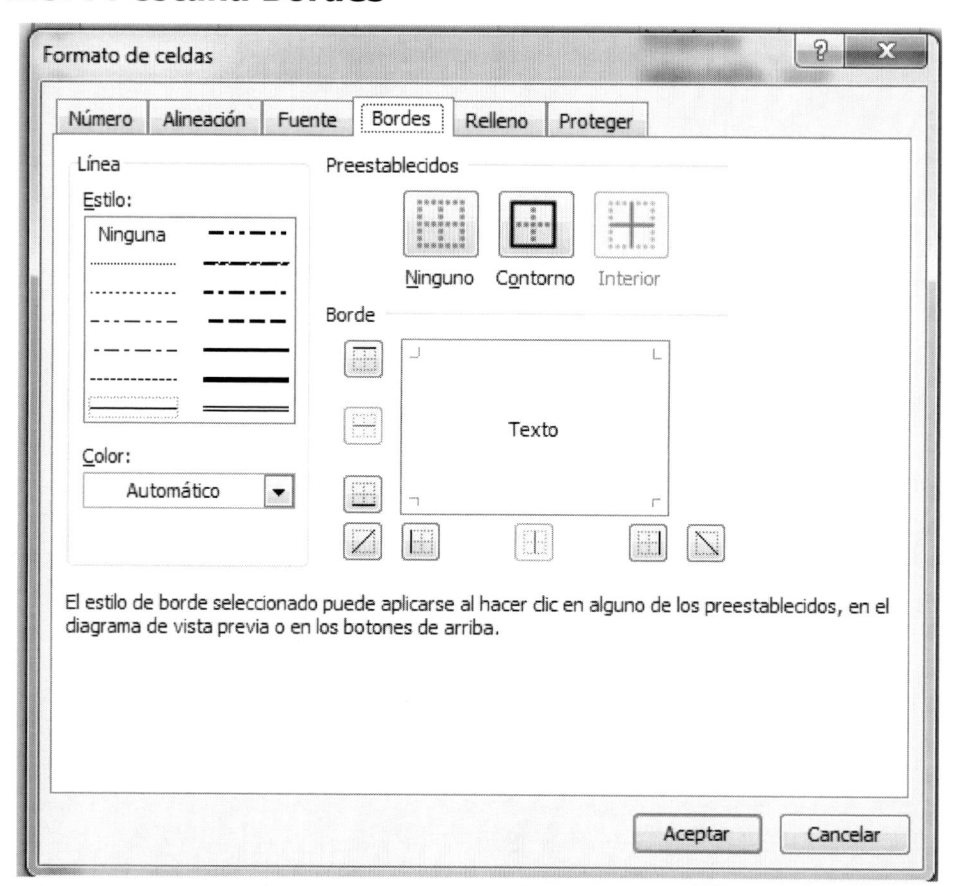

La cuadrícula de las hojas de cálculo, en principio, no se imprime. Por lo que, a través de este cuadro de diálogo, podemos dibujar las líneas que nos interesen. En la sección **Estilo** elegimos el tipo de línea que vamos a utilizar, debajo el **Color** y en el área **Borde**, pulsando sobre los botones que hay alrededor podemos ir poniendo las líneas que nos interesen.

2.5.5 Pestaña Relleno

Aquí vamos a encontrar las opciones para cambiar el **Color de fondo** de las celdas. En la parte derecha podemos elegir la trama y el color para ésta.

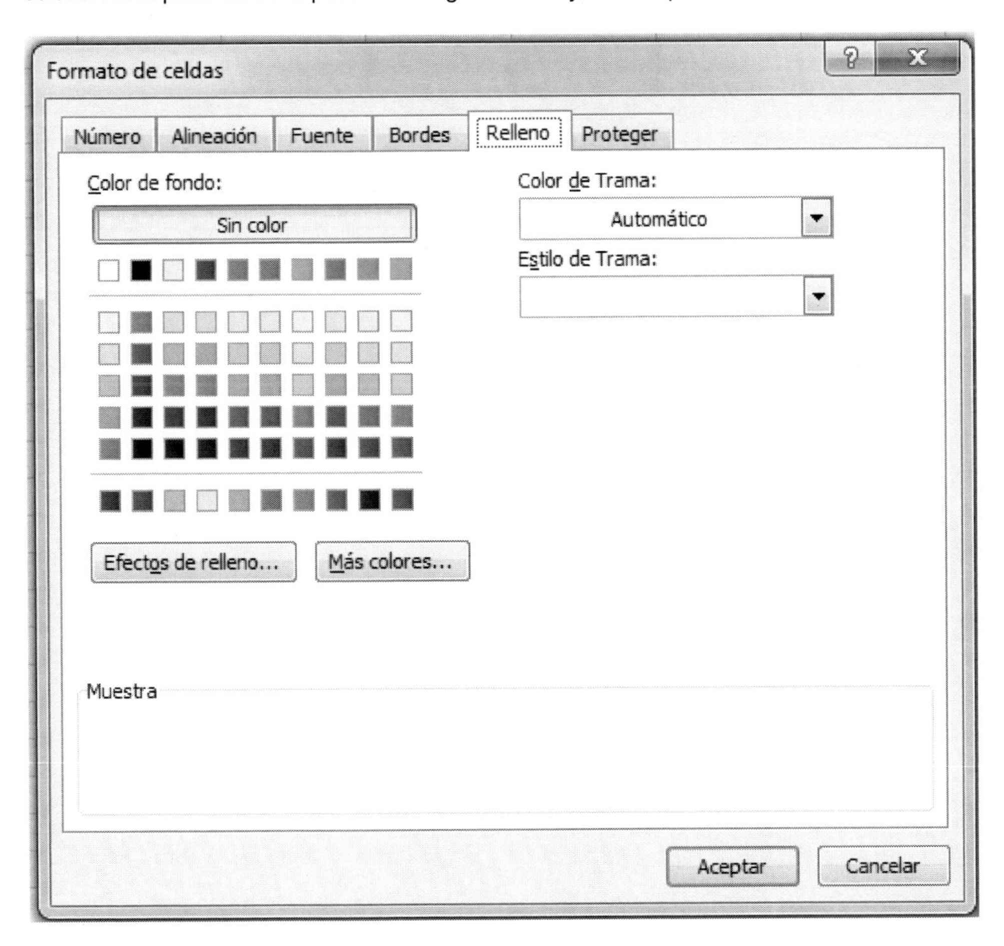

2.6 FORMATO DE FILAS Y COLUMNAS

En la pestaña **Inicio**, podemos observar el grupo de opciones **Celdas**. Dentro de este grupo de opciones hay un botón llamado **Formato**. Si lo pulsamos se despliega un menú como el siguiente, donde las primeras opciones corresponden al formato de filas y columnas.

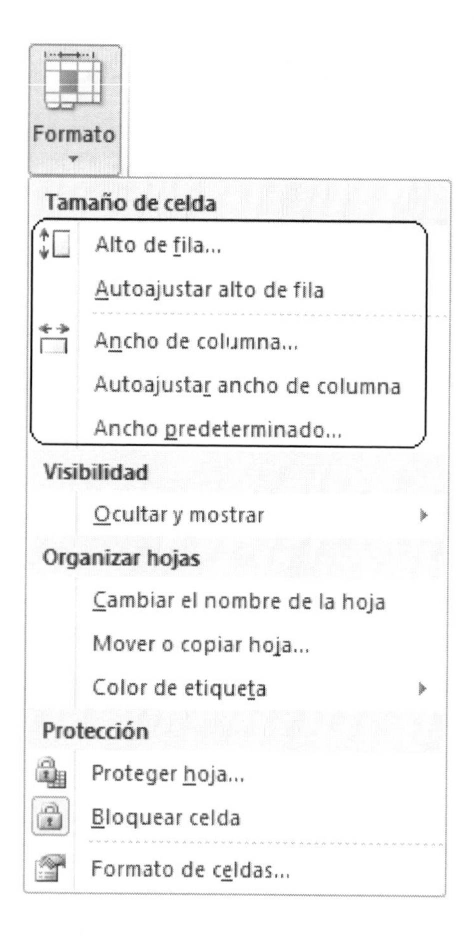

2.6.1 Alto de fila

Al comienzo de este capítulo ya vimos cómo podíamos variar la altura de la fila con el ratón, pero en ocasiones vamos a tener que cambiar la altura de muchas filas, y que todas ellas nos queden iguales. Para ello utilizamos esta opción.

Seleccionamos todas las filas a las cuales queremos cambiarles la altura y pulsamos en **Formato/Alto de Fila**, nos aparecerá un cuadro de diálogo como el siguiente:

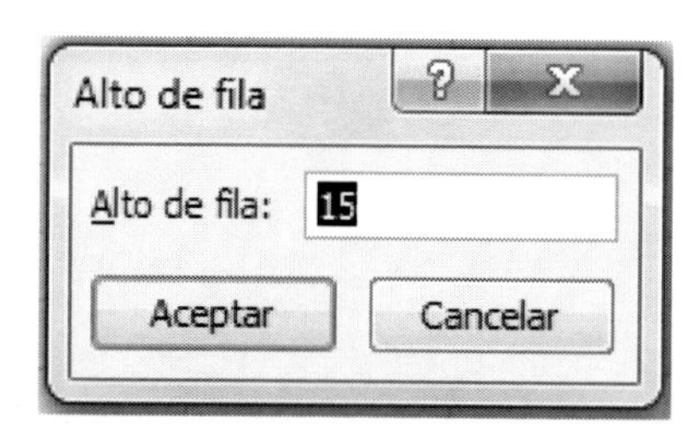

La altura la especificaremos en puntos.

2.6.2 Autoajustar alto de fila

Con esta opción vamos a ajustar la altura de la fila al dato más grande que haya en ella.

2.6.3 Ancho de columna

Al igual que para las filas, ya vimos cómo podíamos variar el ancho de columna directamente con el ratón. Para hacerlo a través de esta opción, seleccionamos las columnas para las que queremos cambiar el ancho, y al pulsar en **Ancho de columna** se despliega un cuadro de diálogo similar al de las filas, donde vamos a indicar el ancho de columna, en este caso medido en caracteres. Por ejemplo, le damos a la columna un ancho de 20 caracteres.

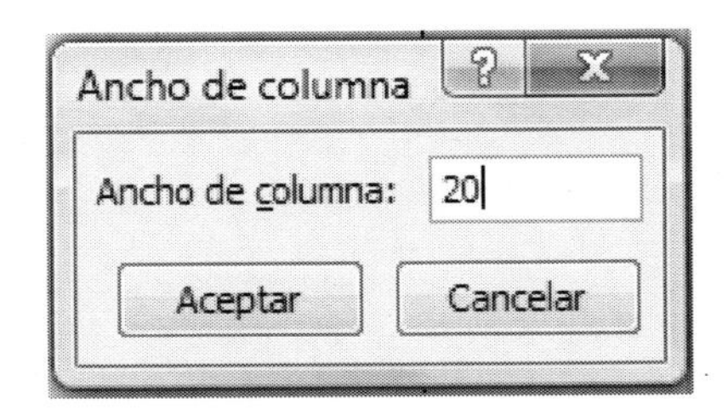

2.6.4 Autoajustar ancho de columna

A través de esta opción ajustamos el ancho de columna al ancho del dato que esté seleccionado.

2.6.5 Ancho predeterminado

Para cambiar el ancho inicial de todas las celdas de la hoja de cálculo.

2.6.6 Ocultar y mostrar filas y columnas

Estas opciones se encuentran botón **Formato**, igual que todas las anteriores.

Se pueden ocultar filas o columnas, lo único que tenemos que hacer es seleccionar previamente las filas o columnas a ocultar. Una vez hecho esto pulsamos en **Formato/Ocultar** y **mostrar/Ocultar filas** o **columnas**. De forma automática desaparecen de la hoja de cálculo.

Para volverlas a visualizar, pulsamos en **Formato/Ocultar** y **mostrar/Mostrar filas** o **columnas**.

2.7 FORMATO DE HOJAS

Tenemos varias opciones para dar formato a la hoja de cálculo completa. Éstas se encuentran recogidas en el mismo menú que todas las anteriores. Pulsaremos en **Formato** y nos desplazamos hasta la sección **Organizar hojas**.

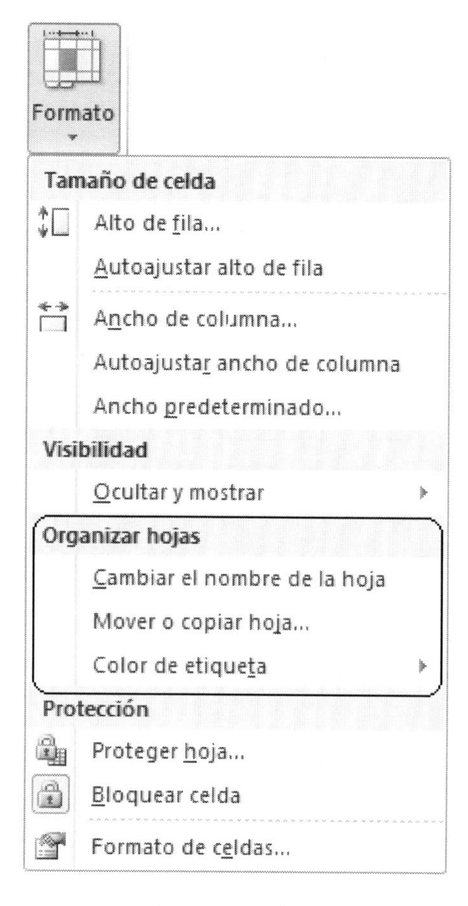

En este menú vamos a encontrar tres opciones relativas a las hojas:

- **Cambiar el nombre de la hoja**: nos va a permitir cambiar el nombre predeterminado que Excel le asigna a cada hoja que aparece en la pestaña. Por ejemplo *Hoja1*, lo podemos cambiar por *Ventas*. Una alternativa para realizar esta acción es hacer doble clic sobre el nombre y modificar.

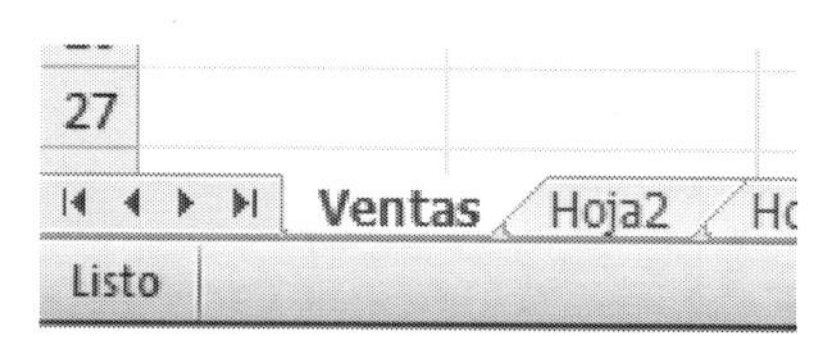

- **Mover o copiar hoja**: nos da las opciones necesarias para mover la hoja a otro libro. Si marcamos la casilla que aparece en la parte inferior, en vez de mover la hoja, la copiará.

- **Color de etiqueta**: para poder modificar el color de la pestaña de la hoja. Al pulsar esta opción se despliega una paleta de colores para seleccionar el color que le queremos asignar.

Tenemos una opción más que está situada en el mismo menú, pero en la opción **Ocultar y mostrar**. Se llama **Ocultar hoja**, y a través de ella podemos ocultar o mostrar cualquier hoja del libro.

2.8 FORMATO CONDICIONAL

El formato condicional es un conjunto de características de formato que se aplican a las celdas que cumplen determinadas condiciones, pudiendo emplear además barras de datos, escalas de colores y conjuntos de iconos.

Para aplicar un formato condicional previamente tenemos que seleccionar las celdas a las cuales queremos aplicar dicho formato. Por ejemplo la columna de resultados en un informe de ventas, queremos resaltar en rojo los diez mejores resultados.

Seleccionaríamos toda la columna de resultados.

Posteriormente, en la cinta de opciones, ficha **Inicio**, dentro del grupo de opciones **Estilos**, tenemos el botón de **Formato condicional**.

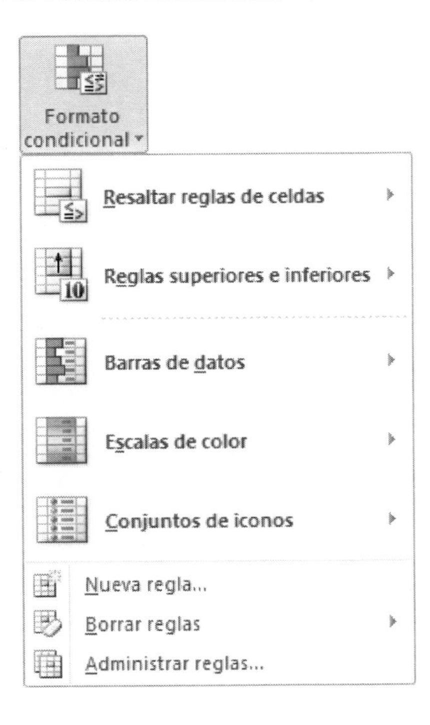

La primera opción, **Resaltar reglas de celdas**, nos permite aplicar un formato basándonos en un operador de comparación: que el valor a resaltar sea *mayor que*, que sea *menor*, *igual*, *comparar con una fecha* o *visualizar valores duplicados*. Cuando elegimos cualquiera de estas opciones visualizaremos un cuadro de diálogo similar al siguiente para especificar los valores de comparación y el formato a aplicar.

La siguiente opción, **Resaltar superiores e inferiores**, nos va a dar la posibilidad de dar un formato especial a aquellas celdas que sean valores superiores o inferiores, tanto en valores normales como en porcentajes, e incluso dependiendo del promedio de estos.

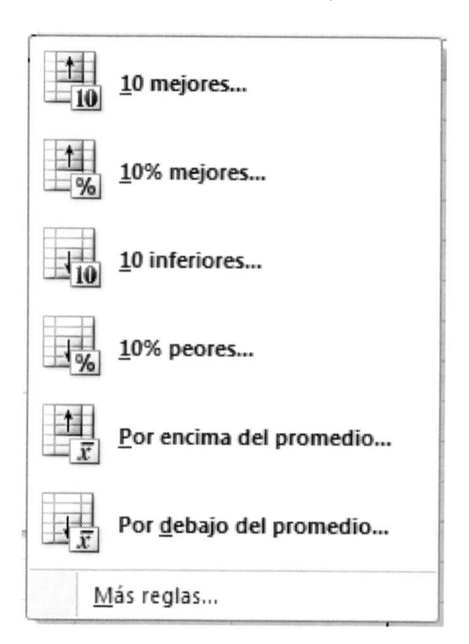

Las tres opciones siguientes, **Barras de datos, Escala de color** y **Conjunto de iconos**, nos dan la posibilidad de analizar los datos y añadirles este tipo de elementos dependiendo de su valor.

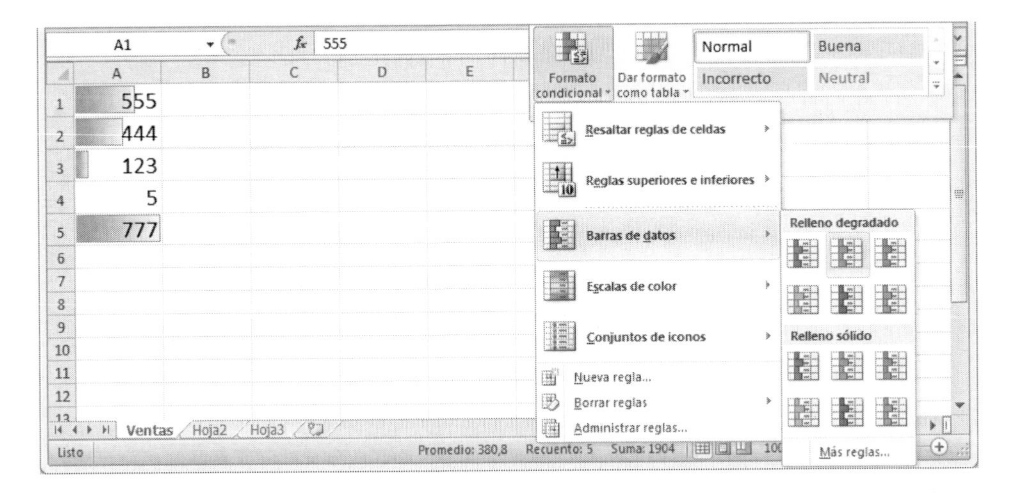

- Una **barra de datos** nos ayuda a ver el valor de una celda con relación a las demás. La longitud de la barra de datos representa el valor de la celda. Una barra más grande representa un valor más alto, y una barra más corta representa un valor más bajo. Las barras de datos son útiles para encontrar números más altos y más bajos especialmente con grandes cantidades de datos.

- Las **escalas de colores** son guías visuales que ayudan a comprender la variación y la distribución de datos. Una escala de dos colores permite comparar un rango de celdas utilizando una gradación de dos colores. El tono de color representa los valores superiores o inferiores.

- Utilizaremos un **conjunto de iconos** para comentar y clasificar datos de tres a cinco categorías separadas por un valor de umbral. Cada icono representa un rango de valores. Por ejemplo, en el conjunto de iconos de tres flechas, la flecha roja hacia arriba representa valores más altos, la flecha hacia el lado amarilla representa valores medios y la flecha hacia abajo verde representa valores más bajos.

En todas estas opciones, al desplegar el submenú, tememos la posibilidad de elegir la opción **Más reglas**, donde se abrirá un cuadro de diálogo que nos va a permitir editar las reglas y cambiar sus características para que se adapten a las condiciones que queramos determinar.

2.8.1.1 ELIMINAR FORMATO CONDICIONAL

Cuando queremos eliminar un formato condicional, seleccionamos todas las celdas donde queramos borrar dicho formato y hacemos clic en **Formato condicional/Borrar reglas/Borrar reglas de las celdas seleccionadas**.

2.9 FORMATO RÁPIDO PARA TABLAS

Excel proporciona un gran número de estilos rápidos de tabla predefinidos que puede utilizar para dar formato rápidamente a una tabla.

Los estilos de tablas los tenemos en la ficha **Inicio**, dentro del grupo de opciones **Estilos**, hacemos clic en **Dar formato como tabla**.

Seguiremos estos pasos:

1. Seleccionar la tabla a la cual queremos darle un estilo predeterminado.

2. Hacemos clic en **Dar formato como tabla**, se visualizarán todos los formatos entre los cuales podemos elegir. Una vez seleccionado el formato a aplicar se muestra una pequeña ventana para confirmar el rango de datos a los que se va a aplicar el formato elegido, e indicar si la tabla tiene títulos o no.

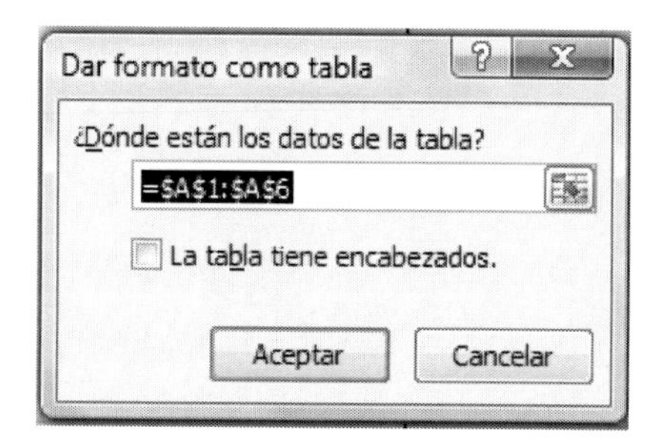

3. Pulsar **Aceptar**.

Se visualiza una nueva pestaña **Diseño,** en la cual hay un grupo de opciones llamado **Opciones de estilo de tabla** donde vamos a poder activar o desactivar algunas características para el formato de la tabla, simplemente activando o desactivando la casilla de verificación.

Diseño
Fila de encabezado
Primera columna
Fila de totales
Última columna
Filas con bandas
Columnas con bandas
Opciones de estilo de tabla

2.10 INSERTAR Y ELIMINAR

Cuando estamos trabajando con hojas de cálculo, es muy común encontrarnos con situaciones donde vamos a tener que insertar o eliminar celdas, filas o columnas, e incluso hojas de cálculo completas.

Los botones para realizar estas operaciones se encuentran en la ficha **Inicio**, dentro del grupo **Celdas**.

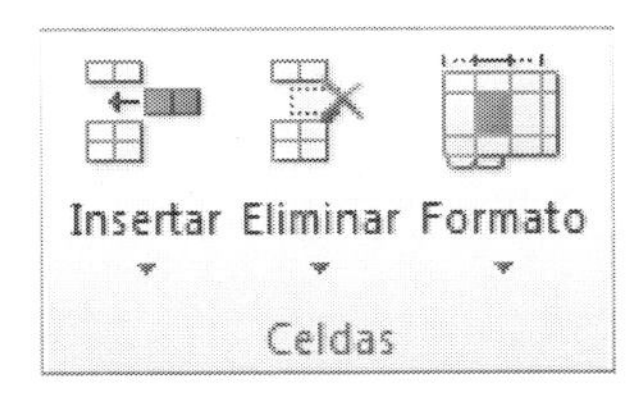

2.10.1 Insertar filas

Para insertar una fila seguimos estos pasos:

1. Situamos el cursor una fila por debajo de donde deseamos insertar la nueva fila.

2. Pulsamos en el botón **Insertar**.

3. Entre las opciones que se despliegan, elegimos **Insertar fila de hoja**.

4. La nueva fila se insertará por encima de la posición del cursor.

2.10.2 Insertar columnas

El proceso es similar al de insertar una fila. Tenemos que tener en cuenta que en el caso de las columnas nuevas, estas se insertarán a la izquierda de la posición del cursor.

Pasos a seguir:

1. Situamos el cursor una columna a la derecha de donde deseamos insertar la nueva columna.

2. Pulsamos en el botón **Insertar**.

3. De las opciones desplegadas elegimos **Insertar columna de hoja**.

2.10.3 Insertar hojas

Cuando creamos un nuevo libro, de forma predeterminada se crea con tres hojas. Podemos ir añadiendo nuevas hojas a medida que van siendo necesarias.

Para insertar nuevas hojas de trabajo podemos proceder de dos formas:

La primera es con el menú anterior, siguiendo estos pasos:

1. Pulsamos en el botón **Insertar**.

2. De las opciones desplegadas elegimos **Insertar hoja**.

Se añade una nueva hoja al libro.

Otra posibilidad para añadir hojas es pulsar en la pestaña del libro que lleva el símbolo *, de esta forma se crea automáticamente otra hoja más.

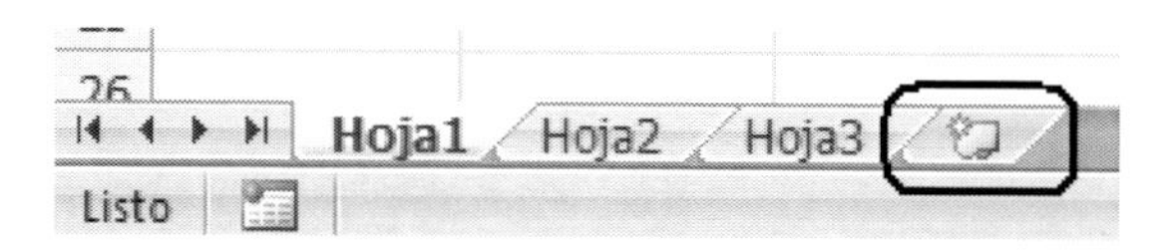

2.10.4 Insertar celdas

En ocasiones solo necesitaremos insertar unas cuantas celdas, no una fila o columna completa.

Pasos a seguir:

1. Situar el cursor donde queremos insertar las nuevas celdas.

2. Pulsar en **Insertar**.

3. Elegir la opción **Insertar Celdas**. Al pulsar esta opción se visualiza la siguiente ventana para elegir cómo queremos desplazar el resto de la hoja de cálculo al insertar las nuevas celdas.

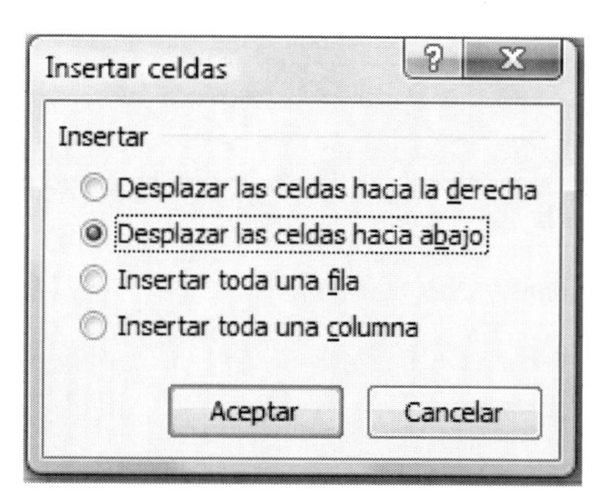

4. Elegimos la opción que corresponda y pulsamos **Aceptar**.

2.10.5 Eliminar filas y columnas

Para eliminar filas o columnas, previamente las seleccionaremos y a continuación pulsando en el botón **Eliminar** de la ficha **Celdas**, elegiremos la opción de menú que corresponda con lo que deseamos eliminar.

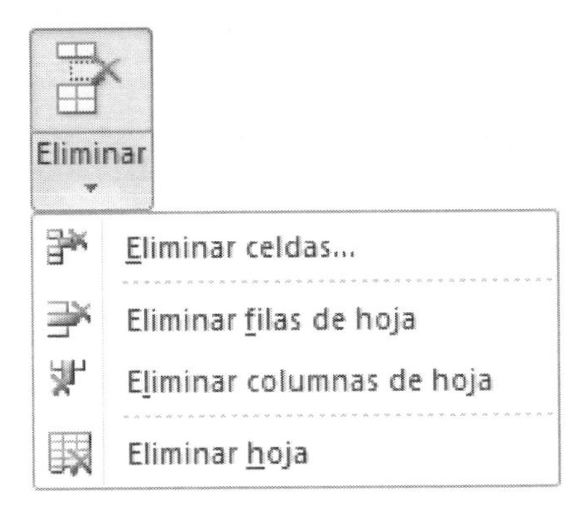

2.10.6 Eliminar hojas

1. Nos situamos en la hoja a eliminar.
2. Pulsamos en el botón **Eliminar**.
3. Elegimos **Eliminar hoja**.

La hoja se elimina del libro.

2.11 CÁLCULOS

2.11.1 Cálculos simples con operadores aritméticos

Vamos a ver ahora cómo podemos realizar cálculos en la hoja de cálculo. Para ello introducimos en nuestra hoja de cálculo los números del 1 al 9, tal y como están colocados en el ejemplo de la figura siguiente.

	A	B	C	D
1	1	2	3	
2	4	5	6	
3	7	8	9	
4				

Vamos a aprender a hacer operaciones matemáticas con operadores aritméticos, que son:

+	Suma.
-	Resta.
*	Producto.
/	División.

Queremos hacer la suma de la primera fila.

El primer requisito para realizar una operación es situarse en la celda donde vamos a obtener el resultado, en nuestro ejemplo nos situamos en la celda **D1**.

Escribimos lo siguiente:

=A1+B1+C1

Y pulsamos **Intro** para aceptar la fórmula. Al pulsarlo visualizamos el resultado de la operación (6). Si situados en esta celda (D1), nos fijamos en la barra de fórmulas, se visualiza la fórmula introducida.

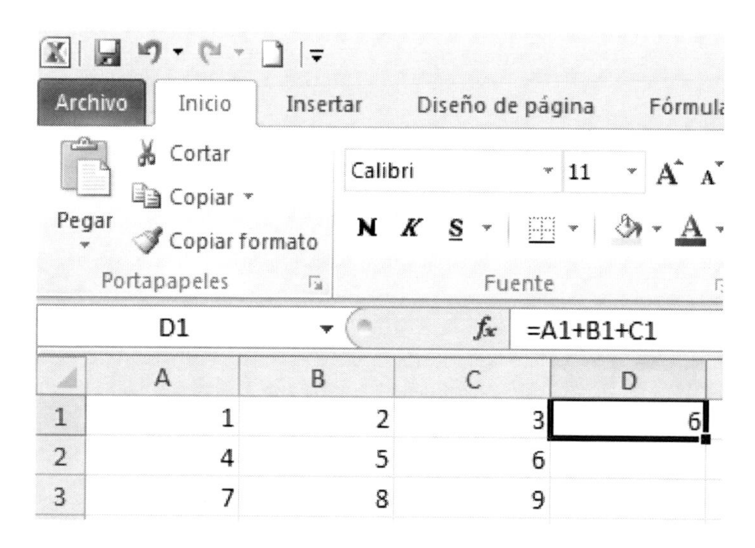

Con esta operación, lo que le estamos indicando a Excel es que sume el contenido de las celdas que se mencionan en la suma, independientemente de su contenido. De esta forma, vamos a tener el resultado siempre actualizado, aunque nuestros datos varíen.

Vamos a cambiar uno de los datos. Para ello nos situamos en la celda **A1**, y cambiamos el 1 por 50. Al pulsar **Intro**, el resultado de forma automática se modifica. ¿Por qué? Pues porque hemos sumado celdas, con el contenido que tengan en cada momento.

Nos situamos ahora en la celda **D2**, queremos realizar la siguiente operación: (6+4)/2.

Escribiremos: **=(C2+A2)/B1**

2.11.2 Autosuma

Tenemos una herramienta que nos permite sumar filas o columnas. Se trata del botón **Autosuma** Σ Autosuma, que está en la ficha **Inicio**, en el grupo de opciones **Modificar**.

Para utilizarlo, solamente nos tenemos que colocar en la celda donde vamos a obtener el resultado, que deberá ser la última de la fila o la columna que vayamos a sumar. En nuestro ejemplo nos situamos en la celda A4, para sumar toda la columna. Colocados ahí pulsamos este botón. Se visualizará una línea punteada que rodea todas las celdas que se van a sumar.

Pulsamos **Intro** para aceptar.

2.12 COPIAR FÓRMULAS Y REFERENCIAS RELATIVAS

Cuando una fórmula se repite, se puede copiar.

En el siguiente ejemplo tenemos una tabla que nos muestra las ventas del primer cuatrimestre. Pretendemos realizar la suma para cada mes.

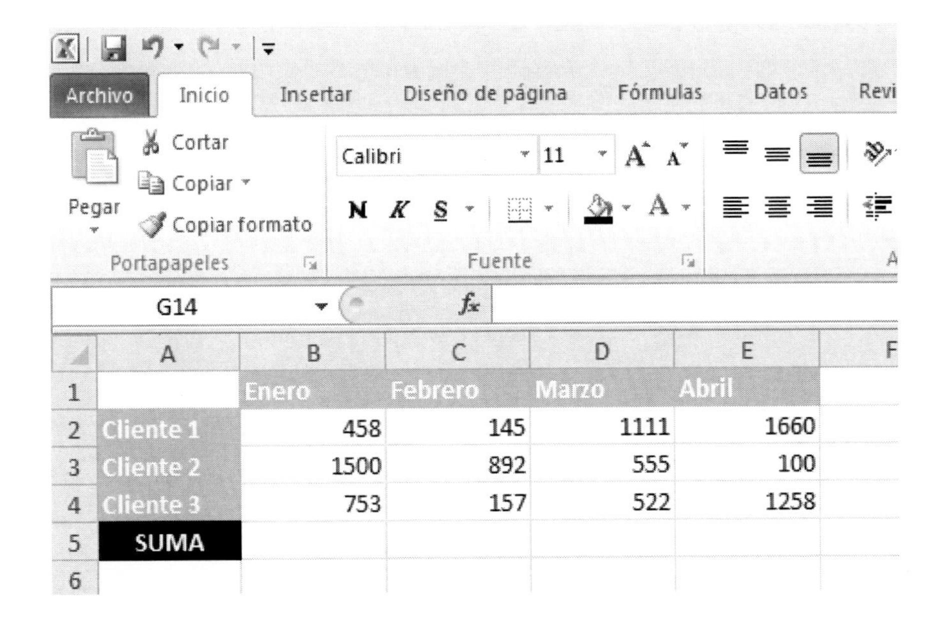

Realizamos la primera suma:

1. Nos situamos en la celda donde queremos obtener el resultado: **B5**.

2. Ponemos el símbolo **=**.

3. Escribimos **=B2+B3+B4**.

4. Pulsamos **Intro**.

Si quisiéramos realizar la suma para los meses siguientes tendríamos que escribir las siguientes operaciones:

Febrero (C5).	=C2+C3+C4
Marzo (D5).	=D2+D3+D4
Abril (E5).	=E2+E3+E4

Si nos fijamos en estas operaciones, comprobaremos que estamos repitiendo la misma operación pero con distintas celdas, es decir, la fórmula se está repitiendo.

Como hemos dicho antes, cuando una fórmula se repite se puede copiar, lo único que tendremos que tener en cuenta es como varían las referencias de las celdas al copiar la fórmula.

Cuando copiamos una fórmula las referencias van a variar de la siguiente forma:

- Si copiamos la fórmula hacia la derecha, varía la letra de la referencia en una unidad, es decir, si en la fórmula original es **B1**, en la siguiente será **C1** y el número de fila se mantiene.

- Si copiamos hacia abajo, varía el número de la referencia en una unidad y la letra de la columna se mantiene.

A esta variación se le llama **Referencias relativas**.

En el ejemplo anterior podemos copiar la fórmula introducida en la celda B5 hacia la derecha.

Una forma de hacerlo es situarnos sobre la celda que queremos copiar. En la esquina inferior derecha se muestra un pequeño cuadro negro. Al situarnos sobre él y el cursor aparece como una cruz negra. En ese momento arrastramos hacia la derecha pasando por las celdas consecutivas, que es donde queremos copiar dicha fórmula.

Para comprobar que se ha realizado de forma correcta nos situamos en las celdas donde hemos obtenido los resultados y vamos comprobando a través de la barra de fórmulas que se ha realizado correctamente.

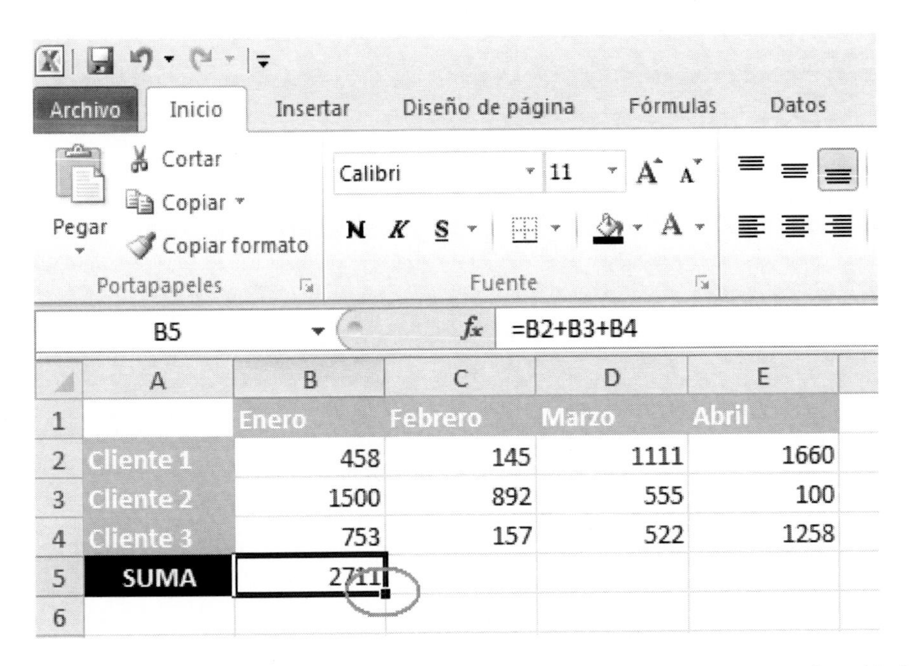

Si ahora quisiéramos realizar la suma de cada cliente, nos situamos en la celda **F2** y escribimos **=B2+C2+D2+E2**.

En las celdas F3 y F4 tendríamos que repetir la fórmula cambiando las celdas que intervienen en la operación

F3	= B3+C3+D3+E3
F4	= B4+C4+D4+E4

Es justamente lo que vamos a obtener si copiamos la fórmula hacia abajo. Como copiamos hacia abajo, en la fórmula se incrementa el número de la fila y se mantiene la letra de la columna.

2.13 REFERENCIAS ABSOLUTAS Y MIXTAS

En muchas ocasiones hay celdas dentro de la fórmula que al copiarlas no deben variar, tienen que mantenerse fijas. A esto se le llama **Referencias absolutas**.

Continuamos con el ejemplo anterior. Vamos a calcular el 10% de descuento para cada mes.

Nos situamos en la casilla B6 y escribimos la siguiente fórmula: **=B5*A6**.

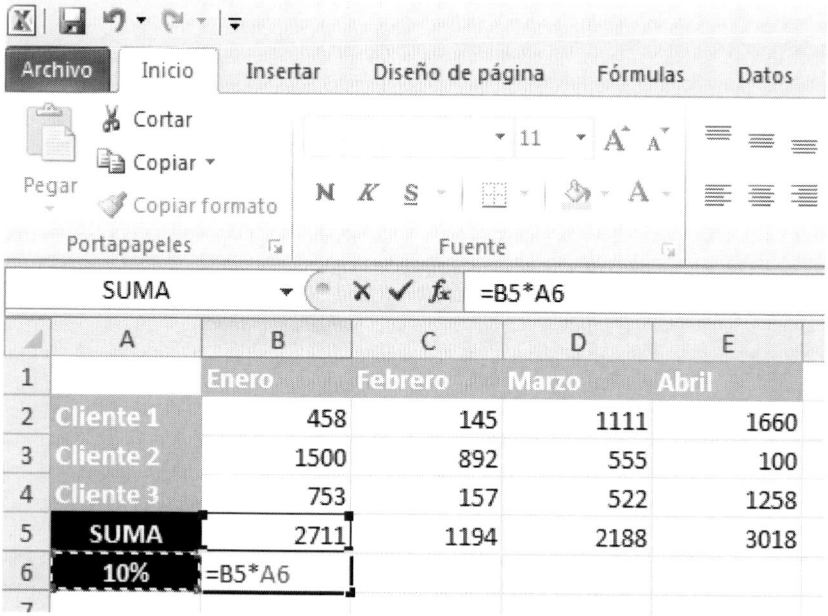

	A	B	C	D	E
1		Enero	Febrero	Marzo	Abril
2	Cliente 1	458	145	1111	1660
3	Cliente 2	1500	892	555	100
4	Cliente 3	753	157	522	1258
5	SUMA	2711	1194	2188	3018
6	10%	=B5*A6			

Si arrastramos así la formula para copiar la operación al resto de meses, nos quedaría de la siguiente forma:

Celda	**B6**	**C6**	**D6**	**E6**
Fórmula.	=B5*A6	=C5*B6	=D5*C6	=E5*D6
Resultados.	271,1	323693,4	708241159	2,1375E+12

¿Qué está sucediendo? La suma sobre la cual calculamos el 10% se está seleccionando de forma adecuada, en la primera formula es **B5**, después **C5, D5 y E5**, pero **A6**, que es la celda donde está situado el 10%, es una celda que debería repetirse en todas las fórmulas y que si arrastramos la fórmula original sin más no se repite, sino que varía como vemos en la tabla anterior.

¿Cómo le indicamos a Excel que al copiar esta fórmula la celda se mantenga fija?

Para indicarle a Excel que una celda es fija dentro de una fórmula y que no debe variar, utilizamos el símbolo $. Este símbolo lo pondremos delante de la letra de la celda y delante del número para indicar que aunque la fórmula se copia hacia la derecha o hacia abajo la referencia no varíe. A esto se le llama referencias absolutas.

Volvemos a nuestro ejemplo. Modificamos la primera fórmula, y escribimos lo siguiente: **=B5*A6**.

Una vez escrita esta fórmula arrastramos para copiar hacia la derecha y en cada celda debe salir el 10% de la suma de cada mes.

Las fórmulas obtenidas serán las siguientes, en las que siempre se repite A6:

Celda	**B6**	**C6**	**D6**	**E6**
Fórmula	=B5*A6	=C5*A6	=D5*A6	=E5*A6

El símbolo $ lo que nos permite es indicar si la columna, la fila o las dos cosas van a ser fijas para la fórmula. Cuando sólo fijamos una de las dos, es decir, fila o columna, entonces se llaman **Referencias mixtas**. Por ejemplo: **A$5**; **$A5**; **$B7**; **B$7**.

2.14 USO DE LAS FUNCIONES

Cuando realizamos algunas operaciones matemáticas, tenemos la opción de realizar dichas operaciones con los operadores aritméticos (como hemos estudiado en la sección anterior) o con funciones.

Por ejemplo, si queremos realizar una suma podemos utilizar la función suma o el operador aritmético +. Pero en otras ocasiones solo vamos a tener la opción de utilizar funciones, por ejemplo si queremos extraer el máximo de un conjunto de valores, el mínimo, etc.

2.14.1 Definición de rango

Para utilizar las funciones vamos a recordar qué es un **rango**. Es un conjunto de celdas contiguas.

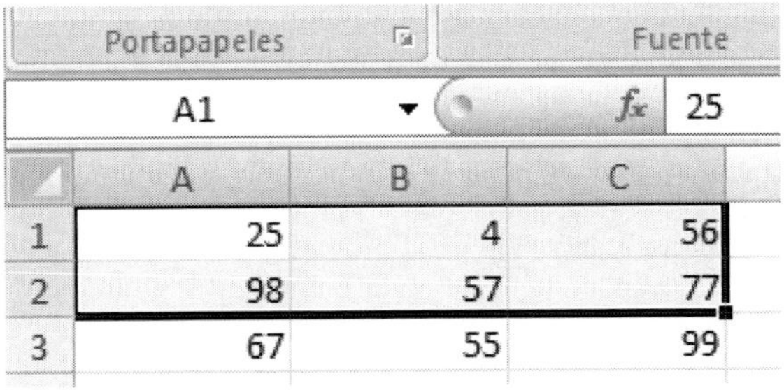

El rango que se muestra en la imagen anterior lo podemos definir de dos formas:

1. Nombrando todas las celdas que contiene separadas por punto y coma, **A1;B1;C1;A2;B2;C2**.

2. Nombrando la primera y última celdas separadas por dos puntos, es decir: **A1:C2**.

Esto nos va a servir para entender cómo se utilizan las funciones.

2.15 ASISTENTE PARA FUNCIONES. FUNCIONES BÁSICAS

Dentro de este apartado vamos a conocer como se utilizan algunas de las funciones más básicas y más utilizadas, como la SUMA, el PROMEDIO, etc.

Al igual que para realizar operaciones con los operadores aritméticos, el primer requisito es colocarnos en la celda donde vamos a obtener el resultado.

Utilizaremos los datos de la imagen anterior. Nos situamos en la celda **D1**, que es la celda donde vamos a realizar la suma del rango que se muestra en la imagen.

Portapapeles | Fuente

A1 | fx 25

	A	B	C
1	25	4	56
2	98	57	77
3	67	55	99

A continuación tenemos que elegir la función que queremos utilizar.

En la cinta de opciones tenemos una ficha llamada **Fórmulas** en la que hay un grupo de opciones llamado **Biblioteca de funciones**, donde aparecen las categorías de funciones más importantes para poder elegir la función que vamos a utilizar.

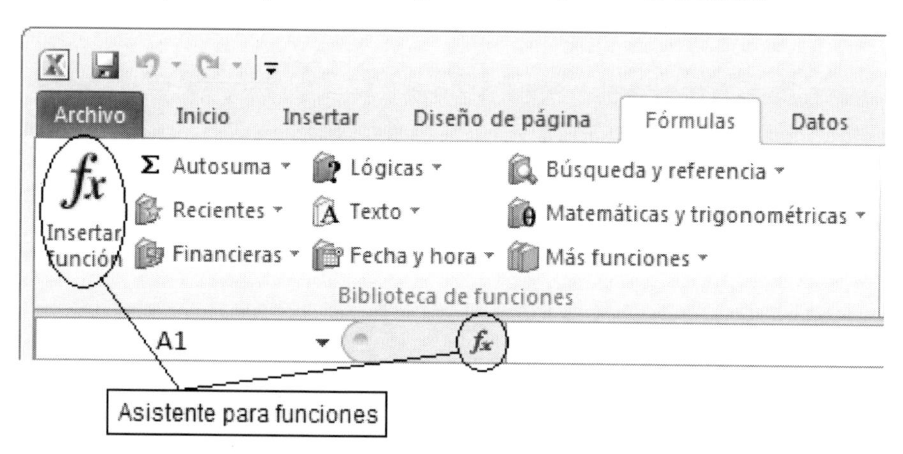

Si pulsamos en el botón **Insertar función** accedemos al **Asistente para funciones**, que nos va a mostrar la biblioteca de funciones completa.

El *Asistente para funciones* es un pequeño programa que nos ayuda a escribir una función. Cuando escribimos funciones utilizando el asistente, podemos omitir todos los caracteres que hay que insertar en la función y que forman parte de su sintaxis, ya que el asistente lo escribirá por nosotros.

Por ejemplo, al utilizar el asistente no es necesario poner el símbolo igual al principio de la función, ya que éste lo escribe por nosotros.

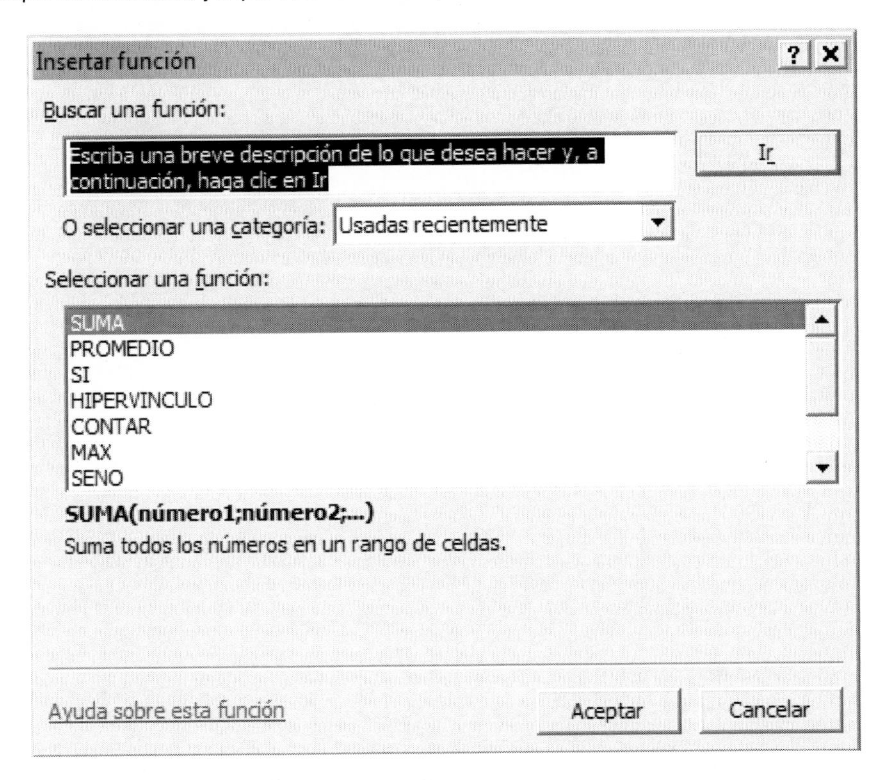

Las funciones se encuentran agrupadas en diferentes categorías: *Texto*, *Lógicas*, *Matemáticas* y *trigonométricas*, etc. En la casilla **Seleccionar una categoría**, tenemos que elegir la categoría donde se encuentra la función que vamos a utilizar. De esta forma en la parte inferior aparecerá un listado de todas las funciones pertenecientes a la categoría elegida, ordenadas por orden alfabético.

Si no sabemos a que categoría puede pertenecer la función que estamos buscando podemos elegir la categoría *Todas*, de esta forma nos aparecerá un listado de todas las funciones ordenadas alfabéticamente.

Una vez que hemos elegido la función que vamos a utilizar, en la parte inferior de la ventana, en negrita se muestra la sintaxis de la función. Elegimos la función SUMA.

La sintaxis es la forma en la que se tiene que escribir la función y los parámetros que utiliza. Y por último, debajo de la sintaxis aparece una breve descripción de lo que realiza la función.

Cuando estemos seguros de que esa es la función que queremos usar, pulsamos el botón **Aceptar** y aparecerá un cuadro de diálogo similar al siguiente:

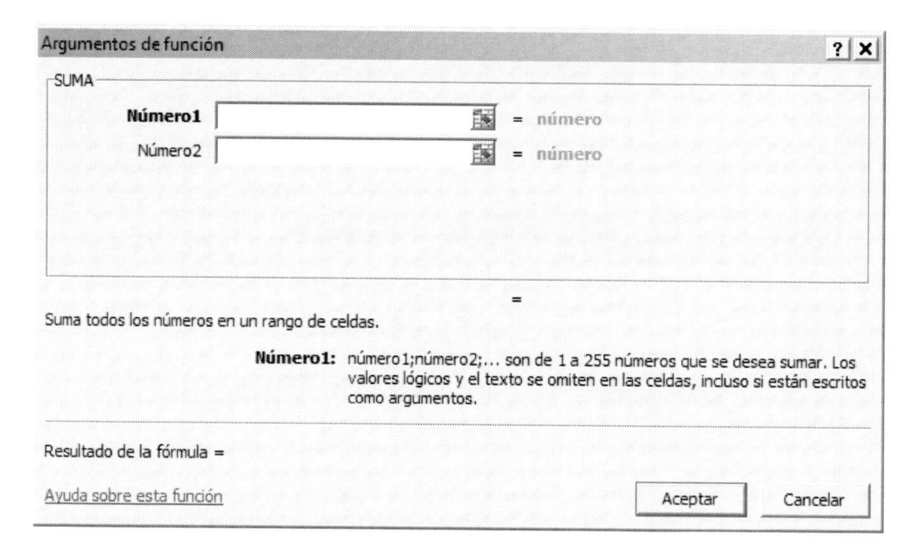

Nos situamos en la casilla "Número1" y con el cursor colocado ahí nos desplazamos a la hoja de cálculo, sin cerrar esta ventana, y seleccionamos el conjunto de celdas que queremos sumar. Si son rangos diferentes, pulsamos **CTRL** para seleccionarlos.

En nuestro ejemplo seleccionaremos el rango **A1:C2**.

De forma automática nos aparecerá el rango seleccionado.

Pulsamos **Aceptar** y obtenemos el resultado.

En la barra de formulas podemos visualizar la función introducida: **=SUMA(A1:C2)**.

Vamos a realizar otro ejemplo: calcular el valor máximo de todos los datos introducidos en la hoja de cálculo. El resultado lo obtendremos en la celda A4.

1. Nos situamos en la celda **A4**.
2. Pulsamos en el botón **Insertar función**.
3. En **Categorías** elegimos **Estadísticas**.
4. Buscamos la función **MAX**.
5. Pulsamos **Aceptar**.
6. Situados en la casilla **Numero1**, seleccionamos el rango **A1:C3** y pulsamos **Aceptar**.

Vamos a calcular ahora el mínimo y el promedio de los mismos datos y el producto de la primera y ultima columnas.

Celda de resultado	Categoría/Función	Rango datos
B4	Estadísticas/Min	A1:C3
C4	Estadísticas/Promedio	A1:C3
D4	Matemáticas/Producto	A1:A2;C1:C2

Como conclusión, para utilizar una función de las que consideramos simples, nos situamos en la celda donde vamos a obtener el resultado, elegimos la función y seleccionamos todas las celdas que intervienen en dicha función.

2.16 FUNCIONES LÓGICAS. LA FUNCIÓN SI

Vamos a estudiar una función que se utiliza mucho en Excel. Pertenece a la categoría **Lógicas** y se llama **SI**.

Esta función nos permite establecer una condición y dos resultados, de tal forma que si la condición se cumple devuelve el primer resultado, y si no se cumple, el segundo.

Vamos a verlo con un ejemplo en el que hemos calculado la suma para cada mes y en función de su cuantía vamos a calcular un 10% de descuento. El descuento se va a calcular en aquellos meses cuya suma supere los 2.100€.

	A	B	C	D	E
1		Enero	Febrero	Marzo	Abril
2	Cliente1	458	145	1111	1660
3	Cliente2	1500	892	555	100
4	Cliente3	753	157	522	1258
5	SUMA	2711	1194	2188	3018
6	10%				

1. Nos situamos en la primera celda donde queremos calcular un descuento, en **B6,** para el mes de Enero.

2. Pulsamos fx (Insertar función).

3. Elegimos la categoría **Lógicas** y en el listado de la parte inferior del cuadro de diálogo seleccionamos la función **SI**.

4. Pulsamos **Aceptar**.

Se muestra el siguiente cuadro de diálogo, que es donde vamos a indicar la condición y los dos resultados posibles de la función.

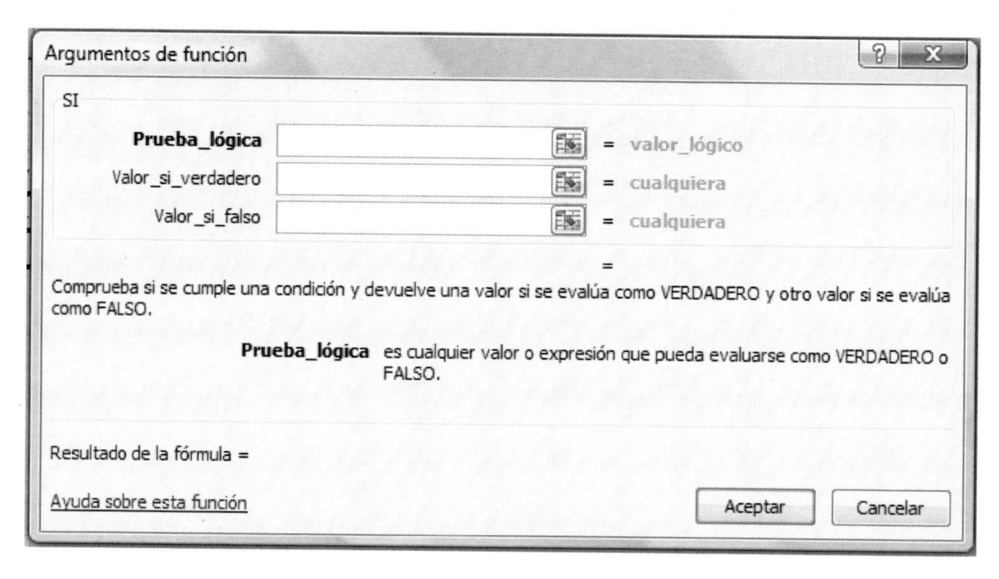

Prueba lógica: se refiere a la condición. Una condición tiene dos partes, por ejemplo que a=b; que a<b, etc. Es aquí donde vamos a utilizar los operadores de comparación, que son los siguientes:

Operador	**Significado**
=	Igual.
>	Mayor.
<	Menor.
>=	Mayor o igual.
<=	Menor o igual.
<>	Distinto.

En nuestro ejemplo vamos a establecer la condición que se tiene que cumplir para que se efectúe el descuento del 10% para ese mes. Como hemos comentado anteriormente vamos a realizar un descuento del 10% en aquellos meses que superen la cantidad de 2.100€. Con lo cual la condición sería la siguiente: **B5>2100**.

Le estamos indicando que **B5**, que es la celda donde aparece la suma del mes de Enero sea superior a 2100.

Ya tenemos la **Prueba lógica**.

Valor si verdadero: en esta casilla tenemos que poner el resultado si la condición se evalúa como verdadera, es decir, si se cumple dicha condición.

En el ejemplo que estamos elaborando, si la condición se cumple vamos a calcular un 10% de la suma, con lo cual escribiremos: **B5*A6**.

Ponemos **A6** porque es la celda donde aparece el porcentaje de cálculo y cuando copiemos la fórmula, necesitamos que esa referencia no varíe, es decir, que sea fija para la fórmula.

Valor si falso: aquí es donde vamos a establecer el valor si la condición no se cumple. En nuestro ejemplo, si la suma no supera los 2.100€, no vamos a calcular ningún descuento, con lo cual escribiremos 0.

Resumiendo, el cuadro de diálogo correspondiente a la función quedará de la siguiente forma:

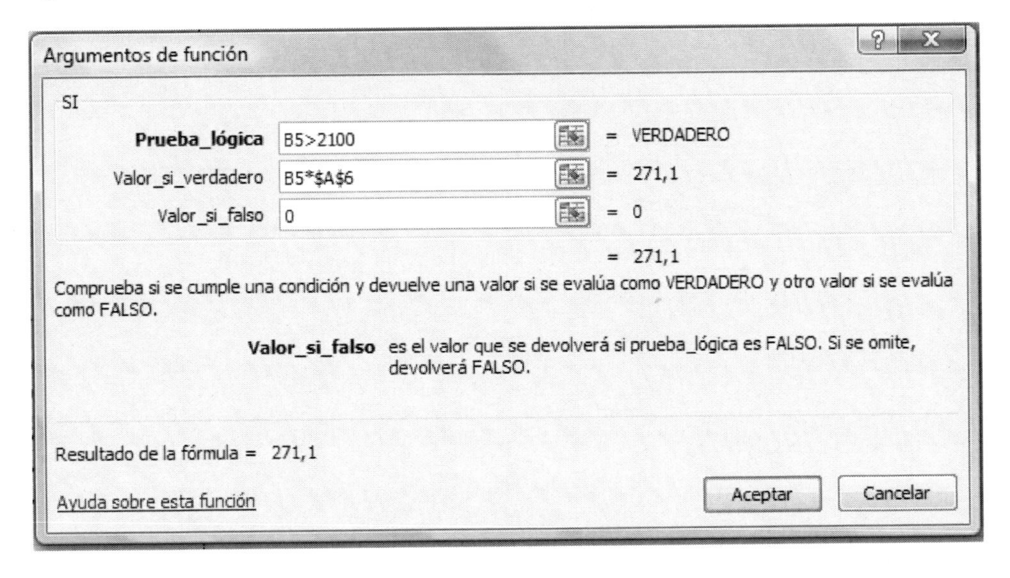

Al pulsar **Aceptar**, se mostrará el resultado para el mes de Enero, que en este caso es el 10% de la suma, porque dicha suma supera los 2.100€.

Si copiamos la fórmula hacia la derecha, irán apareciendo los resultados correspondientes al resto de meses. El único que no tiene descuento es el mes de Febrero, ya que no cumple la condición establecida, es decir, su suma no supera los 2.100€.

2.17 GRÁFICOS

Un **gráfico** es una representación de los datos de una hoja de cálculo que nos permiten una interpretación más clara de los mismos.

Sigamos el siguiente ejemplo:

	A	B	C	D
1		Tenis	Futbol	Golf
2	Carlos	100	200	300
3	Javier	300	250	100
4	Mario	150	150	200
5	Ana	120	100	180
6				

Para crear un gráfico, previamente tenemos que seleccionar en nuestra hoja de cálculo, aquellos datos que queremos representar en él.

Una vez seleccionados pulsamos en la ficha **Insertar** y en ella se encuentra el grupo de opciones **Gráficos**.

En este grupo de opciones se muestran las categorías de gráficos que podemos elaborar. Si vamos pulsando en cada una de estas categorías podremos observar el conjunto de gráficos diferentes que existen dentro de cada una ellas. Por ejemplo, pulsamos en la categoría **Circular** y se despliega un menú como el siguiente:

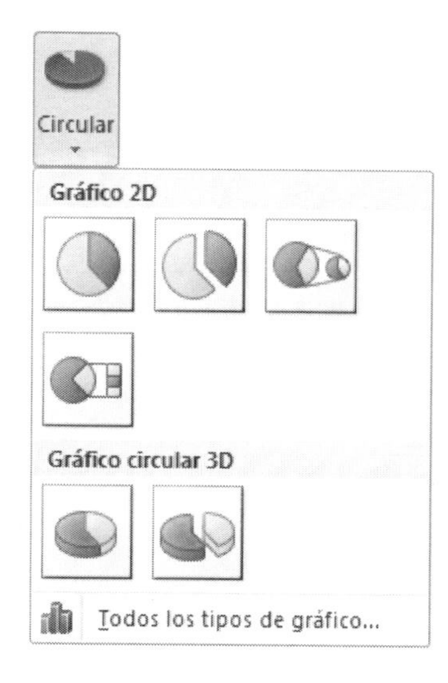

Si no encontramos el tipo de gráfico que queremos utilizar entre estas categorías podemos desplegar el cuadro de diálogo completo pulsando en la flecha que aparece abajo a la derecha, en el grupo de opciones, o bien en cada una de las categorías en la parte inferior, pulsando en la opción **Todos los tipos de gráficos**.

De esta forma se despliega un cuadro de diálogo con todos los tipos de gráficos, de cualquier categoría:

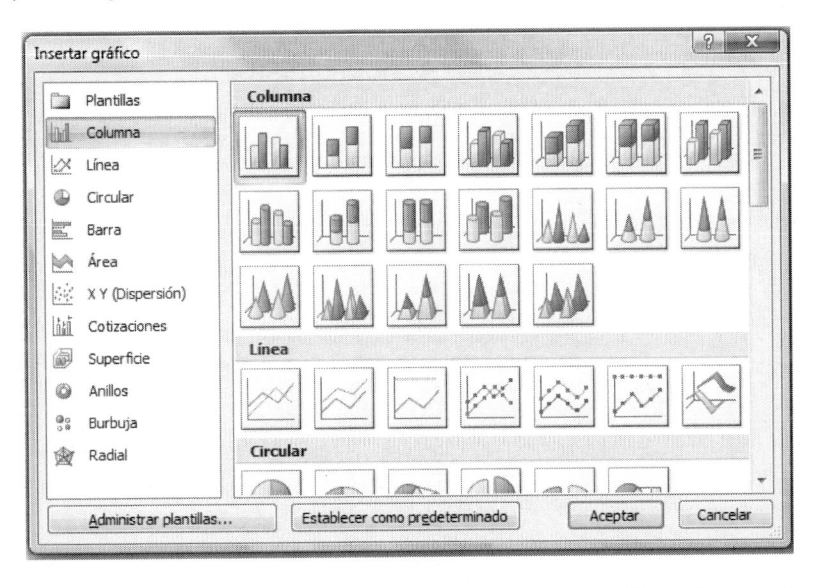

Cuando seleccionamos el tipo de gráfico que queremos utilizar, de forma inmediata se inserta en la hoja de cálculo.

Para nuestro ejemplo vamos a seleccionar *columna agrupada 3D*. Nos situamos en la categoría columnas y en la parte derecha se muestran todos los gráficos correspondientes a esta categoría. Al ir situando el cursor del ratón encima de cada uno de los modelos, aparecerá una etiqueta que nos indica el nombre de cada gráfico. El tercer gráfico de columnas corresponde a *columna agrupada 3D*.

Nos quedará un gráfico similar al de la imagen siguiente, en el cual vamos a ir modificando diferentes características par ir cambiando su aspecto.

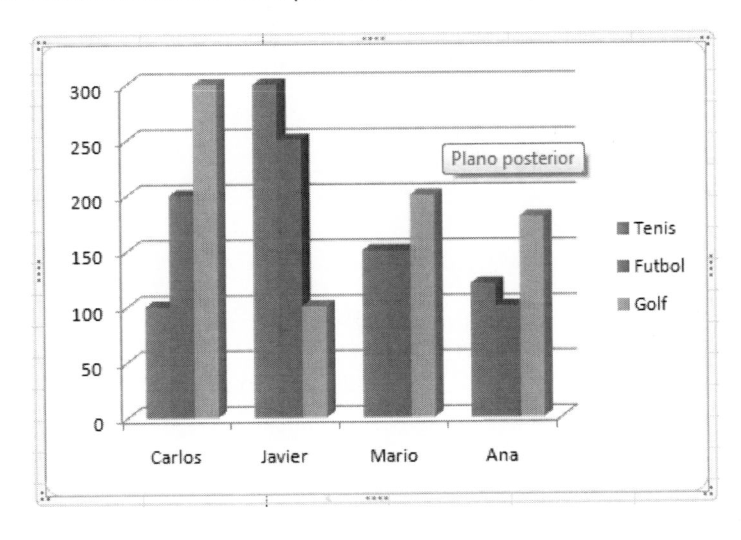

2.17.1 Tamaño del gráfico

Para cambiar el tamaño del gráfico, tenemos que situar el cursor sobre los selectores que aparecen en las esquinas del gráfico o en la parte superior e inferior o izquierda y derecha (se visualizan unos puntitos grises). Si nos situamos sobre estos selectores, el cursor cambia de forma y adopta el de una flecha doble, en ese momento podemos arrastrar hacia dentro para hacerlo más pequeño, hacia fuera para hacerlo más grande.

- Si tiramos de las esquinas mantenemos la proporción.
- Si tiramos de los otros selectores vamos a perder la proporción de altura y anchura que tiene el gráfico.

2.17.2 Etiquetas

Una vez que insertamos el gráfico, aparecen tres nuevas fichas: **Diseño**, **Presentación** y **Formato**. Son herramientas de gráficos, en ellas se recogen todas las opciones para cambiar las características del gráfico.

Dentro de la ficha **Presentación** se encuentra el grupo de opciones **Etiquetas**.

Tenemos las siguientes opciones:

- **Título del gráfico**: con esta opción podemos poner un título al gráfico.
- **Rótulos del eje:** se refiere a títulos para los ejes.
- **Leyenda**: es el texto con la casilla de color para identificar cada columna.
- **Etiquetas de datos**: para poder poner el dato exacto a cada figura del gráfico.
- **Tabla de datos**: para adjuntar la tabla al gráfico.

En nuestro ejemplo le damos los siguientes valores:

- Pulsamos en el botón **Título del gráfico** y elegimos **Encima del gráfico**. Escribimos *Ventas*.

- En el botón **Rótulos del eje**, elegimos **Título de eje horizontal primario/Bajo el eje**. Escribimos *Clientes*. Pulsamos en **Título de eje vertical primario/Título girado**. Escribimos *Cantidades*.

- **Leyenda/Mostrar leyenda en la parte inferior**.

Con estas opciones que le hemos dado quedará similar al siguiente:

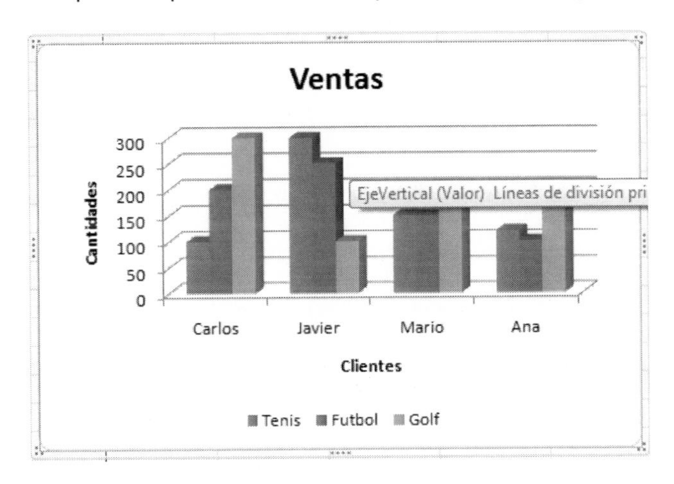

2.17.3 Ejes

Disponemos de otro grupo de opciones llamado **Ejes**, situado también en la ficha **Presentación**, a través del cual vamos a poder dar propiedades a los ejes del gráfico, como cambiar la escala del eje numerado, qué ejes queremos visualizar, las líneas que queremos mostrar, etc.

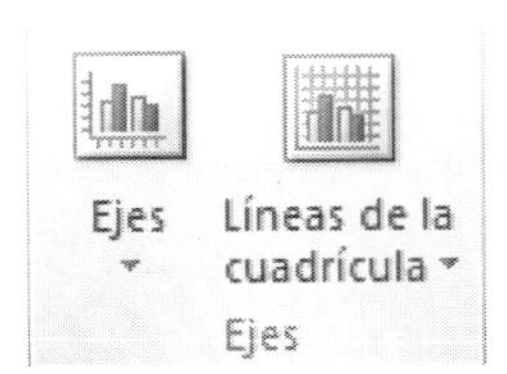

2.17.4 Fondo del gráfico

Con el grupo de propiedades **Fondo** podemos cambiar la vista 3D del gráfico, fondo del gráfico y contorno, etc.

2.17.5 Diseño del gráfico

Si nos situamos en la ficha **Diseño** encontramos más opciones para seguir modificando el aspecto del gráfico. A través del grupo de opciones **Datos** vamos a poder modificar la forma en que se visualizan los datos en el gráfico.

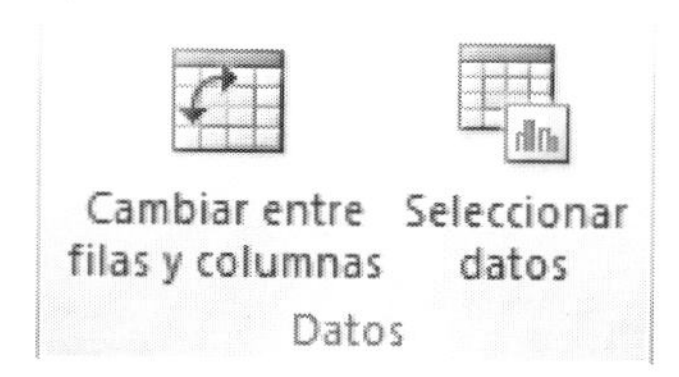

Con el botón **Cambiar entre filas y columnas** lo que sucede es que intercambia los datos que están en el eje de categorías con la leyenda, es decir, los datos del eje se muestran en la leyenda y los de la leyenda en el eje.

Con nuestro gráfico de ejemplo queda de la siguiente forma:

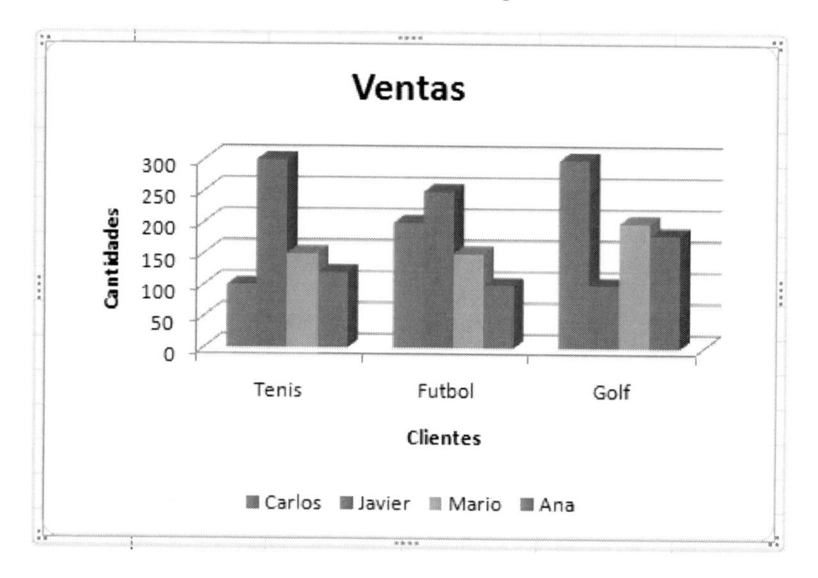

El otro botón, **Cambiar datos**, nos va a permitir seleccionar los datos que intervienen en el gráfico (si no los seleccionamos previamente o los queremos cambiar).

En el grupo de opciones **Diseños de gráfico** vamos a poder elegir para nuestro gráfico diferentes diseños ya elaborados.

Y en el siguiente, **Estilos de diseño**, encontraremos un montón de formatos con diferentes combinaciones de colores y estilos.

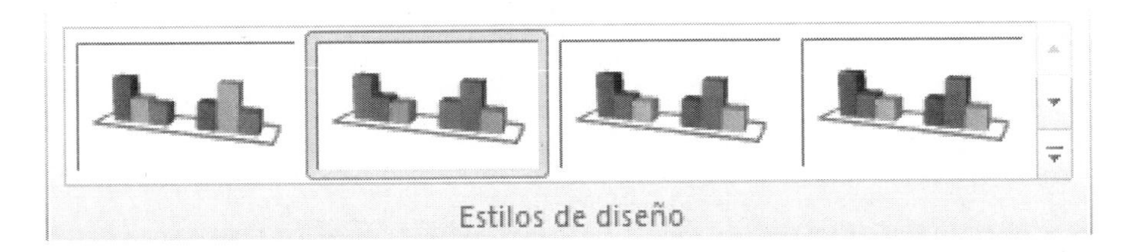

Tanto en una opción como en la otra, simplemente hay que elegir el modelo y podemos visualizar el resultado.

Y, por último en esta ficha, el botón **Mover gráfico**, que nos va a permitir darle una ubicación diferente al gráfico.

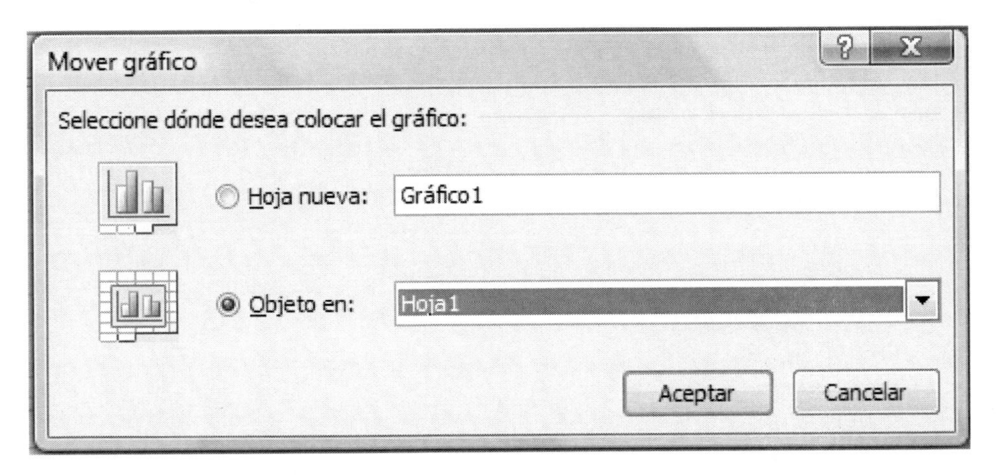

Al pulsar el botón aparecerá un cuadro de diálogo como el de la imagen anterior, en la que podemos elegir *situar el gráfico en una hoja nueva* (si elegimos esta opción la hoja completa es para el gráfico) o bien *situarlo como objeto dentro de una de las hojas de nuestro libro.*

2.17.6 Formato del gráfico

También disponemos de la ficha **Formato**, en la que vamos a poder establecer el diseño de cada uno de los elementos que seleccionemos en el gráfico.

En el grupo **Selección Actual**, hacemos clic en **Aplicar formato a la selección** para que se muestre una ventana de propiedades correspondiente al elemento del gráfico que tenemos seleccionado. De esta forma, seleccionando los diferentes elementos del gráfico podemos acceder a todas las ventanas de propiedades de dichos elementos.

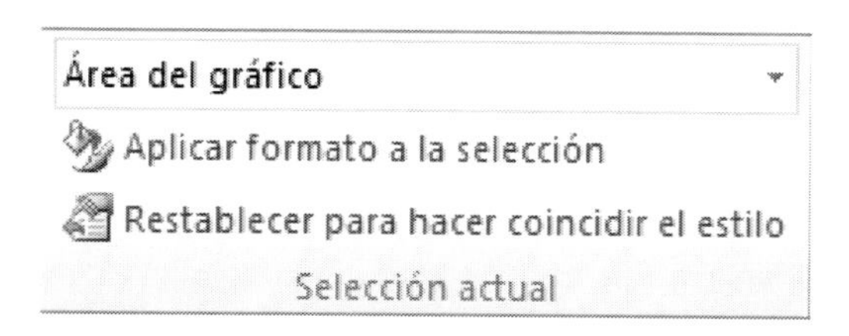

Para dar formato a un elemento del gráfico seleccionado disponemos del grupo **Estilos de forma**.

Lo primero que podemos modificar es el estilo general del elemento, pulsando en el desplegable veremos los estilos entre los que podemos elegir.

Además, tenemos los siguientes botones:

- **Relleno de forma** : para poder cambiar el color del interior del elemento.
- **Contorno de forma** : para cambiar el color de la línea de contorno.
- **Efectos de formas** : para elegir efectos de sombra y 3D.

Para dar formato al texto de un elemento del gráfico seleccionado utilizamos el grupo **Estilos de WordArt**.

2.18 MINIGRÁFICOS

Los minigráficos son una novedad de Excel 2010. Un **minigráfico** es un pequeño gráfico en una celda de una hoja de cálculo que ofrece una representación gráfica de los datos.

A diferencia de los gráficos normales, los minigráficos no son un objeto que se superpone el la hoja de cálculo, sino un elemento incrustado que se muestra como fondo de la celda, con lo cual en dicha celda también podremos escribir.

Tenemos un grupo de opciones llamado **Minigráfico** dentro de la ficha **Insertar** desde donde vamos a poder insertarlo.

2.18.1 Crear un minigráfico

Para crear un minigráfico sobre los datos que ya tenemos en la hoja de cálculo seguiremos los siguientes pasos:

- Seleccionamos la celda o conjunto de celdas vacías donde vamos a insertar estos mini gráficos.
- Pulsamos en la ficha **Insertar**, grupo **Minigráficos** y hacemos clic en el tipo de gráfico que queremos que represente nuestros datos.
- Se mostrará el siguiente cuadro de diálogo:

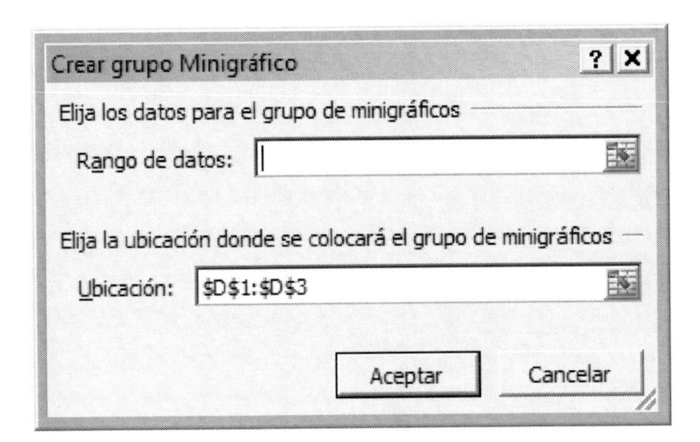

- En la casilla **Rango de datos** escribiremos el rango de celdas que contienen los datos que pretendemos representar.

- En **Ubicación** escribiremos el rango donde deben aparecer estos mini gráficos. Esta casilla, probablemente ya tenga escrito el rango, porque previamente seleccionamos el conjunto de celdas que iban a contener estos mini gráficos.

- Pulsamos en **Aceptar**.

En cada celda se mostrará el minigráfico correspondiente, como en el siguiente ejemplo:

	A	B	C	D	E
1	ENERO	2	8	9	
2	FEBRERO	5	6	7	
3	MARZO	7	3	9	
4					

Una vez creados los minigráficos se mostrarán las **Herramientas de minigráficos**, que consta de una nueva ficha llamada **Diseño**, que agrupa todos los comandos para dar formato a estos minigráficos, como por ejemplo cambiar el tipo de gráfico, cambiar el estilo, el color, etc.

2.18.2 Borrar minigráficos

Ya que los minigráficos son elementos incrustados en la celda, no se pueden borrar pulsando la tecla suprimir.

Tenemos que hacer uso de la opción **Borrar**, incluida en el grupo de opciones **Agrupar** dentro de la ficha **Diseño**.

Por lo tanto, para borrar un minigráfico seleccionamos la celda en la que se encuentra y pulsamos en el botón **Borrar**.

2.19 CONFIGURAR PÁGINA

En la cinta de opciones encontramos la ficha **Diseño de página**, y en ella el grupo de opciones **Configurar página**. Pulsamos en la esquina inferior derecha para acceder al cuadro de diálogo completo.

El cuadro de diálogo está distribuido en fichas, cada una de ellas dirigida a un aspecto diferente de la configuración.

La primera ficha se llama **Página**.

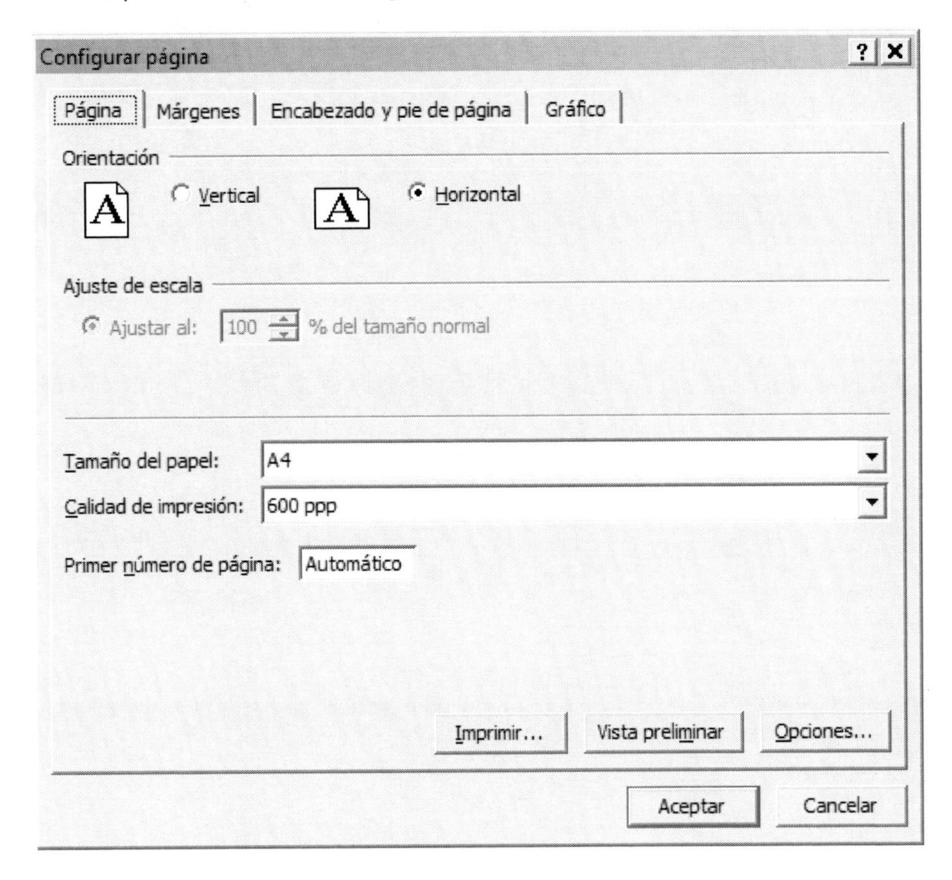

En ella podemos cambiar:

- **Orientación del papel**: vertical u horizontal.
- **Ajuste de escala**: podemos ajustar el número de páginas en el que queremos imprimir, ajustando el contenido en porcentajes, aumentándolo o disminuyéndolo.
- **Tamaño del papel**: A4, A3, etc.
- **Calidad de impresión**: podemos disminuir la calidad en la que vamos a imprimir.

La siguiente pestaña nos da las opciones para variar los márgenes, que se miden en centímetros.

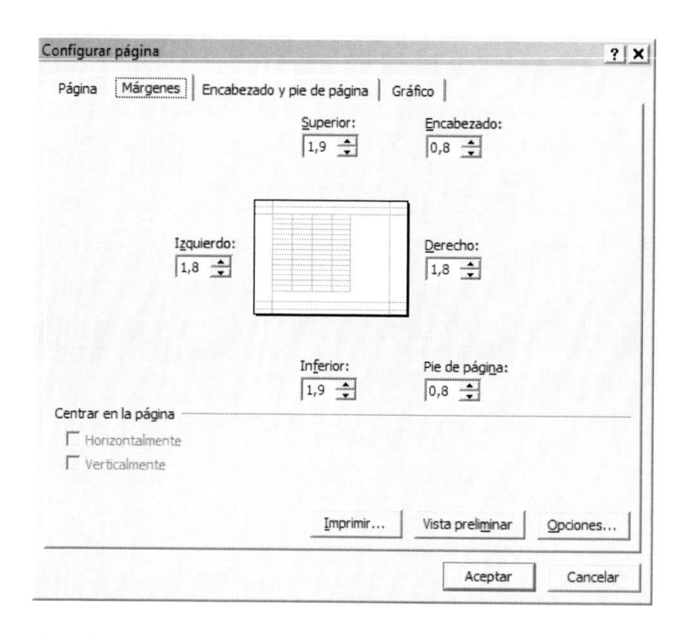

Las casillas **Encabezado** y **Pie de página** nos dan la posibilidad de determinar la posición de estos dos elementos. Esta posición también se especifica en centímetros.

Centrar en la página: para centrar el contenido de la hoja tanto verticalmente como horizontalmente, independientemente de los márgenes establecidos.

Con respecto a la ficha **Encabezado y pie de página**, es a través de ella donde vamos a poder definir los contenidos de estos dos elementos, pulsando en **Personalizar encabezado** o **Personalizar pie de página**.

Al pulsar **Personalizar encabezado** o **Personalizar pie de página** se muestra una ventana como la siguiente que nos va a permitir elaborarlo:

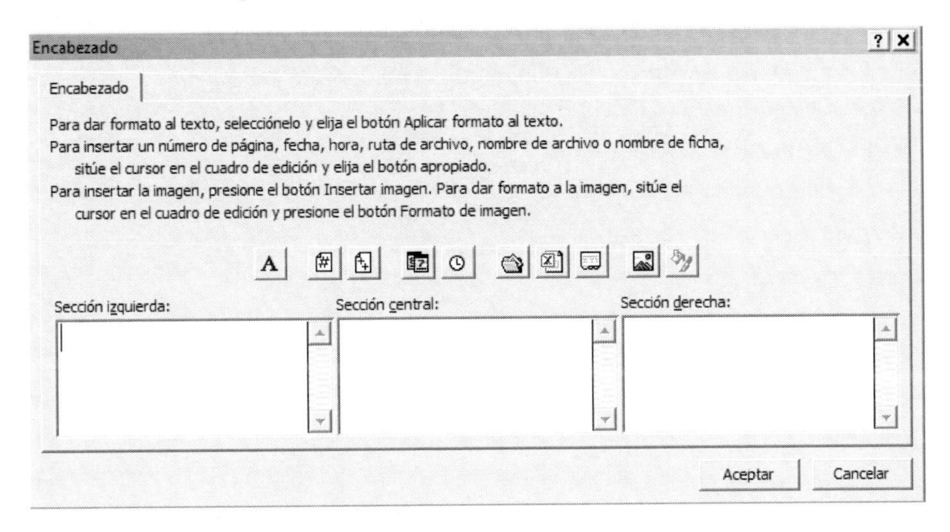

Consta de tres secciones, cada una de ellas se mostrará en un lado de la página.

En cualquiera de las secciones podemos escribir el texto que deseemos, pero además, en la parte superior cada uno de los botones que aparecen ahí nos permite insertar determinados elementos en el encabezado o pie de página.

A	Se abre el cuadro de diálogo *Fuente* para poder aplicar formato al texto del encabezado o pie de página.
	Para insertar el número de página.
	Inserta el número total de páginas.
	Inserta la fecha actual.
	Hora actual.
	Inserta la ruta del archivo.
	Inserta el nombre del archivo.
	Inserta el nombre de la hoja.

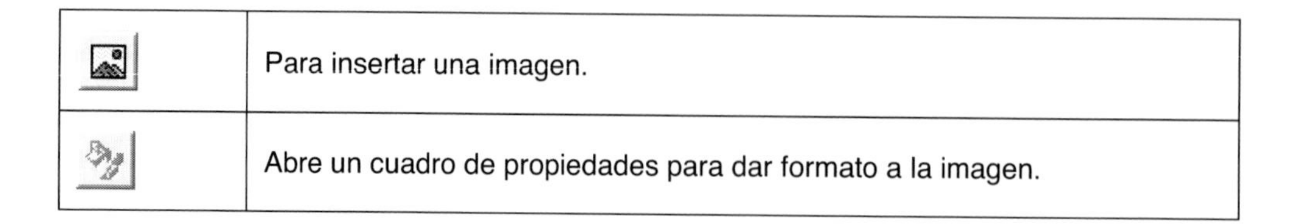

	Para insertar una imagen.
	Abre un cuadro de propiedades para dar formato a la imagen.

Y en la última ficha, **Hoja**, tenemos primeramente la posibilidad de seleccionar parte de la hoja para imprimir, en **Área de impresión**.

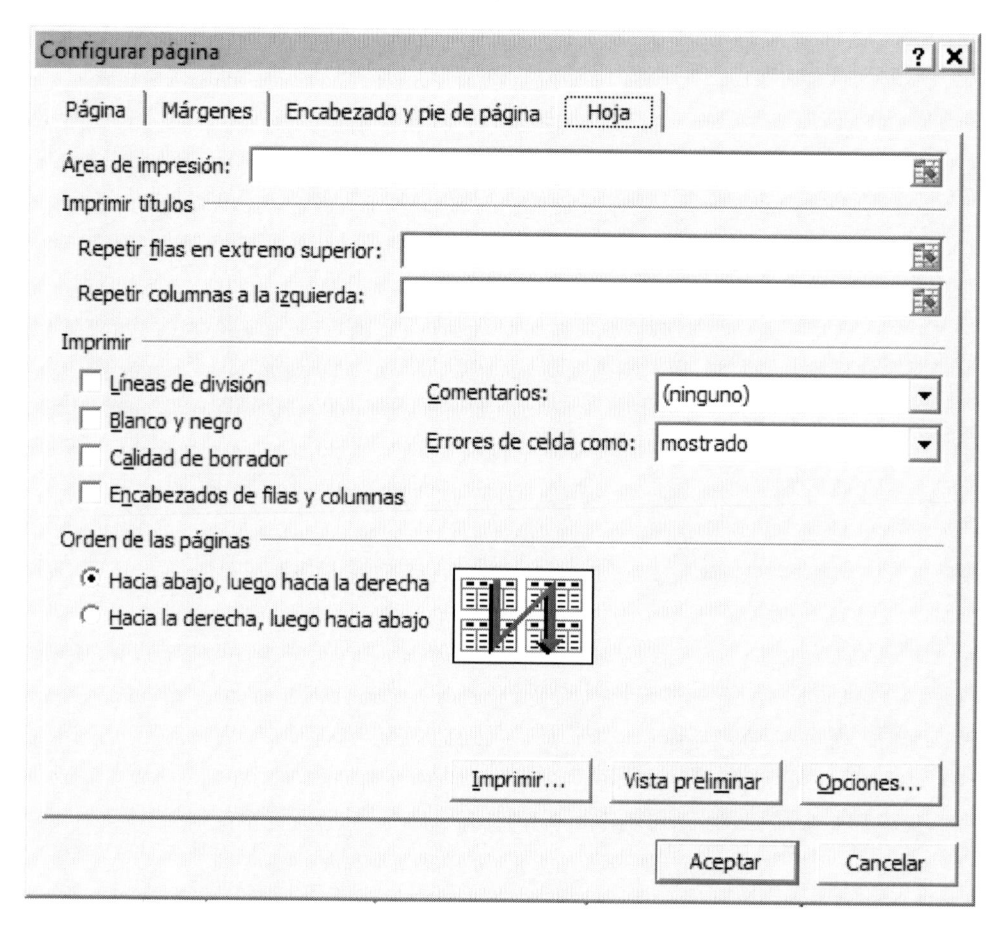

- **Imprimir títulos**: nos permite seleccionar las filas y/o columnas que se van a repetir en cada página impresa.
- **Imprimir**: podemos marcar los elementos que queremos imprimir de la hoja de cálculo.
- **Orden de las páginas**: el orden en el que se van a imprimir.

2.20 IMPRIMIR

Una vez que hemos configurado convenientemente la página, estamos disponibles para imprimir la hoja de cálculo.

Para ello, pulsamos en el la ficha de **Archivo**, en la opción **Imprimir**. Se mostrarán las siguientes opciones:

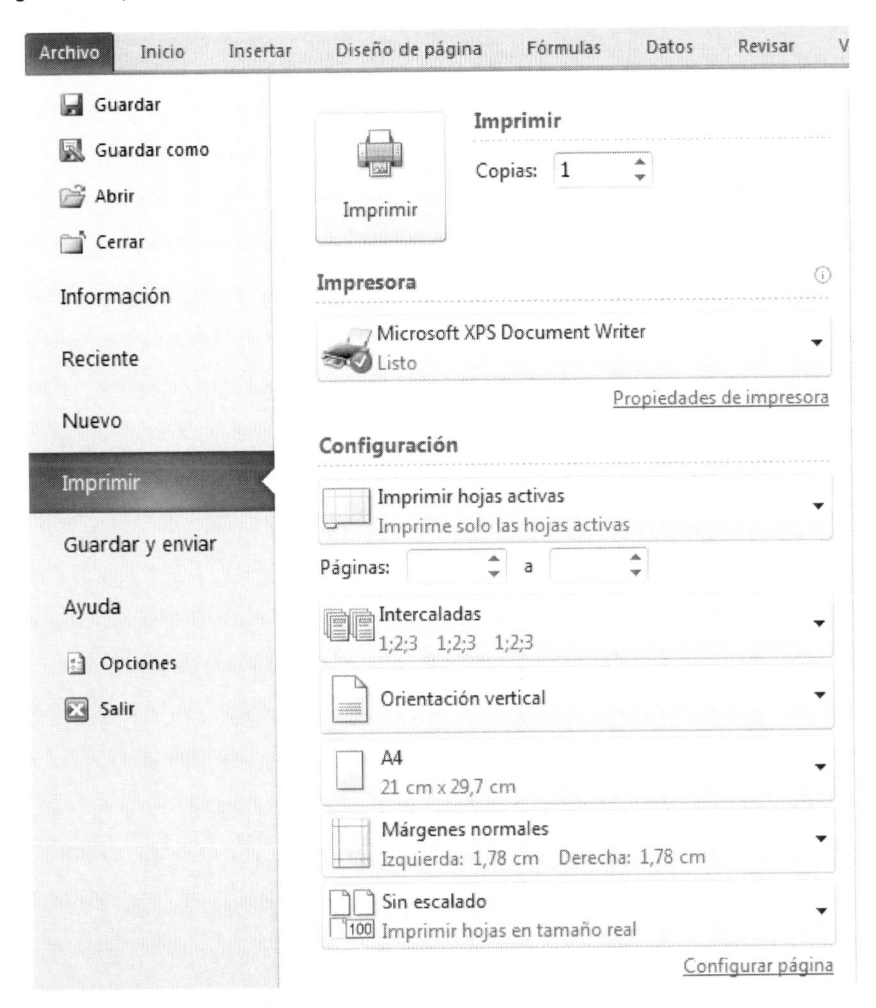

En esta ventana vamos a elegir la impresora en la que vamos a imprimir, si queremos imprimir todas las páginas que componen la hoja de cálculo o solamente un intervalo, número de copias, etc. Si elegimos la opción *Intercalar*, las copias saldrían ordenadas.

Una vez elegidas todas las opciones de impresión pulsamos **Aceptar**.

Capítulo 3

MICROSOFT POWERPOINT 2010

La herramienta que Microsoft nos propone para realizar presentaciones es PowerPoint.

Utilizaremos PowerPoint siempre que queramos exponer información de una forma visual.

Nos servirá para realizar presentaciones de productos, presentar los resultados de la empresa, exponer informes y gráficos, etc.,

Con PowerPoint realizaremos todas estas tareas de forma ágil y sencilla, obteniendo presentaciones profesionales gracias a la gran cantidad de herramientas que nos permitirán controlar hasta el último detalle.

Al final de este capítulo será capaz de hacer presentaciones muy visuales tanto en entornos profesionales como personales.

3.1 PRIMEROS PASOS

3.1.1 Abrir PowerPoint 2010

Para empezar a trabajar con **PowerPoint 2010** abrimos el programa. Hay varias formas de abrir PowerPoint:

1. Desplegamos el **Menú Inicio** de la **Barra de tareas de Windows**, nos situamos en la opción **Todos los programas**, y buscamos el acceso a **Microsoft PowerPoint 2010**.

2. A través de un acceso directo que encontremos en el escritorio.

3. A través de la barra de inicio rápido.

3.1.2 Entorno

Cuando arrancamos **PowerPoint**, la pantalla que veremos es la siguiente:

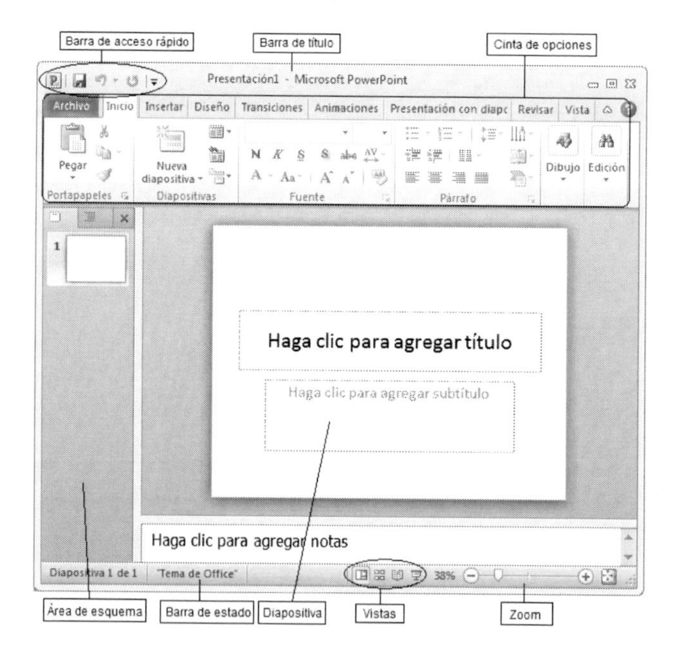

- **Barra de acceso rápido**: para acceder rápidamente a algunas opciones, como por ejemplo **Guardar**. En esta barra se encuentran los botones **Deshacer** y **Rehacer**, que nos permiten suprimir o restaurar una acción cada vez que lo pulsamos.

- **Barra de título**: en ella aparece centrado el nombre del programa y el nombre de la presentación que tenemos abierta. En este caso se mostrará **Presentación1**, que es el nombre que se le da por defecto a los archivos de PowerPoint. Cuando lo guardemos se sustituirá por el nombre que le pongamos. En la parte derecha de la barra de título se encuentran los botones para **Minimizar** (dejar como un botón en la barra de tareas), **Maximizar** (poner a pantalla completa) y **Cerrar** (para cerrar la ventana).

- **Cinta de opciones**: está dividida en diferentes **Fichas** (cada ficha es cada una de las pestañas que aparecen en la parte superior), y además los botones correspondientes a cada ficha están organizados en **Grupos**, donde cada uno de ellos realiza una acción diferente. Si vamos pasando el cursor por encima de estos botones se irá mostrando una etiqueta que nos indica la función que realiza cada uno de ellos. Si vamos pulsando en las diferentes fichas que aparecen en la parte superior de las barras de herramientas, **Inicio**, **Insertar**, **Diseño de página**, etc., podremos ir visualizando los diferentes grupos de botones.

- **Área de esquema o diapositivas**: en esta área podemos elegir si queremos ir viendo las diapositivas de nuestra presentación en miniatura, eligiendo la **Ficha Diapositivas** o visualizando el contenido de éstas como si fuera un esquema si elegimos **Ficha Esquema**.

- **Diapositiva**: es el área donde vamos a trabajar, donde insertaremos los objetos y texto que formen nuestra diapositiva. Su equivalente en Microsoft Word es una página del documento.

- **Barra de estado**: es la barra inferior de la ventana de PowerPoint, nos da información sobre la presentación en la que estamos trabajando.

- **Vistas**: iconos para cambiar la vista de nuestra presentación.

- **Zoom**: lo utilizaremos para poder modificar el *zoom* y ver la presentación más grande o más pequeña.

3.2 CREAR UNA PRESENTACIÓN

Cuando abrimos **PowerPoint**, la pantalla principal, nos muestra una diapositiva en blanco para comenzar a trabajar en nuestra presentación.

Una presentación, normalmente constará de más de una diapositiva. Cada diapositiva, sería similar a una nueva página dentro de un documento de Word.

PowerPoint nos va a proporcionar las herramientas necesarias para *insertar nuevas diapositivas*, *borrarlas* o *modificarlas*.

En el siguiente apartado vamos a ver cómo podemos crear presentaciones con plantillas ya creadas, y también cómo empezar desde cero, que generalmente es lo habitual.

3.2.1 Crear presentación con plantilla

Las plantillas nos van a permitir elaborar presentaciones que ya contienen determinados elementos. Algunas plantillas incorporan un guión que servirá de ayuda para elaborar la presentación final, una estructura organizada de la presentación e imágenes y objetos que completarían esa presentación. El autor de la presentación lo único que tendrá que hacer es sustituir los textos y los objetos por los que quiera representar.

1. Pulsamos en la ficha **Archivo**.
2. Elegimos la opción **Nuevo**.
3. Elegimos la opción **Plantillas de ejemplo** y se mostrará un cuadro de diálogo como el siguiente:

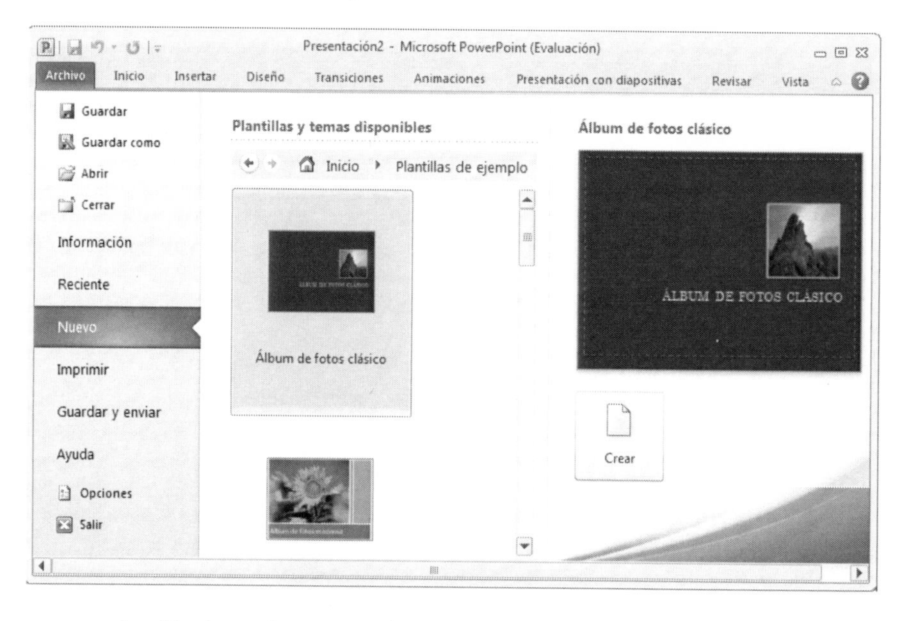

4. Elegimos la que mejor se adapte a la presentación que queremos elaborar y pulsamos en el botón **Crear**.

Se crea entonces una presentación con una serie de diapositivas de ejemplo, donde tendremos que ir sustituyendo el texto que aparece en cada diapositiva por el que nosotros queramos incluir en ellas, al igual que las imágenes y otros objetos, los iremos reemplazando por nuestra información. Además podremos añadir nuevas diapositivas que tendrán la misma apariencia.

3.2.2 Crear presentación en blanco

Generalmente las plantillas pocas veces se adaptan a las presentaciones que queremos elaborar, por eso tenemos la opción de empezar en una diapositiva en blanco, eligiendo nosotros todas las características que la forman: *fondo*, *elementos de texto*, *imágenes*, *gráficos*, *dibujos*, etc.

Para crear una presentación en blanco pulsamos en la ficha **Archivo** y elegimos la opción **Nuevo/Presentación en blanco**. Hacemos doble clic en ésta última.

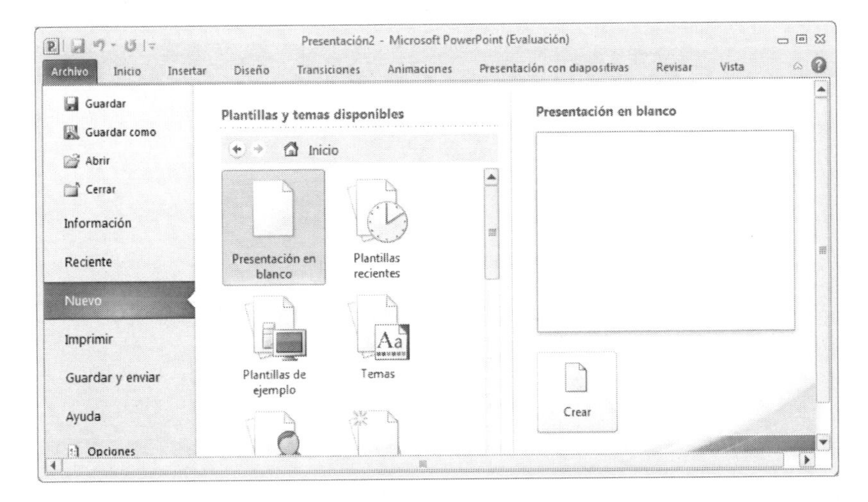

Se crea entonces una nueva presentación en blanco con una diapositiva en la que podemos empezar a trabajar. En esta diapositiva inicial están incluidos dos cuadros de texto, elemento mediante el cual insertaremos texto en las diapositivas.

Vamos a completar esta primera diapositiva. Nos situamos en el primer cuadro de texto y escribimos “MI PRIMERA PRESENTACIÓN” y en el segundo “Curso de PowerPoint”. Nos quedará una diapositiva como la siguiente:

3.2.2.1 INSERTAR NUEVAS DIAPOSITIVAS

Ya tenemos creada la primera diapositiva, vamos a insertar una nueva.

Para ello, en la ficha **Inicio** tenemos un grupo de opciones llamado **Diapositivas**, pulsamos en el botón **Nueva diapositiva**. Pulsando sobre la flecha se despliegan los diferentes diseños entre los que podemos elegir para crear nuestra diapositiva. En realidad no tiene demasiada importancia el diseño elegido, ya que posteriormente se pueden eliminar o añadir elementos.

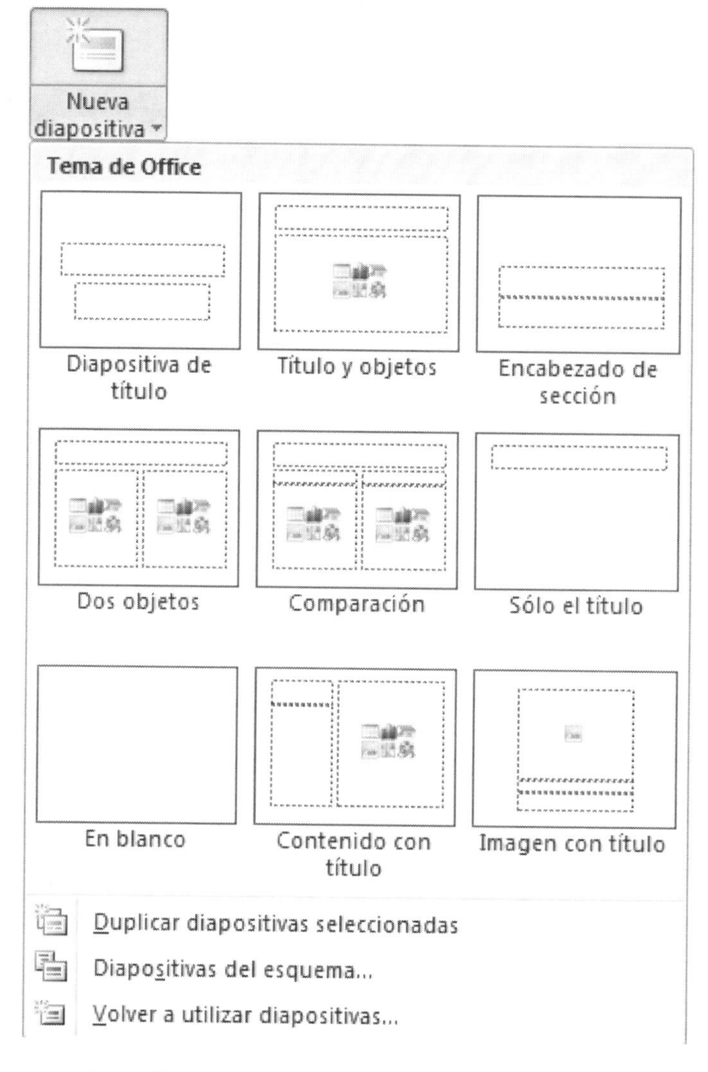

Vamos a elegir **Título y objetos**. Al elegirlo, se inserta en nuestra presentación una diapositiva como la siguiente y pasaremos a modificarla.

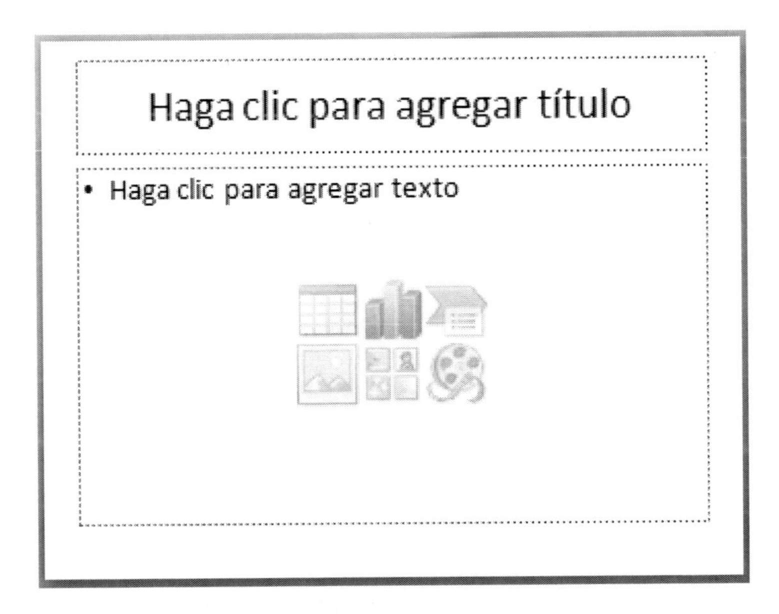

En esta segunda diapositiva insertaremos textos en los dos objetos que se muestran simplemente haciendo clic en cada uno de ellos. El primero va a corresponder al título de la diapositiva y el segundo a un cuadro con viñetas.

Insertar los textos correspondientes para que quede como la siguiente:

Segunda diapositiva

- Texto con viñetas 1
- Texto con viñetas 2

Fijémonos que en esta diapositiva, al escribir el texto de las viñetas se elimina la posibilidad de elegir cualquiera de los otros elementos.

Vamos a insertar una tercera diapositiva, con el mismo diseño que la anterior. En el cuadro de texto superior escribimos el texto que se visualiza en la imagen siguiente y en el inferior, de todos los elementos que se muestran, pulsamos sobre la imagen desde archivo y elegimos una de las imágenes de muestra. Quedará similar a la siguiente imagen.

3.3 TRABAJAR CON PRESENTACIONES

3.3.1 Guardar presentación

Para guardar una presentación, pulsamos la ficha **Archivo** y en elegimos la opción **Guardar como**. Se abre un cuadro de diálogo, donde en la parte izquierda, en el panel de exploración, indicaremos la carpeta o unidad de almacenamiento donde queremos guardar la presentación y en la parte inferior indicamos el nombre que le vamos a dar al archivo.

Por último, pulsamos en el botón **Guardar**.

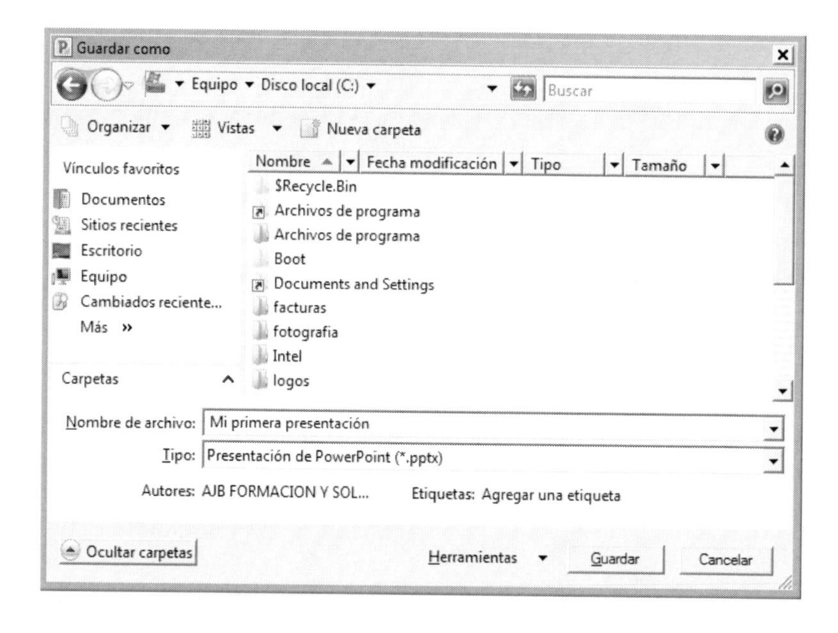

3.3.2 Guardar archivo en modo presentación

Cuando guardamos una presentación de PowerPoint en modo presentación, lo que estamos haciendo es guardar el archivo de tal forma que se al abrirlo, no se abra el programa para poder realizar modificaciones, sino que sólo podemos verlo en modo presentación.

Los pasos a seguir son los mismos que para guardar una presentación normal:

1. Pulsar en la ficha **Archivo**.
2. Pulsar en **Guardar como**.
3. En el cuadro de diálogo que se muestra, al igual que en las ocasiones anteriores, elegimos donde queremos guardar la presentación y con que nombre.
4. En el área **Tipo**, elegimos "**Presentación con diapositivas de PowerPoint(*.ppsx)**".

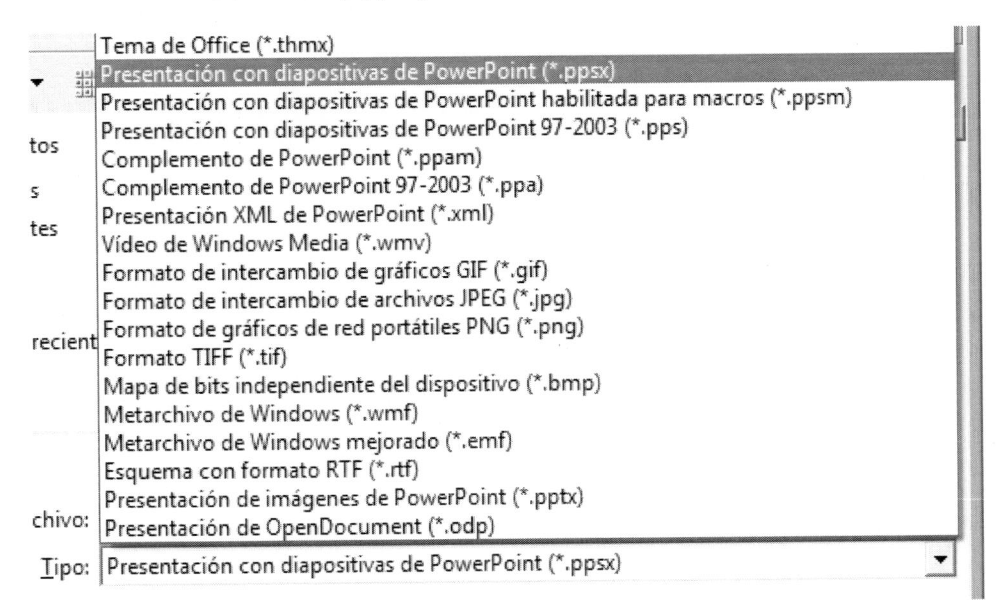

3.3.3 Abrir una presentación

Para abrir una presentación pulsamos en la ficha **Archivo**. En el listado de opciones que se despliegan elegimos la opción **Abrir**.

Se muestra un cuadro de diálogo similar al de la opción **Guardar**, sólo que en este caso tendremos que elegir la carpeta o unidad de almacenamiento donde está ubicado el archivo y seleccionarlo.

En el panel de exploración seleccionamos la unidad en la cual se encuentra la presentación que queremos abrir, a continuación seleccionamos la carpeta que contiene la presentación. En la parte derecha del cuadro de diálogo, seleccionamos el archivo que pretendemos abrir y posteriormente pulsamos en el botón **Abrir**.

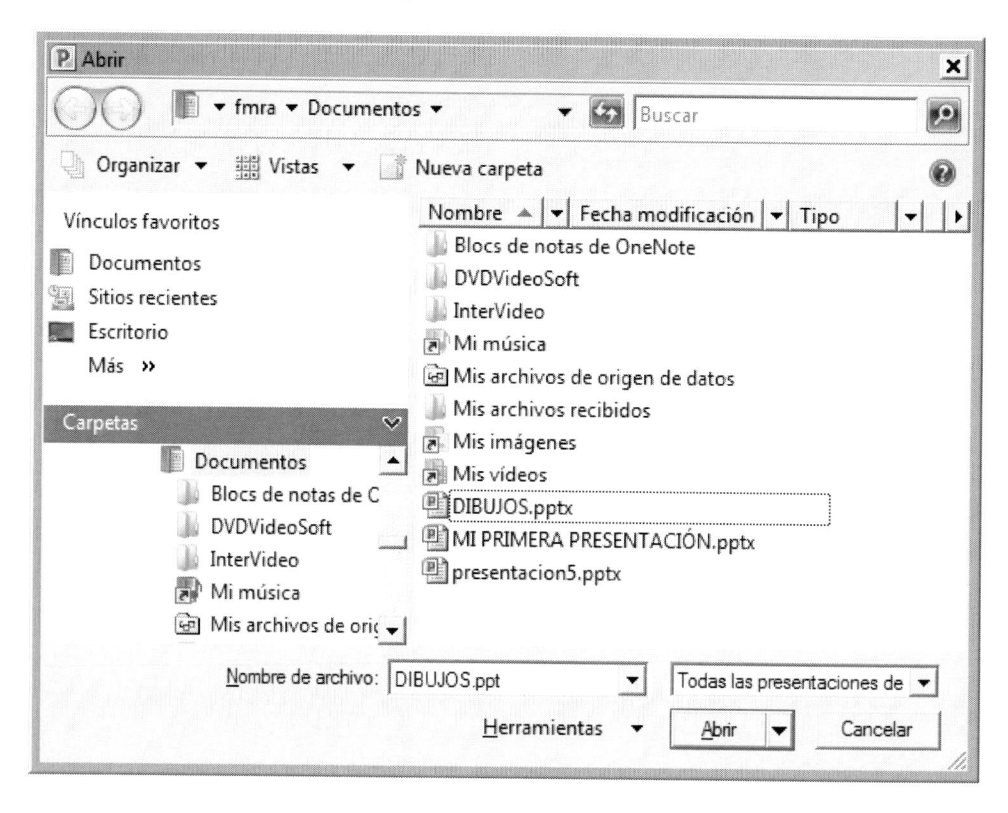

3.3.4 Vistas

PowerPoint nos ofrece la posibilidad de ver la presentación de varias formas.

En la ficha **Vista** tenemos un grupo de opciones llamado **Vistas de presentación** con los siguientes botones:

- **Normal**: es la forma en la que normalmente trabajamos para elaborar cada una de las diapositivas que forman nuestra presentación. En esta vista podemos modificar la diapositiva *insertando*, *modificando* o *borrando* elementos.

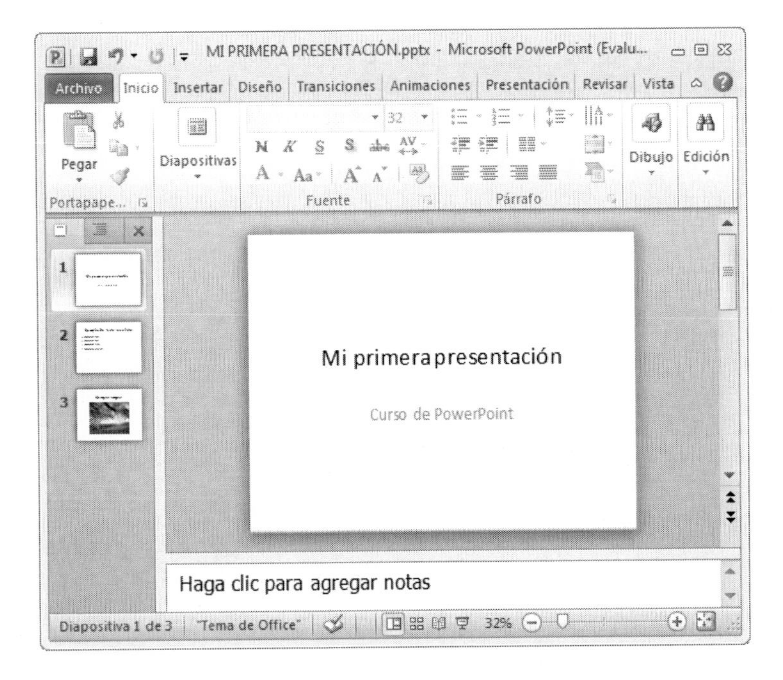

En la parte central se muestra la diapositiva para que podamos trabajar en ella. En la parte izquierda de la pantalla observamos el área de esquema y en la parte inferior el área de notas.

- **Clasificador de diapositivas**: esta vista nos permite visualizar todas las diapositivas en miniatura. Muy útil para ordenar las diapositivas, ya que podemos moverlas fácilmente, simplemente arrastrándolas.

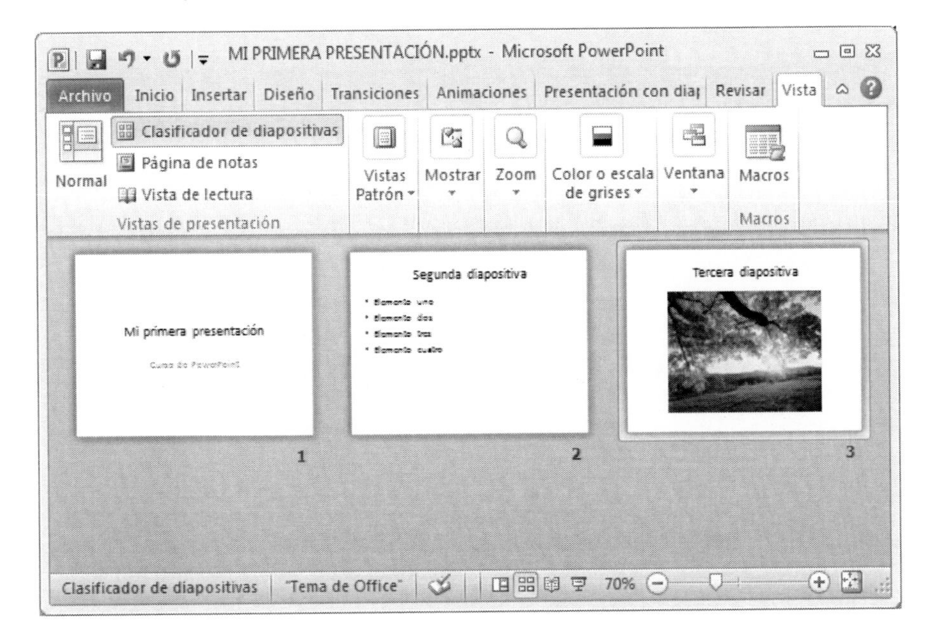

- **Página de notas**: se muestra en la mitad de la pagina la diapositiva y en la otra mitad el área de notas.

- **Vista de lectura**: muestra la presentación como una presentación con diapositivas que se ajusta a la ventana.

Como comentábamos en apartados anteriores, la barra de estado nos da información sobre la presentación que tenemos abierta y además nos proporciona una serie de botones que nos permiten realizar algunas tareas sobre dicha presentación. Pues bien, una de estas tareas es seleccionar la forma de visualizar la presentación.

En la imagen siguiente se muestran los iconos a los que estamos haciendo referencia.

A continuación indicamos a que vista corresponde cada uno de estos iconos:

	Normal.
	Clasificador de diapositivas.
	Vista lectura.
	Presentación con diapositivas, visualiza la presentación en pantalla completa.

3.4 TEXTOS

En una diapositiva en blanco no podemos escribir sin más, como si fuera un procesador de textos. Necesitamos un elemento que nos permita insertar el texto. El elemento que vamos a utilizar en las diapositivas para incluir texto son los **Cuadros de texto**.

Podemos hacerlo de dos formas:

1. Utilizar los diseños en los que ya aparecen los cuadros de texto (como en la presentación que hemos elaborado en el punto anterior).

2. Insertar nuevos cuadros de texto desde la cinta de opciones.

Para utilizar los diseños de diapositivas que ya tienen incorporados los cuadros de texto, hemos visto anteriormente que pulsamos en **Inicio/Nueva Diapositiva** y elegimos el diseño que mas se adapte al contenido que vayamos a introducir en la diapositiva. Esta parte ya la conocemos del ejemplo anterior. Sigamos con dicho ejemplo.

Nos situamos en la primera diapositiva, donde vamos a insertar un nuevo cuadro de texto, por encima del primero. Para ello nos situamos en la ficha **Insertar** y en el grupo de opciones **Texto** pulsamos en el botón **Cuadro de texto**.

A continuación, sobre la diapositiva dibujamos un rectángulo. Para dibujarlo, arrastramos el ratón en diagonal. Se crea un cuadro de texto con el cursor en el interior para que podamos escribir el texto. Dejaremos la diapositiva similar a la siguiente:

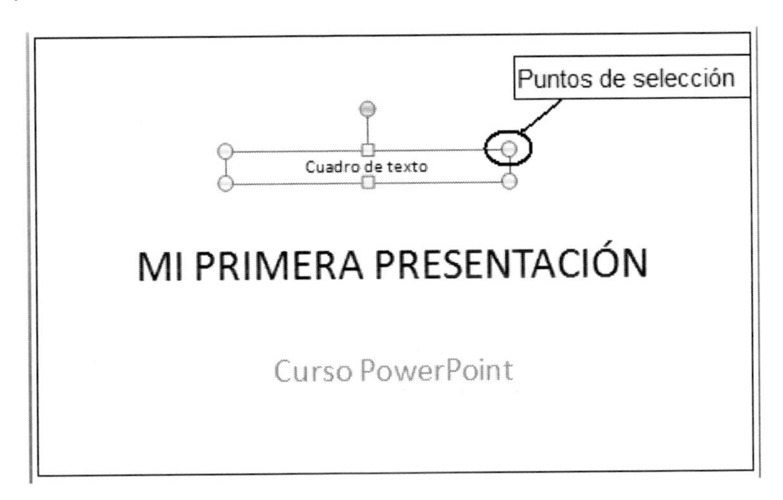

Ahora vamos a ver como podemos darle características al cuadro de texto para poder modificar su aspecto.

- En primer lugar, cuando seleccionamos un cuadro de texto (pulsando una vez sobre él) aparecen los **puntos de selección** (*ver imagen anterior*).

- A través de estos puntos podemos modificar el tamaño del cuadro de texto. Arrastrándolos hacia dentro hacemos el cuadro más pequeño, hacia fuera más grande.

- Cualquier elemento se puede mover dentro de la diapositiva. Solamente tenemos que pulsar en el contorno, en este caso del cuadro de texto, y cuando el cursor adopta forma de flecha con cuatro puntas, arrastrarlo hasta el lugar donde queramos colocarlo.

- Es posible que en determinado momento nos interese eliminarlo. Para hacerlo, una vez seleccionado, pulsamos en **Supr**., en el teclado.

- También podemos cambiar el aspecto del texto que hemos escrito en el interior. Para ello seleccionamos el texto que queremos cambiar, y en la ficha **Inicio**, en el grupo de opciones **Fuente**, tenemos muchas de las opciones que vamos a utilizar.

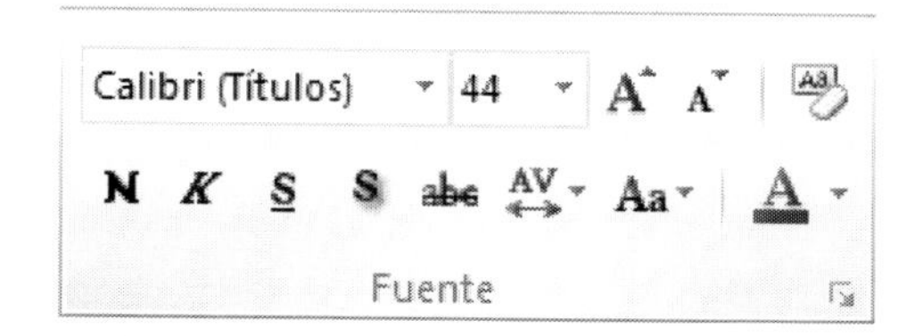

A través de este grupo de opciones podemos modificar:

Calibri (Títulos)	Tipo de letra.
44	Tamaño.
A A	Aumentar y disminuir tamaño texto.
	Borrar formato.
N	Negrita.
K	Cursiva.
S	Subrayado.
abc	Tachado.
S	Sombra.
AV	Espacio entre caracteres.
Aa	Cambiar mayúsculas y minúsculas.
A	Color del texto.

Si pulsamos en el botón que accede al cuadro de diálogo completo hay algunas características más. Como hemos dicho previamente hay que seleccionar el texto a modificar.

A continuación de estas características tenemos el grupo de opciones **Párrafo**, que agrupa botones para dar propiedades a los párrafos incluidos en estos cuadros de texto.

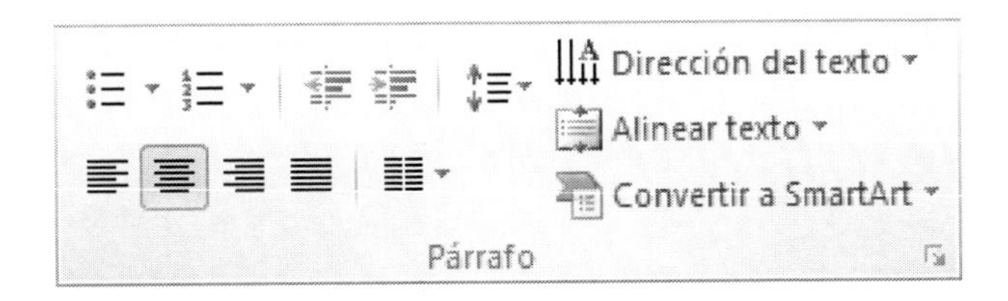

Con estos botones podemos modificar las siguientes características:

	Alineación horizontal: se refiere a poner el texto a la derecha, izquierda, centrado o justificado.
Alinear texto	**Alineación vertical**: nos permite colocar el texto en la parte superior del cuadro de texto, en el centro o en la parte inferior.
	Interlineado.
Dirección del texto	**Dirección del texto**.
	Con este botón podemos elegir que el texto se distribuya en varias **columnas**.
	También podemos establecer **viñetas** o **numeración** para cada párrafo.
	Con estos botones podemos establecer subniveles dentro de la lista.
Convertir a SmartArt	Convertir en un gráfico SmartArt.

Cuando elegimos las opciones de viñetas o numeraciones mostrará al principio de cada párrafo un símbolo, en el caso de las listas con viñetas, y una numeración en el caso de las listas numeradas.

En la imagen siguiente se muestran las dos listas que aparecen al pulsar estos botones. Aparecen las posibilidades entre las que podemos elegir la que más nos interese y en la parte inferior la opción **Numeración y viñetas**, donde se mostrará un cuadro de diálogo con más propiedades para esta característica.

Para utilizar cualquiera de los formatos de numeración y viñetas que se muestran, previamente seleccionamos el texto al cual le vamos a dar dicho formato.

Al igual que en el grupo de opciones anterior, si pulsamos en el botón que aparece en la esquina inferior derecha accedemos a un cuadro de diálogo un poco más completo.

3.5 IMÁGENES

Para insertar una imagen, podemos hacerlo de dos formas:

1. Elegir uno de los diseños que ya incorporan este tipo de objetos (como hicimos en el ejemplo).

2. Insertarlo desde la cinta de opciones.

La primera posibilidad la llevaríamos a cabo pulsando sobre el icono para insertar una imagen desde archivo o sobre el icono En el área **Buscar** vamos a incluir el texto relativo a la imagen que buscamos. Por ejemplo queremos insertar la imagen de un coche, escribimos "coches", y pulsamos en **Buscar** para insertar una imagen prediseñada.

Para la segunda, nos situamos en cualquier diapositiva, incluso en una en blanco y en la ficha **Insertar**, dentro del grupo de opciones **Imágenes**, los dos primeros botones son para insertar una imagen desde archivo o una imagen prediseñada.

Al pulsar en el botón correspondiente a **Imágenes prediseñadas** se despliega, en la parte derecha de la pantalla el **Panel de Tareas,** donde vamos a tener las herramientas necesarias para buscar la imagen que queremos insertar.

En el área **Buscar** vamos a incluir el texto relativo a la imagen que buscamos. Por ejemplo queremos insertar la imagen de un coche, escribimos "coches", y pulsamos en **Buscar**. Automáticamente Word nos visualiza las imágenes prediseñadas asociadas a dicho texto, tal y como demuestra la imagen siguiente:

Una vez localizada la imagen a insertar hacemos un simple clic en ella y se insertará en la presentación, en el centro de la diapositiva.

Cuando son imágenes que tenemos almacenadas en nuestro equipo o en alguna unidad de almacenamiento externa, pulsamos en el botón **Imagen**.

Se despliega un cuadro de diálogo para buscar la imagen que vamos a insertar.

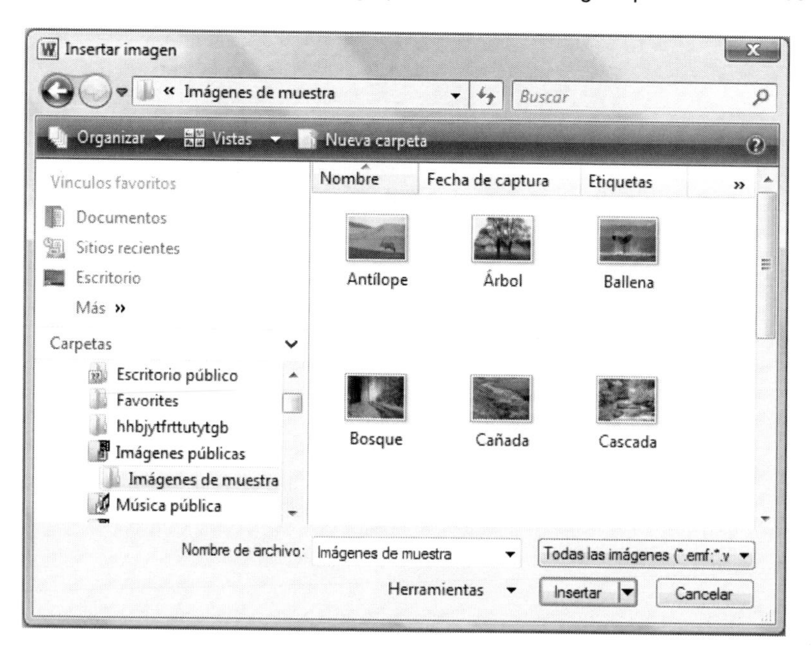

Localizada la imagen hacemos doble clic sobre ella y se insertará en el centro de la diapositiva.

Una vez que tenemos la imagen en la diapositiva (da igual que la hayamos insertado de una forma u otra), podemos modificar su tamaño y posición como ya hemos comentado para los cuadros de texto. Se realiza de la misma forma.

Además, aparecerá una nueva ficha llamada **Formato**, que nos ofrece una serie de opciones para ir modificando el aspecto de la imagen insertada.

Siempre que vayamos a cambiar alguna propiedad de la imagen, esta tiene que estar seleccionada.

3.6 TABLAS

Una **tabla** es una cuadrícula formada por filas y columnas.

Este tipo de elementos nos van a permitir organizar de forma muy eficiente la información a insertar en el documento.

Y además la herramienta **Tablas** cuenta con una gran cantidad de opciones, de tal forma que podamos controlar todos los destalles del formato y colocación de éstas.

3.6.1 Insertar tabla

Para insertar la tabla en una diapositiva:

- Nos situamos en la ficha Insertar.
- Hacemos clic en el primer botón que se muestra.

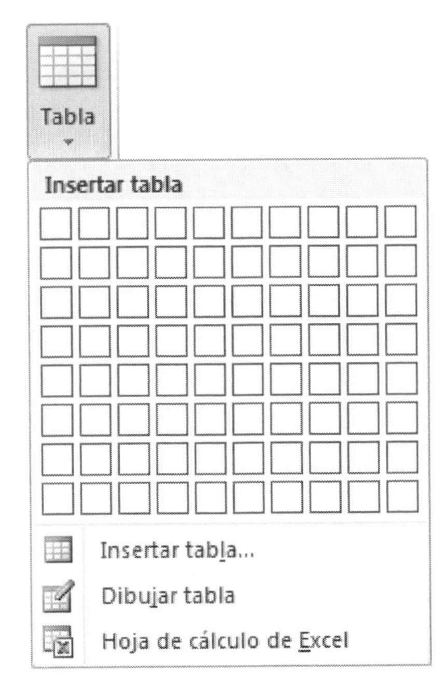

Podemos insertar la tabla de dos formas:

1. En la cuadricula que se despliega elegimos el número de filas y columnas que tendrá nuestra tabla, al elegirlo se inserta en la diapositiva.
2. Hacemos clic en el botón correspondiente a las tablas que incorporan algunos diseños de diapositivas.

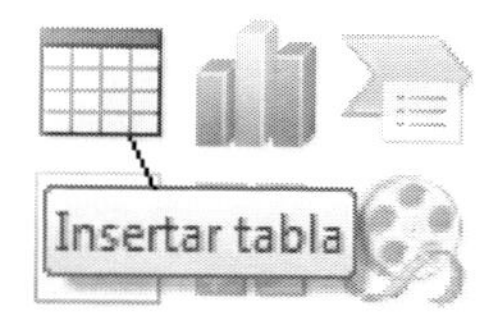

En este caso sale un cuadro de diálogo como el siguiente donde estableceremos el número de filas y columnas que llevará nuestra tabla.

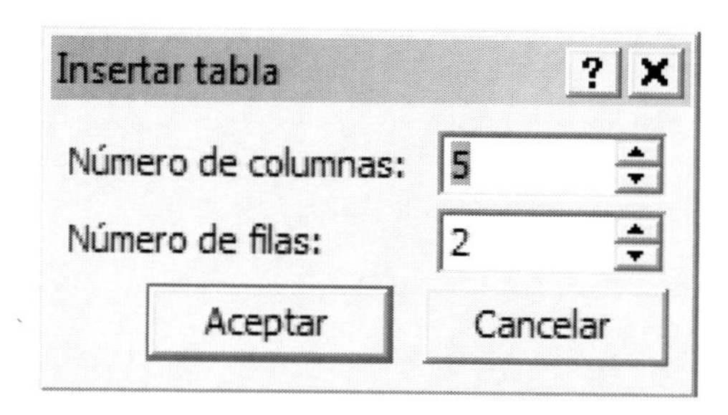

En cualquiera de los dos casos nos quedará una tabla similar a esta:

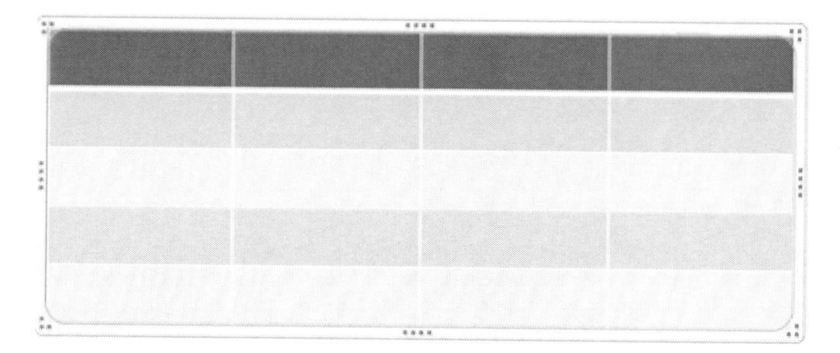

3.6.2 Tamaño y posición

A través de los puntitos que aparecen en los laterales podemos cambiar el tamaño de la tabla. Para cambiarlo nos situamos sobre ellos y cuando el cursor se muestre como una flecha de doble dirección arrastramos hacia dentro para hacerla más pequeña y hacia fuera para hacerla más grande.

Si lo que pretendemos es desplazar la tabla, sin cambiar su tamaño, entonces nos situamos también en los laterales de esta, y cuando el cursor adopte forma de flecha con cuatro direcciones pulsamos y arrastramos para mover la tabla.

3.6.3 Formato y diseño de la tabla

En una tabla se puede modificar muy fácilmente la anchura de las columnas y la altura de las filas.

Solamente nos tenemos que situar en la línea que divide una columna de otra, o una fila de la siguiente, y cuando el cursor se muestre como una flecha de doble dirección arrastramos hacia la derecha o la izquierda en el caso de las columnas, o hacia arriba o abajo en el caso de las filas.

En la tabla insertaremos la información que queramos representar y le daremos el formato adecuado, como si fuera texto normal, seleccionándolo y aplicando las características oportunas

Con respecto al diseño de la tabla tenemos una ficha donde van a estar recogidas todas las opciones de este tipo.

La ficha se llama **Diseño** y con los dos primeros grupos de opciones podemos cambiar el estilo de la tabla y algunas características más.

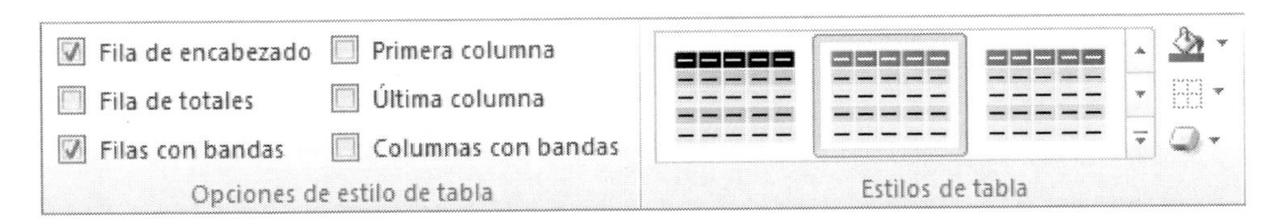

En el desplegable **Estilos de tabla** seleccionamos el estilo que deseamos darle a la tabla y a la derecha podemos elegir, dentro del estilo seleccionado, a qué partes de la tabla queremos que se aplique. Para ello activamos o desactivamos las casillas que aparecen en **Opciones de estilo de tabla**.

Además, a la derecha tenemos tres botones para cambiar:

- El color de fondo .
- Modificar los bordes de la tabla .
- Para darle algún efecto especial como sombra o biselado .

Con respecto a los bordes de la tabla disponemos de un grupo de opciones completo para modificarlos, dentro de esta misma ficha **Diseño**.

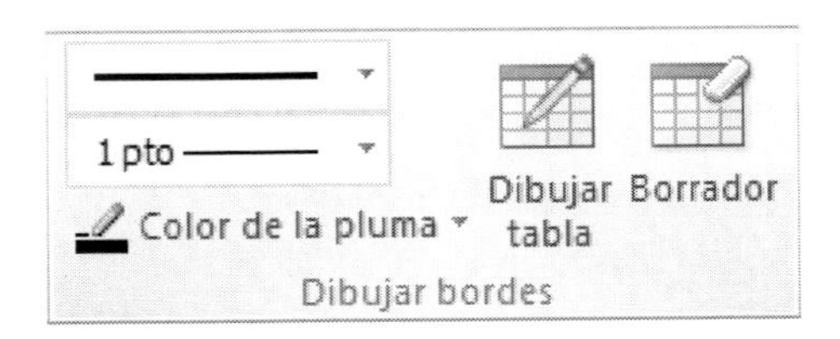

Con este conjunto de opciones vamos a poder dibujar sobre la tabla con el ratón. Pulsamos en el botón **Dibujar tabla**. Esto convierte el puntero del ratón en un lápiz. A continuación elegimos el *Tipo de línea* que vamos a utilizar, el *Grosor* y el *Color* pulsando en los desplegables de este grupo de opciones. Ahora estamos listos para dibujar sobre la tabla.

Iremos arrastrando el cursor del ratón (ahora un lápiz) por los contornos que queramos cambiar. Este lápiz también nos sirve para dibujar nuevas líneas, por ejemplo para crear una nueva columna.

Y por ultimo en esta ficha de **Diseño**, a través del grupo **Estilos de WordArt**, le vamos a poder aplicar efectos al texto escrito en la tabla.

3.6.4 Insertar y eliminar filas o columnas

Para llevar a cabo estas operaciones nos vamos a situar en la ficha **Presentación**, en el grupo de opciones **Filas y columnas**.

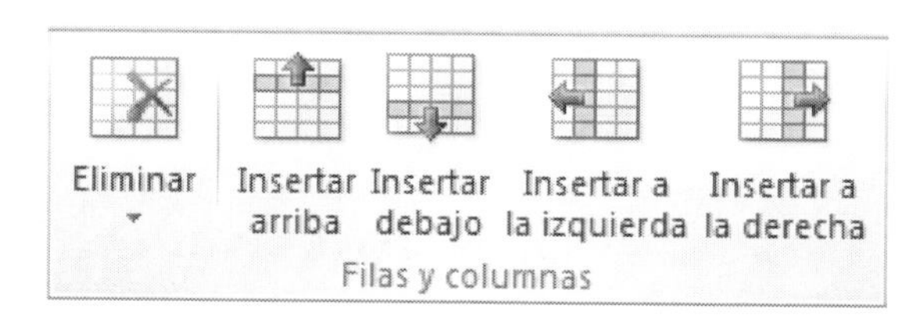

Cuando queremos eliminar filas o columnas de la tabla la forma mas cómoda es previamente seleccionarlo. Una vez hecho esto pulsamos en el botón **Eliminar** donde se despliega un menú para elegir filas o columnas, lo que vayamos a eliminar.

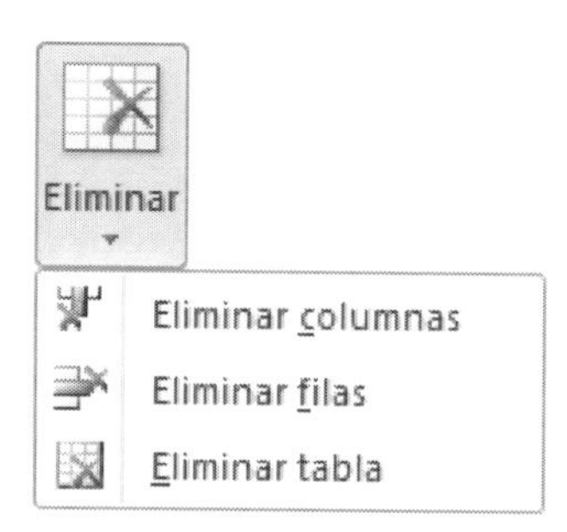

Si lo que queremos es insertar, en el caso de las filas, tendremos que situar nuestro cursor en una fila situada por encima o por debajo del lugar donde queremos ubicar la nueva fila. Una vez hecho esto pulsamos en los botones **Insertar arriba** o **Insertar debajo**, dependiendo del sitio donde vayamos a ubicar la nueva fila.

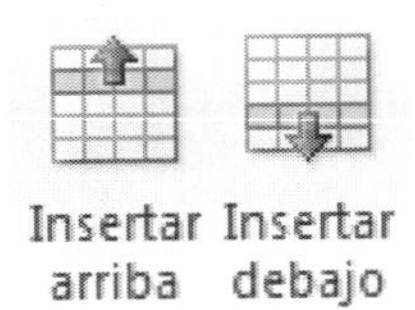

En el caso de las columnas tenemos la posibilidad de ubicarla a la izquierda o la derecha del lugar donde está situado el cursor.

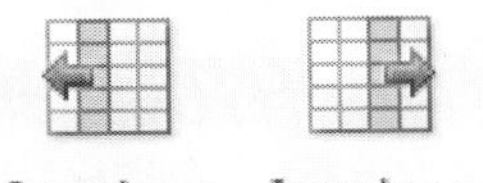

3.6.5 Combinar y dividir celdas

En la ficha **Presentación**, disponemos del grupo de opciones **Combinar**.

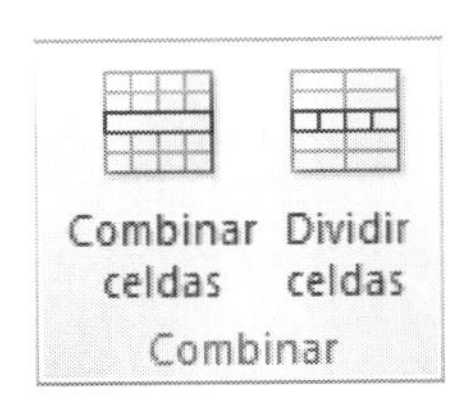

Combinar significa unir, en este caso, unir varias celdas para que formen una sola. Se suele utilizar en los títulos de las tablas, en la primera fila. Para lograrlo seleccionamos todas las celdas de la primera fila y posteriormente pulsamos en **Combinar celdas**. De esta forma toda la primera fila sería una sola celda.

En cambio la opción dividir nos permite dividir una celda en filas y columnas. Nos situamos en la celda a dividir y pulsamos el botón **Dividir celdas**, se mostrará un cuadro de diálogo para indicar número de filas y columnas y pulsamos en **Aceptar**.

3.6.6 Tamaño y alineación

También en la ficha **Presentación** tenemos varios grupos de opciones para cambiar estos parámetros.

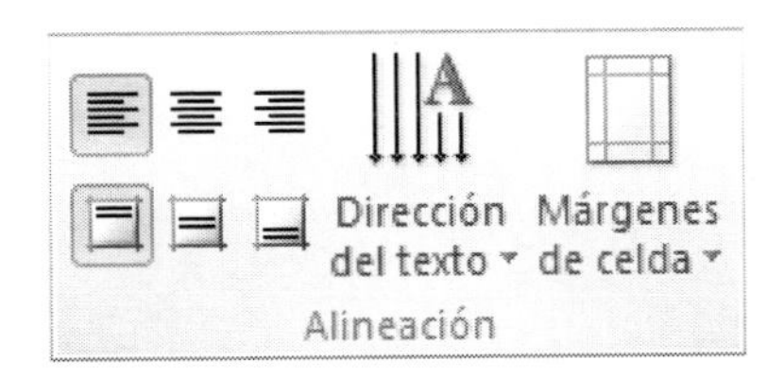

En este grupo de opciones tenemos todas las herramientas para alinear el texto de las celdas. Los primeros tres botones corresponden a la **Alineación horizontal**, es decir, si el texto estará colocado a la izquierda de la celda, en el centro o a la derecha. Y los tres que aparecen debajo son los correspondientes a la **Alineación vertical**, para situar el texto en la parte superior de la celda, inferior o en el centro.

El botón **Dirección del texto** nos permite voltear el texto hacia la derecha o la izquierda.

Y por último, **Márgenes de celda** nos muestra un cuadro de diálogo para cambiar los márgenes internos de cada celda.

Otros dos grupos de opciones de esta misma ficha nos ofrecen características de tamaño de celdas y tabla.

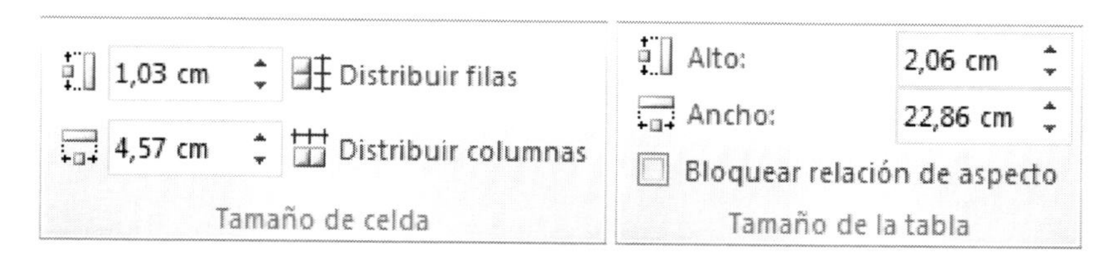

Las opción **Distribuir filas**, nos permite distribuir el espacio de forma uniforme para todas las filas seleccionadas. Con la opción **Distribuir columnas** haremos exactamente lo mismo pero para un conjunto de columnas seleccionadas.

Las otras dos casillas son para establecer altura y anchura de una celda.

En el grupo de opciones **Tamaño de tabla** tenemos las casillas para indicar en centímetros el alto y ancho de la tabla completa. Ya vimos en un punto anterior cómo podemos modificar las dimensiones de la tabla directamente con el ratón.

3.7 GRÁFICOS

3.7.1 Insertar gráfico

Cuando queremos insertar un gráfico en **PowerPoint**, al igual que con los otros elementos disponemos de dos formas:

1. Utilizar una diapositiva con un diseño que ya incorpore ese elemento.

2. Insertarlo desde la cinta de opciones.

Está situado en el grupo de opciones **Ilustraciones**, en la ficha **Insertar**.

De cualquiera de las dos formas, al pulsarlo nos aparecerá una ventana con todos los tipos de gráficos, distribuidos por categorías donde tenemos que seleccionar el que mejor se adapte a la información que vamos a representar en él.

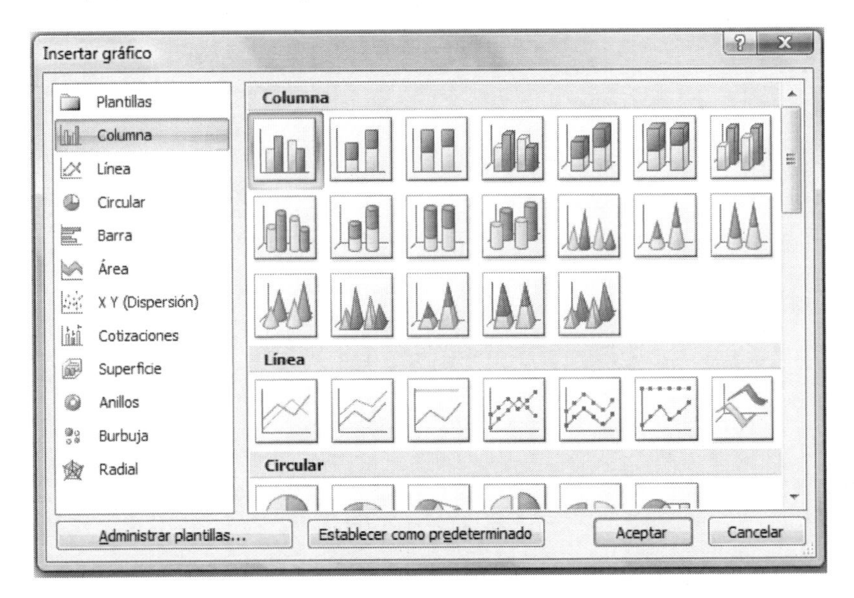

Una vez elegido el gráfico, se mostrará en pantalla la hoja. Dicha hoja ya tiene una serie de datos insertados en ella. Se trata de datos de ejemplo que tendremos que sustituir por los que queramos representar en nuestro gráfico.

Y en la diapositiva se visualizará el gráfico elegido y a medida que vayamos cambiando los datos, estos cambios se reflejarán en la diapositiva.

En un gráfico, lo primero que podemos variar es su tamaño y posición. Lo llevaremos a cabo de igual forma que para el resto de elementos. A través de los puntos de selección cambiaremos el tamaño y arrastrando el gráfico, la posición.

3.7.2 Modificar y añadir elementos

Una vez que tenemos el gráfico en la diapositiva, aparecen tres nuevas fichas: **Diseño**, **Presentación** y **Formato**. Son herramientas de gráficos, en ellas se recogen todas las opciones para cambiar las características y el formato del gráfico.

Dentro de la ficha **Presentación** se encuentra el grupo de opciones etiquetas:

Tenemos las siguientes opciones:

- **Título del gráfico**: con esta opción podemos poner un título al gráfico.
- **Rótulos del eje**: se refiere a títulos para los ejes.
- **Leyenda**: es el texto con la casilla de color para identificar cada columna y nos da la posibilidad de cambiarla de ubicación.
- **Etiquetas de datos**: para poder poner el dato exacto a cada figura del gráfico.
- **Tabla de datos**: para adjuntar la tabla al gráfico.

Disponemos de otro grupo de opciones llamado **Ejes**, a través del cual vamos a poder dar propiedades a los ejes del gráfico, como cambiar la escala del eje numerado, qué ejes queremos visualizar, las líneas que queremos mostrar, etc.

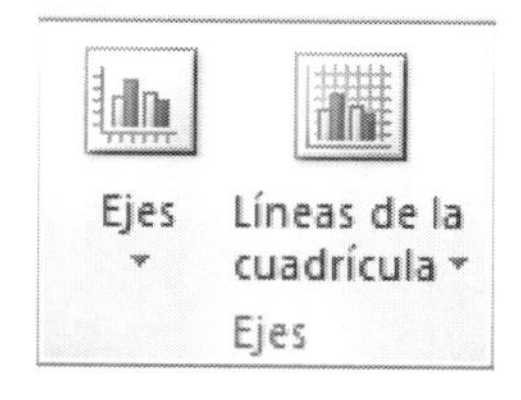

Y con el grupo de propiedades **Fondo** podemos cambiar la vista 3D del gráfico, fondo del gráfico y contorno, etc.

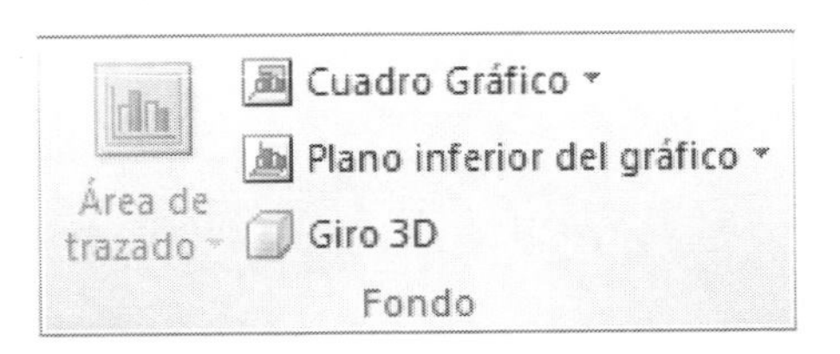

Si nos situamos en la ficha **Diseño** encontramos más opciones para seguir modificando el aspecto del gráfico. A través del grupo de opciones **Datos** vamos a poder modificar la forma en que se visualizan los datos en el gráfico.

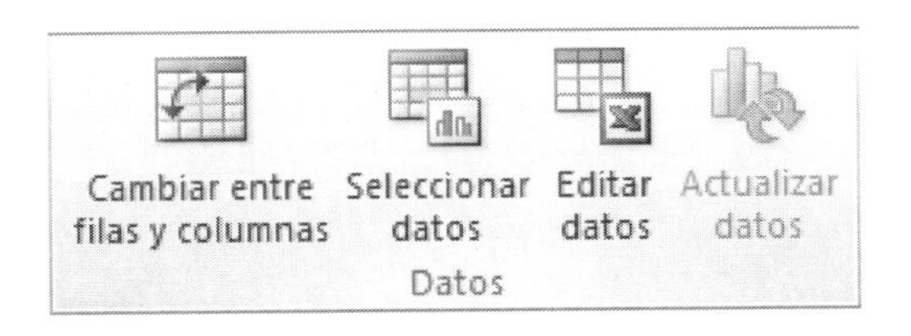

Con el botón **Cambiar entre filas y columnas** lo que va a suceder es que intercambia los datos que están en el eje de categorías con los de la leyenda, es decir, los datos del eje se muestran en la leyenda y los de la leyenda en el eje.

El botón, **Seleccionar datos**, nos va a permitir seleccionar los datos que intervienen en el gráfico (si no los seleccionamos previamente o los queremos cambiar).

3.7.3 Cambiar el diseño

En el grupo de opciones **Diseños de gráfico** vamos a poder elegir para nuestro grafico diferentes diseños ya elaborados, que incorporan diferentes elementos y propiedades, como puede ser la ubicación de la leyenda, los títulos, la numeración del eje, etc.

Y en el siguiente, **Estilos de diseño**, encontraremos un montón de formatos con diferentes combinaciones de colores y estilos.

Tanto en una opción como en la otra, simplemente hay que elegir el modelo y podemos visualizar el resultado.

También disponemos de la ficha **Formato**, en la que vamos a poder establecer el diseño de cada uno de los elementos que seleccionemos en el gráfico.

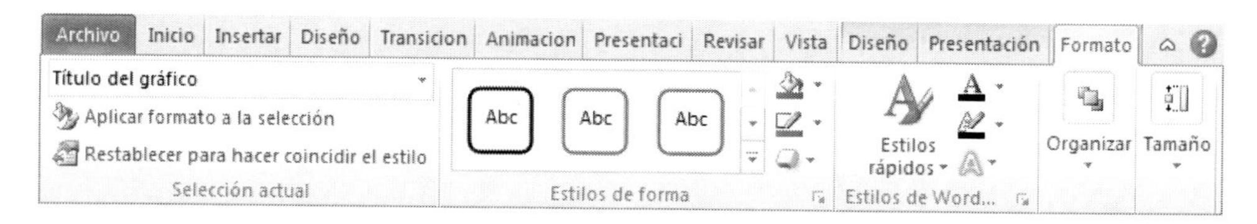

En el grupo **Selección Actual**, hacemos clic en **Aplicar formato a la selección** para que se muestre una ventana de propiedades correspondiente al elemento del gráfico que tenemos seleccionado. De esta forma, seleccionando los diferentes elementos del gráfico, podemos acceder a todas las ventanas de propiedades de dichos elementos.

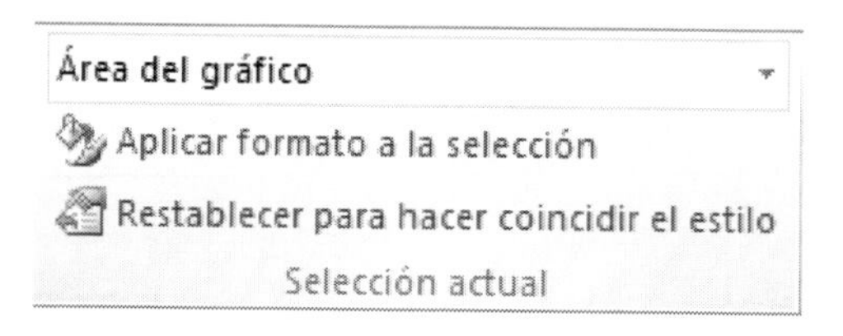

Para dar formato a un elemento del gráfico seleccionado disponemos del grupo **Estilos de forma**.

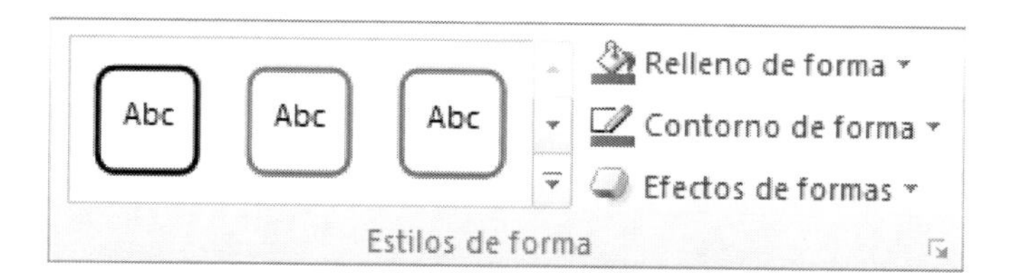

Lo primero que podemos modificar es el estilo general del elemento, pulsando en el desplegable veremos los estilos entre los que podemos elegir.

Además, tenemos los siguientes botones:

- **Relleno de forma** : para poder cambiar el color del interior del elemento.

- **Contorno de forma** : para cambiar el color de la línea de contorno.

- **Efectos de formas** : para elegir efectos de sombra y 3D.

Para dar formato al texto de un elemento del gráfico utilizaremos el grupo **Estilos de WordArt**. Hacemos clic en el estilo que queramos o en **Relleno de texto**, **Contorno de texto** o **Efectos de texto** y, a continuación, seleccionamos las opciones de formato que queramos.

3.8 GRÁFICOS SMARTART

Los gráficos SmartArt son organigramas, que nos permiten dibujar estructuras de objetos, en algunos modelos con organización jerárquica.

3.8.1 Insertar gráfico SmartArt

Al igual que el resto de los elementos vistos se puede insertar:

1. Desde una diapositiva con un diseño que incorpore este objeto.

2. Desde una diapositiva en blanco, pulsando en la ficha **Insertar**, en el grupo **Ilustraciones**, botón **SmartArt**.

Al pulsar en esta opción se muestra un cuadro de diálogo para poder elegir el tipo de organigrama que vamos a insertar.

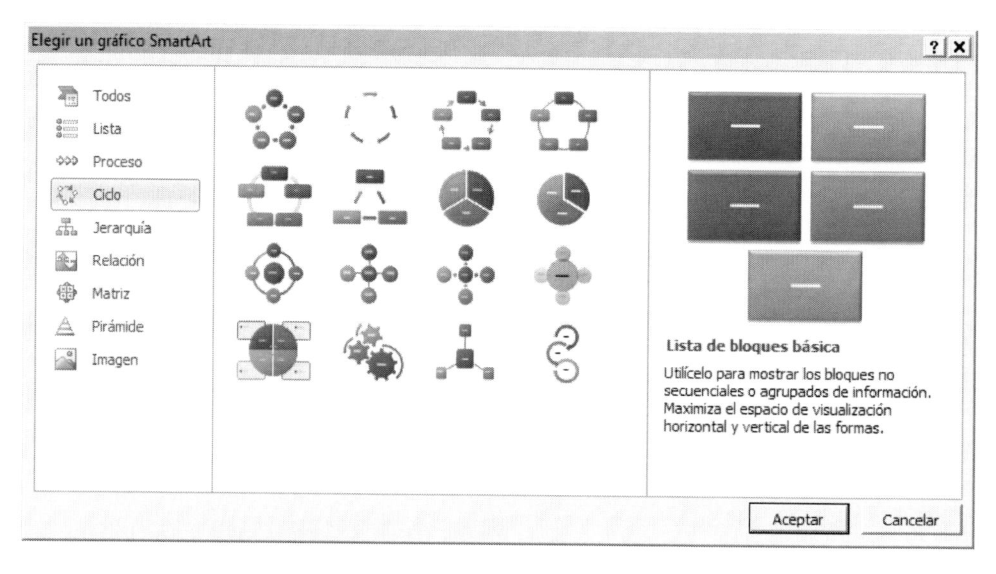

En esta imagen podemos observar que en la parte izquierda aparecen las categorías existentes de gráficos SmartArt; si vamos pulsando en cada una de estas categorías se muestran los diferentes modelos incluidos en cada una de ellas.

Una vez elegido el gráfico que vamos a utilizar pulsamos en **Aceptar** y se mostrará en la diapositiva el modelo seleccionado.

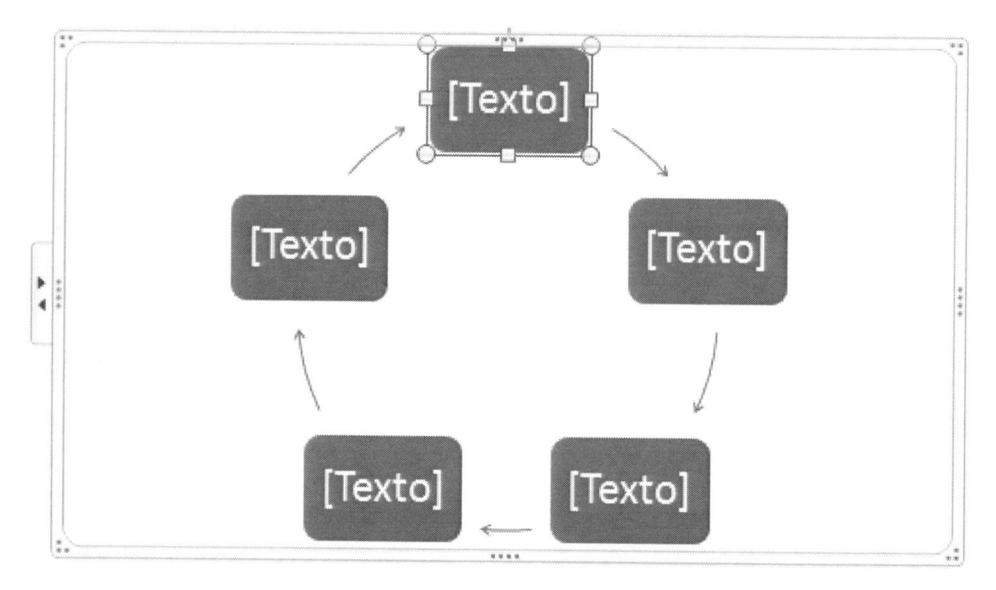

3.8.2 Dar formato al gráfico SmartArt

En cada una de las formas del gráfico pone **Texto**, es lo que vamos a sustituir por el texto que tengamos que representar.

Este texto que va en el interior de estas autoformas, le podemos dar formato igual que si fuera texto normal, seleccionándolo previamente.

Se muestran también dos nuevas fichas: **Diseño** y **Formato**, con todas las herramientas necesarias para hacer modificaciones sobre el aspecto del organigrama.

En la ficha **Diseño**, el primer botón que aparece en el grupo de opciones, **Crear grafico**, nos va a servir para insertar nuevos elementos dentro del organigrama.

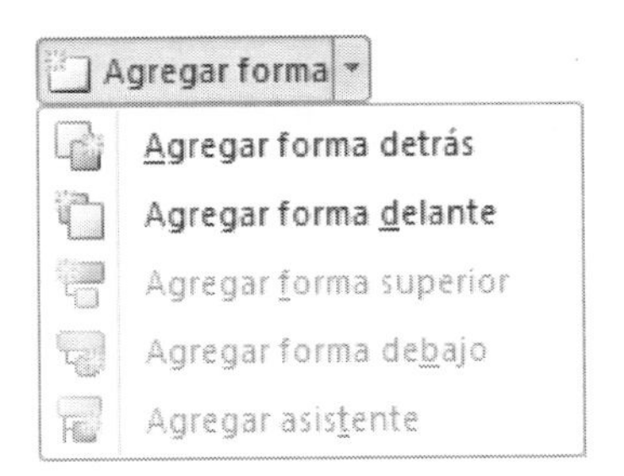

Al pulsar en **Agregar forma** se despliega este menú donde podemos elegir la posición de la nueva forma. Dependiendo del tipo de organigrama elegido se activarán unas opciones de este menú u otras.

El botón **De derecha a izquierda** lo que nos permite es cambiar la orientación del organigrama. Por ejemplo, en el organigrama que hemos elegido para el ejemplo, las flechas que hay entre los rectángulos están en el sentido de las agujas del reloj, si pulsamos este botón quedarán en sentido inverso.

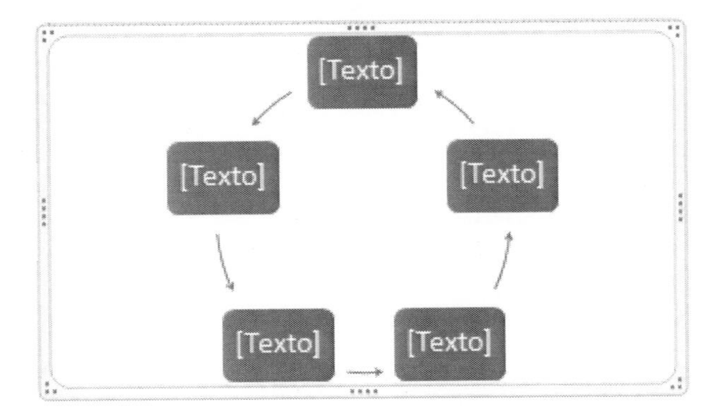

Y a través del botón **Diseño** podemos cambiar la disposición de los elementos del organigrama. Esta opción solo estará disponible para los organigramas de la categoría **Jerarquía**, ya que son los elementos dependientes a los que se les puede dar un diseño diferente.

Dentro de esta misma ficha, **Diseño**, encontramos el grupo de opciones **Diseños**, donde vamos a poder elegir otro diseño de organigrama diferente, dentro de la misma categoría del organigrama seleccionado.

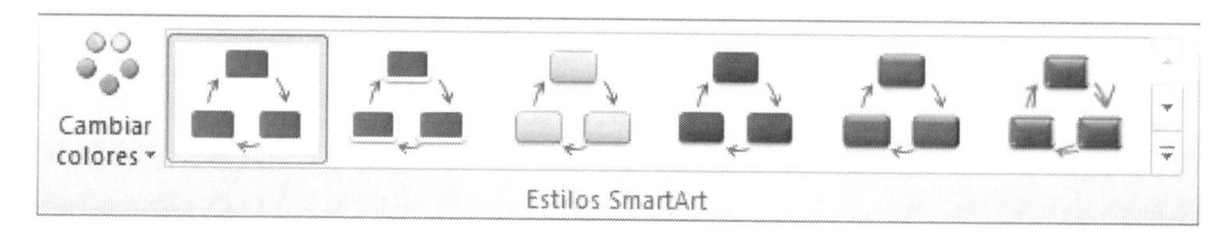

La imagen superior corresponde al grupo de opciones **Estilos SmarArt**.

- **Cambiar colores**: podemos elegir una combinación de colores diferente para nuestro gráfico.

- En el desplegable correspondiente a los estilos se mostrarán todos aquéllos entre los que podemos elegir. Al pasar el ratón por encima de cada uno de estos estilos podemos ver una previsualización del organigrama con el estilo sobre el que estamos situados.

Hemos comentado al principio, que también disponemos de la ficha **Formato** para cambiar el aspecto del organigrama.

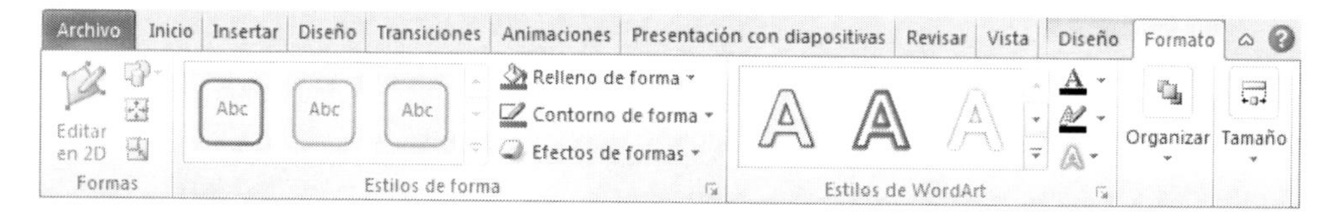

En esta ficha el primer grupo de opciones se llama **Formas**.

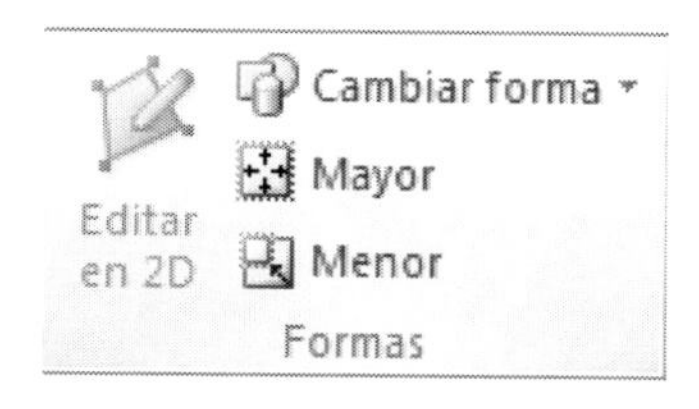

Nos va a dar la posibilidad de cambiar las formas de los elementos que forman el organigrama. Por ejemplo, si nuestro organigrama está formado por rectángulos, podemos cambiarlo por triángulos.

Solamente seleccionamos el rectángulo o rectángulos a modificar y pulsamos en el botón **Cambiar forma**, donde se desplegarán todas las autoformas que podemos seleccionar. Elegimos la que vayamos a usar. Y con los botones **Mayor** y **Menor** podemos ir modificando su tamaño.

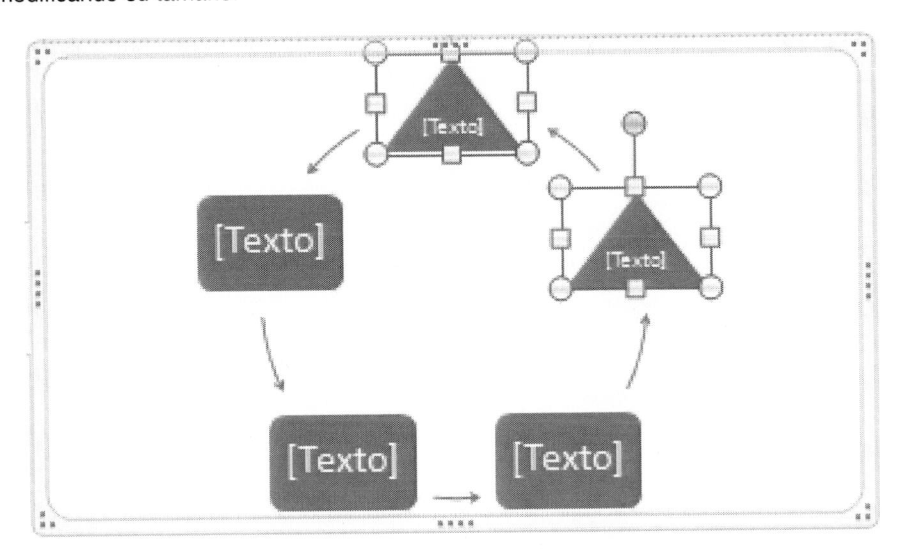

A través del grupo de opciones **Estilo de forma** podemos cambiar las características de las autoformas que componen el gráfico SmartArt, como puede ser el color de fondo, el contorno, etc.

Y con el siguiente grupo **Estilos de WordArt**, cambiaremos el aspecto del texto escrito en el interior de la autoforma.

3.9 DIBUJAR

En PowerPoint, muchas veces vamos a necesitar dibujar elementos que no están incluidos en ninguno de los diseños predeterminados que nos ofrece este programa.

Para poder dibujar nos tenemos que situar en la ficha **Inicio** y allí encontramos un grupo de opciones llamado **Dibujo**.

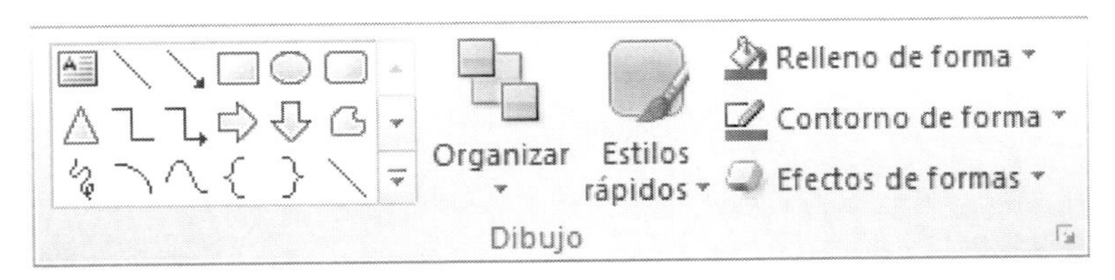

Dentro de este grupo están todas las autoformas que podemos dibujar y algunas opciones para su colocación y su aspecto. Si pulsamos en el selector para ver todas las formas que podemos insertar se despliega un cuadro como el siguiente:

Para dibujar cualquiera de estas formas sólo hay que seleccionarla en el panel anterior y en la diapositiva arrastrar el ratón desde el punto donde queremos que comience hasta donde queremos que termine. Es decir trazamos una diagonal con el ratón.

En general todas las autoformas se dibujan igual, excepto las líneas curvas, en las que al hacer clic con el ratón vamos definiendo los diferentes puntos que crean la curva y para terminar la línea tenemos que pulsar doble clic.

3.9.1 Modificaciones con el ratón

Cuando dibujamos una autoforma se muestran los puntos de selección, a través de los cuales, ya hemos visto, podemos cambiar el tamaño del dibujo.

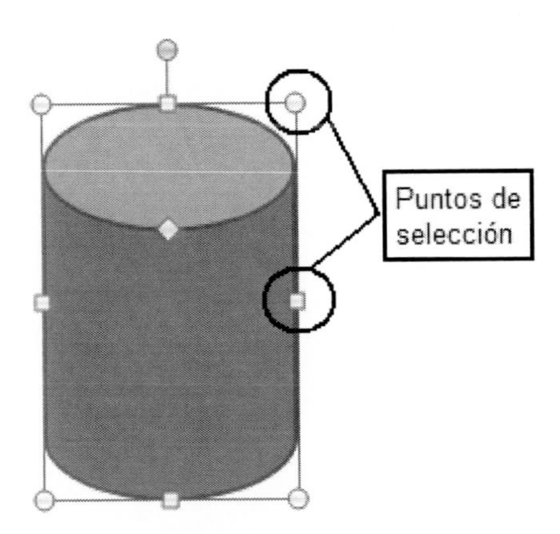

Además, en muchas de las autoformas, aparece uno o varios rombos amarillos. Arrastrándolo podemos cambiar la forma de la figura dibujada. En el caso del ejemplo, podemos arrastrar el rombo hacia abajo o arriba para hacer más grande o más pequeña la base.

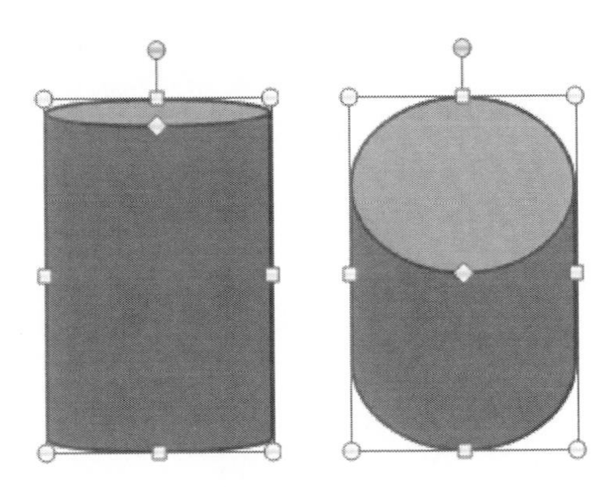

Y el punto verde, que nos sirve para girar la autoforma.

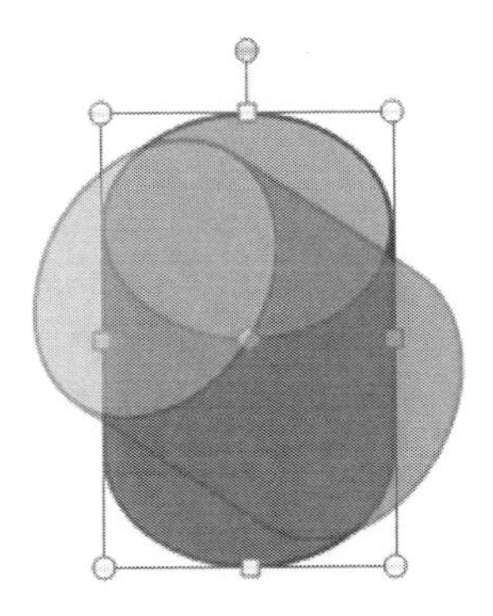

Las líneas son también conectores, lo que quiere decir es que pueden conectar dos formas y aunque movamos estas formas la línea se adaptaría para que siguieran conectadas.

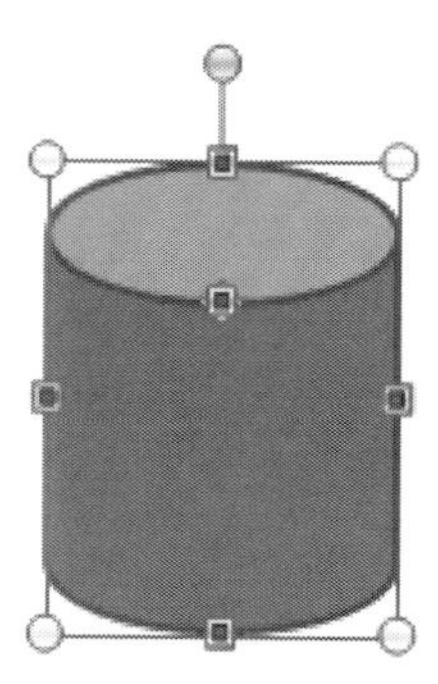

Cuando vamos a dibujar una línea y nos acercamos con el cursor a una de las formas dibujadas aparecen estos puntos rojos. Si dibujamos la línea desde uno de ellos, actuará como conector.

Podemos escribir en el interior de cualquier forma, para ello pulsamos sobre la forma con el botón derecho del ratón y elegimos la opción **Modificar texto**. Aparecerá entonces el cursor en el centro de la forma para poder insertar el texto.

3.9.2 Cambiar el formato

Las opciones para cambiar el aspecto de las formas se encuentran en la ficha **Formato**, en el grupo de opciones **Estilos de forma**.

Para cambiar el formato, disponemos de los estilos rápidos que se mostrarán pulsando en el desplegable. Previamente tenemos que seleccionar la forma que queremos cambiar.

Si lo que queremos es cambiar *color de fondo*, *contorno*, y *efectos de forma* independiente utilizamos los botones que están a la derecha.

Para cambiar las características del texto que hay en el interior de la autoforma, podemos utilizar las opciones normales, recogidas en la ficha **Inicio**, grupo de opciones **Fuente**, o en el grupo de opciones **Estilos de WordArt** de la ficha **Formato**.

3.10 MULTIMEDIA

En las diapositivas podemos incluir sonidos y películas. Estas opciones multimedia las encontramos en la ficha **Insertar** en un grupo de opciones llamado **Multimedia**.

3.10.1 Audio

Nos situamos en la diapositiva en la cual queremos insertar el sonido y pulsamos en el botón **Audio**.

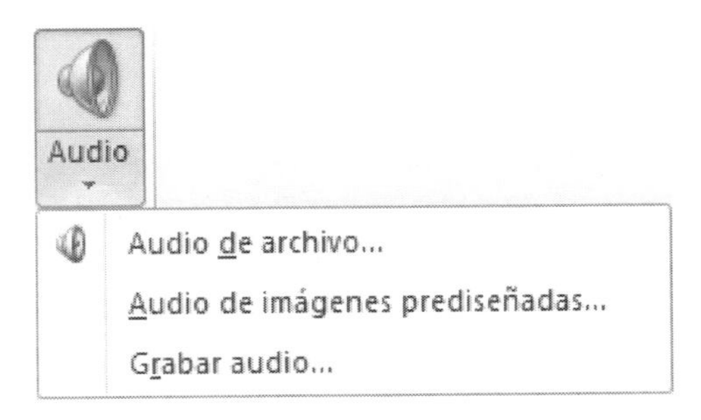

En este menú elegimos de dónde vamos a extraer el sonido que queremos insertar.

- **Audio de archivo**: en este caso se despliega un cuadro de diálogo similar al de **Abrir**, para buscar el archivo que contiene el sonido que vamos a insertar.

- **Audio de imágenes prediseñadas**: se muestra en la parte derecha de la pantalla la galería de Office para buscar un sonido contenido en dicha galería multimedia de Office.

En cualquier caso, al insertar el sonido, en la diapositiva se visualizará un icono como el siguiente que colocaremos en cualquier punto de la diapositiva, incluso en un lugar que no se vea.

Se mostrará una nueva ficha llamada **Reproducción**, que recoge todas las opciones de inicio y reproducción para el sonido elegido.

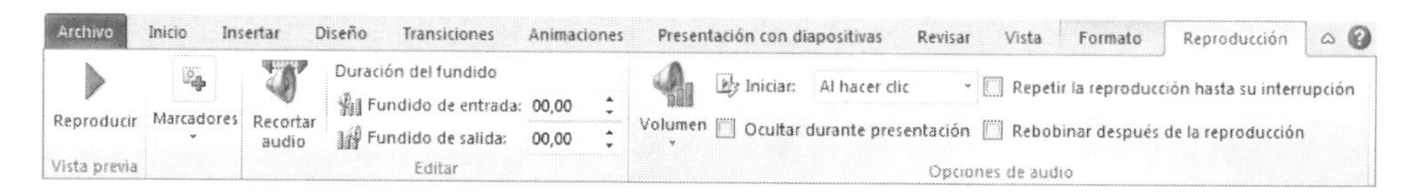

3.10.2 Vídeo

Insertar un vídeo es muy parecido a insertar una imagen, la diferencia es que a la hora de visualizar la presentación, el vídeo puede o no reproducirse de forma automática.

Pulsamos sobre el botón **Vídeo** y elegimos si queremos obtenerlo desde *Archivo, desde Internet o de la Galería multimedia.*

Una vez insertada en la diapositiva disponemos de los puntos de selección para modificar su tamaño o cambiarla de sitio.

Cuando visualizamos nuestro trabajo en modo **Presentación** es cuando vemos cómo se reproduce la película.

3.11 ANIMACIÓN

3.11.1 Animar elementos de la diapositiva

A través de la animación podemos dar movimiento a los objetos y elementos que forman la diapositiva haciendo así más interesante y atractiva la presentación.

Disponemos de una ficha llamada **Animaciones** que agrupa todas las herramientas para dar animación a un objeto incluido en una diapositiva.

Para dar un efecto de animación a un elemento:

1. Lo seleccionamos.

2. Pulsamos en el grupo de opciones **Animación**, en el desplegable se muestran algunos de los efectos que podemos aplicar al objeto seleccionado. Elegimos uno de ellos o bien, en la parte inferior del menú pulsamos en las opciones **Más efectos**... Se desplegará entonces un cuadro de diálogo como el siguiente con todos los efectos a aplicar:

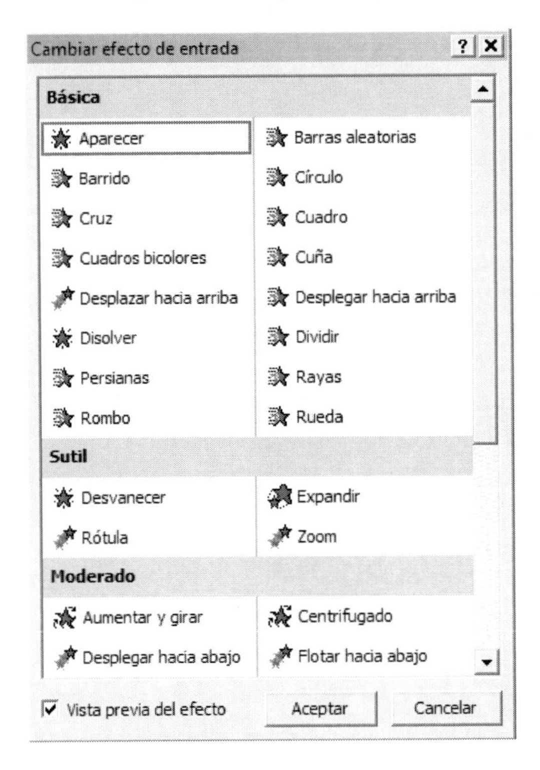

Haciendo clic encima de cada uno de estos efectos vamos a poder ver una previsualización de cómo será el efecto elegido.

3. Una vez que nos hayamos decidido por un efecto lo seleccionamos y pulsamos en **Aceptar**.

Una vez que hemos elegido el efecto de animación, se activan algunas de las herramientas incluidas en esta ficha para poder aplicar características a este efecto.

- Con el botón **Opciones de efectos**, situado en el grupo **Animación**, vamos a poder variar el efecto seleccionado. Por ejemplo, si elegimos el efecto barrido, a través de las opciones podremos elegir la dirección en la que ser realiza.

- También encontramos en esta misma ficha el grupo de opciones **Intervalos**, donde podremos establecer si la animación se realizará de forma manual o automática, la duración y el orden que llevará con respecto al resto de animaciones de la misma diapositiva.

- Para quitar un efecto seleccionamos el elemento al cual está asociado y en el grupo de opciones **Animación**, la primera animación que se muestra es la llamada *Ninguna*, lo pulsamos y desaparece el efecto asociado.

3.11.2 Transición

Transición es el paso de una diapositiva a otra.

En esta ocasión también disponemos de la ficha que agrupa todas las características que tienen que ver con la transición de diapositivas. Se llama **Transiciones**.

En el grupo de opciones **Transición a esta diapositiva** encontramos un desplegable donde se visualizarán todos los efectos disponibles.

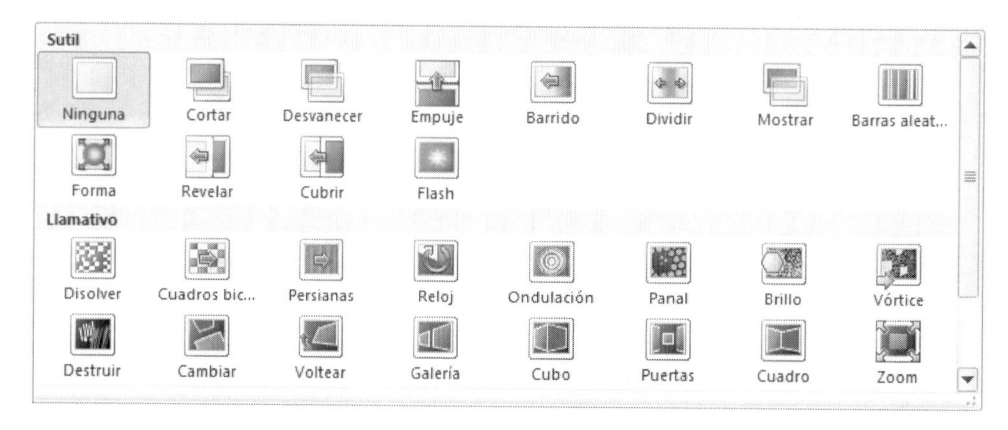

Simplemente habrá que elegir el efecto que queramos usar para pasar de una diapositiva a otra.

Al igual que para las animaciones, tenemos un botón llamado **Opciones de efectos** que nos permite elegir, dentro del efecto seleccionado algunas características.

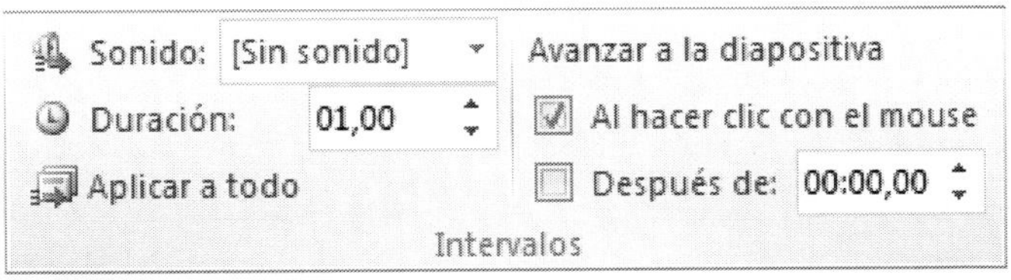

En esta misma ficha encontramos también el grupo de opciones **Intervalos** que nos proporciona las herramientas para aplicar sonido a la transición, elegir la duración y seleccionar si se realizará de forma automática o manual.

Si este efecto elegido lo queremos utilizar en toda la presentación, es decir, como transición en todas las diapositivas que tenga la presentación, pulsamos en el botón **Aplicar a todo**, incluido en este mismo grupo de opciones.

Capítulo 4

MICROSOFT ACCESS 2010

Una **base de datos** es un conjunto de datos relativos a un mismo tema.

Seguro que muchas veces habrá pensado en cómo tratar sus datos. Toda esa información que tiene dispersa, cómo ordenarla y gestionarla. La herramienta de Office que se encarga del tratamiento y explotación de los datos es Access.

Al final de este capítulo se sorprenderá de lo fácil que se realizan las operaciones con datos con la ayuda de esta herramienta.

4.1 CONCEPTOS BÁSICOS

Una base de datos es un programa que nos permite gestionar, ordenar y tratar una gran cantidad de información.

Los archivos de bases de datos, están formados por una serie de elementos. Los elementos fundamentales que lo forman son:

- Tablas.
- Consultas.
- Formularios.
- Informes.

Tablas: pues bien, el elemento fundamental de una base de datos son las tablas. En ellas se almacena la información. Una base de datos puede constar de una sola tabla, pero lo habitual es que tenga más de una. Por ejemplo, una base de datos de un colegio, tendremos una tabla con los datos de los alumnos, otra tabla con los datos de profesores, otra con los datos de las clases, etc.

Consultas: son filtros que hacemos sobre la información disponible en la base de datos. Podemos extraer la información de una sola tabla o de varias de ellas. Además, las consultas se pueden guardar, con lo cual, la siguiente vez que queramos realizar la misma operación podemos reutilizarla.

Formularios: los formularios son pantallas de entrada y visualización de datos. Aunque realmente los datos se pueden *introducir*, *modificar* y *eliminar* directamente a través de las tablas, generalmente se utilizan los formularios, que además nos muestran la tabla de una forma más atractiva.

Informes: es el elemento destinado a la impresora. Nos proporcionará diversas herramientas para imprimir y resumir la información.

4.2 ABRIR ACCESS

Para abrir Microsoft Access 2010:

1. Pulsamos en el menú **Inicio** de la Barra de tareas, pulsamos en **Todos los programas** y en **Microsoft Office**, y buscamos el icono de **Microsoft Access 2010**.

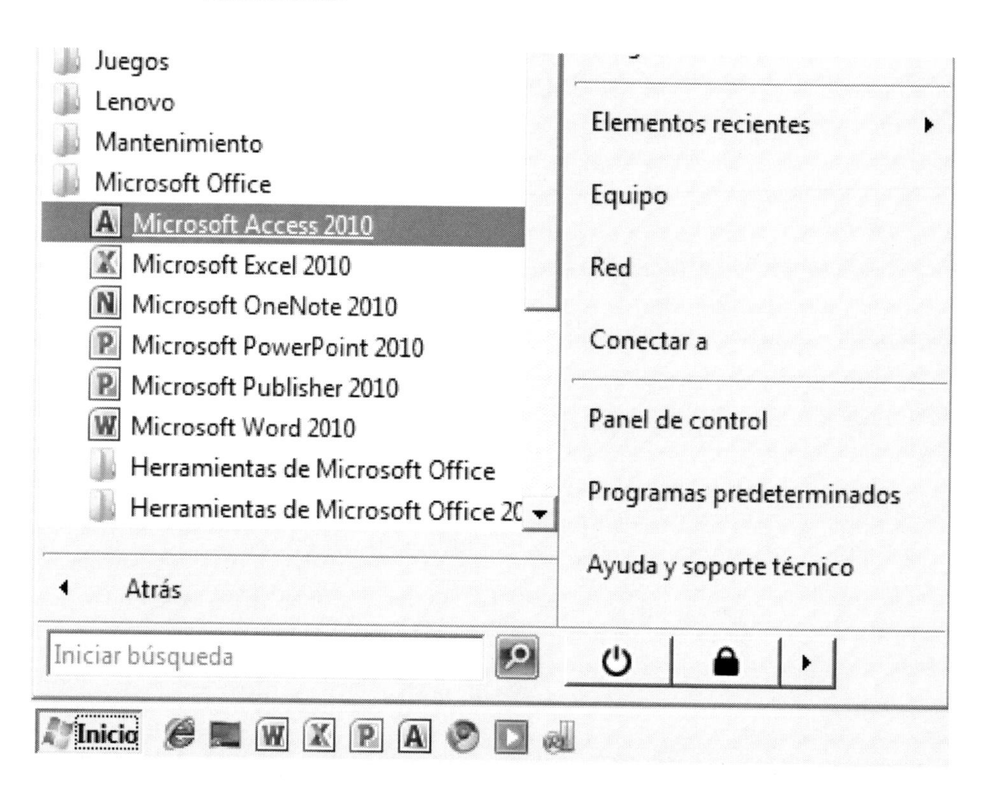

2. Pulsando en el icono de acceso directo que tendremos en el escritorio.

3. En la barra de inicio rápido.

4.3 ENTORNO

Cuando abrimos el programa la primera pantalla que nos aparece es la siguiente:

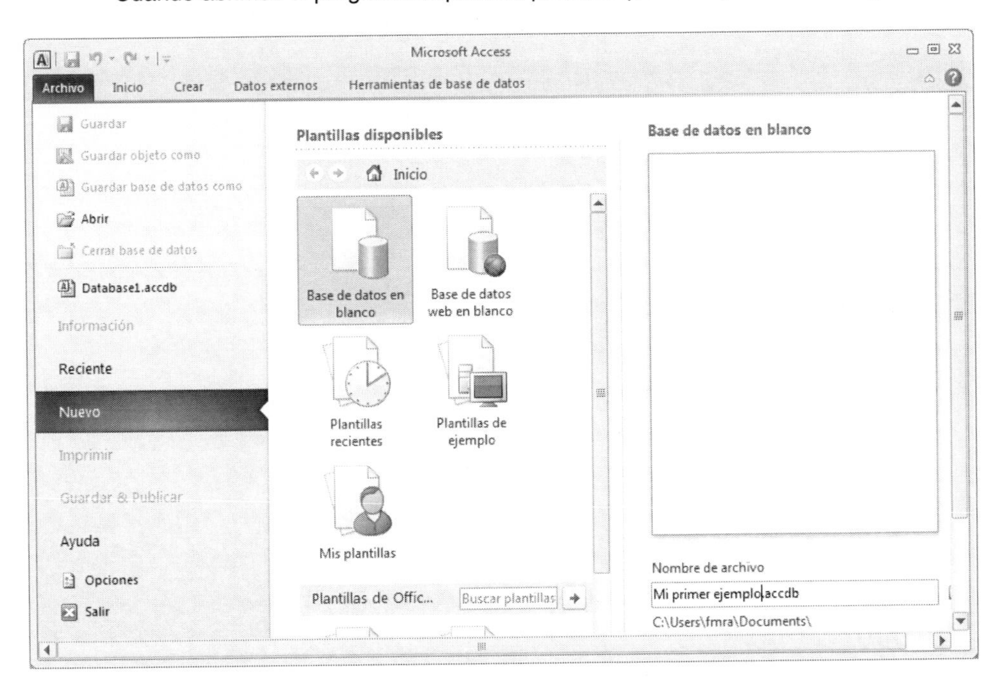

En esta pantalla lo que tenemos que elegir es si queremos comenzar con una base de datos en blanco, es decir, para crear nosotros todos los elementos que la componen, o bien utilizar alguna de las plantillas de las que disponemos.

Las plantillas son ejemplos de bases de datos que tienen ya creados ciertos elementos.

En nuestro caso elegimos **Base de datos en blanco** y en la parte inferior derecha escribimos el nombre que le vamos a dar al archivo de base de datos. Posteriormente pulsamos en el botón **Crear** (en el punto siguiente repetiremos este proceso para crear una nueva base de datos).

Se crea una nueva base de datos y la pantalla que se muestra es la siguiente:

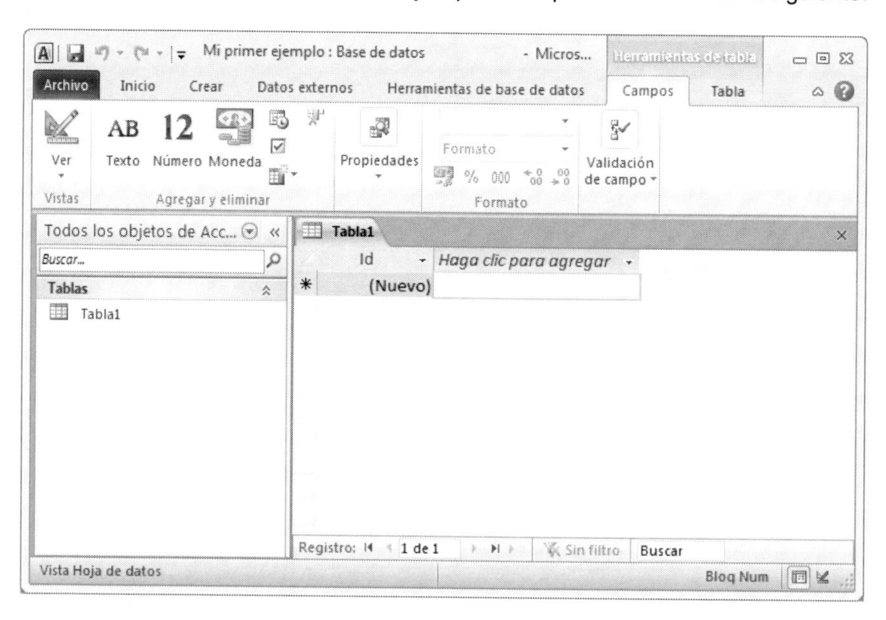

Vamos a ver en esta pantalla principal de Access el entorno en el que vamos a trabajar y los diferentes elementos que lo componen.

4.3.1 Barra de título

Es la barra que se encuentra en la parte superior de la ventana. En ella se muestra el nombre de la base de datos con la que estamos trabajando.

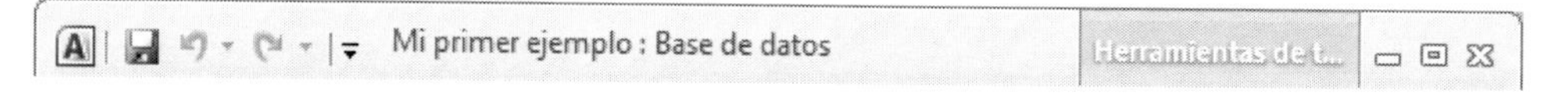

En la parte izquierda se visualizan los botones de la barra de acceso rápido. Esta barra de herramientas se puede personalizar y añadir los botones con las funciones que mas utilizamos.

El primer botón de esta barra de herramientas es que despliega un menú de control para la ventana: minimizar, maximizar, tamaño, etc.

A continuación el botón **Guardar** , para acceder de forma rápida a las opciones para guardar el archivo.

Deshacer y Rehacer . El primero deshace la última acción realizada. Y el segundo repite la última acción.

El último botón despliega un menú con un listado de comandos, en el cual podemos seleccionar cualquiera de ellos para que se muestren dentro de barra de acceso rápido.

En la parte derecha de la **Barra de título** se encuentran los botones para **Minimizar** (dejar como un botón en la barra de tareas), **maximizar** (poner a pantalla completa) y **cerrar** (para cerrar la ventana).

4.3.2 Cinta de opciones

Debajo tenemos la **Cinta de opciones**. Está dividida en diferentes **Fichas** (cada ficha es cada una de las pestañas que aparecen en la parte superior), y además los botones correspondientes a cada ficha están organizados en **Grupos**, donde cada uno de ellos realiza una acción diferente. Si vamos pasando el cursor por encima de estos botones se irá mostrando una etiqueta que nos indica la función que realiza cada uno de ellos.

Si vamos pulsando en las diferentes fichas que aparecen en la parte superior de la cinta de opciones, **Inicio**, **Insertar**, **Diseño de página**, etc., podremos ir visualizando los diferentes grupos de botones.

4.3.3 Panel de exploración

Se muestra en la parte izquierda de la base de datos y va a reflejar todos los elementos que la componen. A través de este panel podemos:

- Acceder a dichos elementos.
- Organizar estos elementos en base a diferentes criterios.

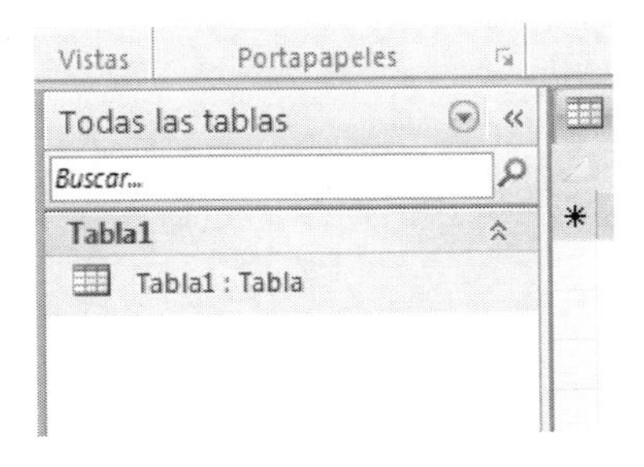

4.3.4 Barra de estado

Es la barra que aparece en la parte inferior de la ventana que nos dará información sobre el archivo en uso.

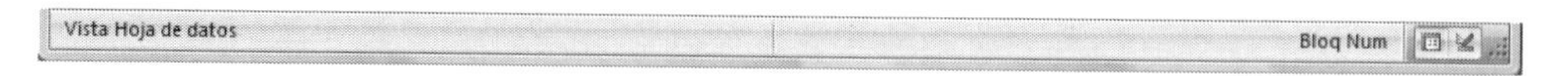

4.4 CREAR UNA BASE DE DATOS

Una vez que hemos abierto el programa, en la pantalla inicial elegimos **Base de datos en blanco** (*ver punto 4.3*). Al elegir esta opción, **Base de datos en blanco**, en la parte derecha del cuadro de diálogo se visualizan las casillas donde tenemos que incluir la información para poder guardar el archivo.

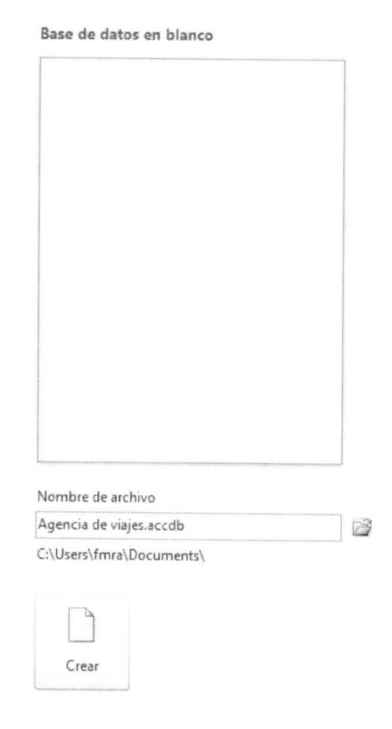

En la casilla **Nombre de archivo** ponemos el nombre que le vamos a dar a la base de datos, nosotros pondremos **Agencia de Viajes**, ya que así se va llamar el archivo de base de datos que vamos a crear.

Y pulsando en la carpeta amarilla que hay a la derecha elegimos la carpeta donde queremos guardar dicha base de datos. Una vez que tenemos todo esto pulsamos en el botón **Crear**. Al pulsarlo se genera la nueva base de datos y se muestra la pantalla siguiente:

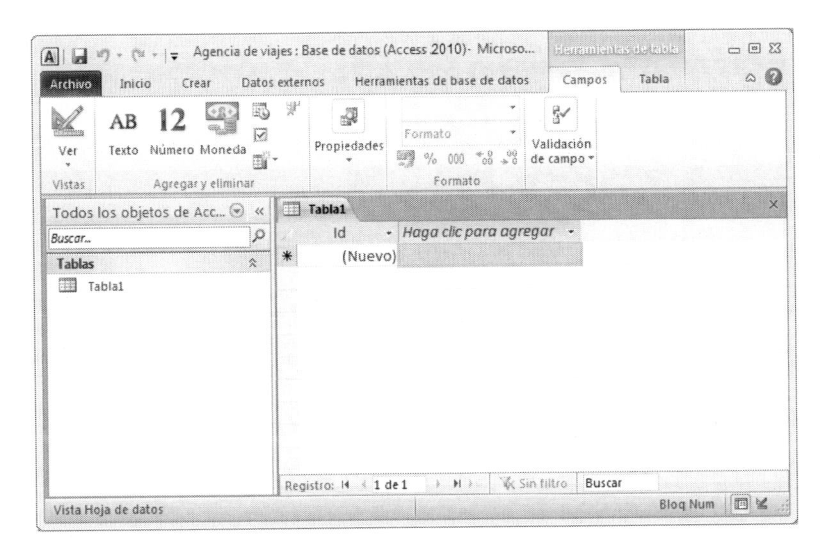

Se crea la nueva base de datos, y por defecto se crea también una nueva tabla para comenzar a trabajar.

4.5 ABRIR, CERRAR Y GUARDAR LA BASE DE DATOS

4.5.1 Abrir una base de datos

Para abrir una base de datos previamente guardada pulsamos en la ficha **Archivo** y elegimos la opción **Abrir**. Se visualizará un cuadro de diálogo donde tenemos que buscar el archivo que queremos abrir. Una vez localizado, simplemente hacemos doble clic sobre su nombre.

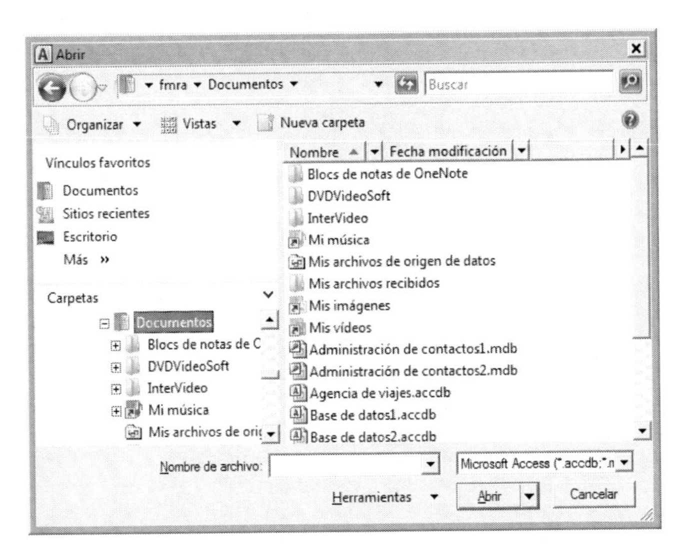

4.5.2 Cerrar una base de datos

Cuando no vamos a seguir trabajando con la base de datos pulsamos en la ficha Archivo y elegimos la opción **Cerrar base de datos**. También podemos pulsar en el botón [X] de la ventana de base de datos.

4.5.3 Guardar una base de datos

En realidad ya hemos visto como se guarda la base de datos en el punto 4.4. Cuando creamos una base de datos los primero que nos pide Access es que la guardemos, para crear la estructura sobre la que vamos a trabajar.

4.6 TABLAS

Hemos comentado anteriormente que las tablas son el elemento fundamental de las bases de datos, ya que en ellas se almacena la información. El resto de elementos de la base de datos se generan en base a las tablas que contiene.

4.6.1 Creación de tablas

Una tabla es una cuadrícula formada por filas y columnas. A cada columna se le llama *campo* y a cada fila *registro*.

Al crear la nueva base de datos se ha creado una nueva tabla para comenzar a trabajar. Vamos a utilizarla, será nuestra primera tabla en la base de datos *Agencia de Viajes*. En ella vamos a almacenar los datos de los viajes que tiene esta agencia.

Lo primero que tenemos que hacer es describir los datos que vamos a incluir en el la tabla. Es decir, tenemos que enumerar los campos que va a contener y para cada campo indicar el tipo de datos que se utilizará. Con el tipo de datos nos referimos a los datos que se van a guardar en cada casilla, si van a ser de tipo número, texto, etc.

La tabla *Viajes* va a tener los siguientes campos:

- *Código*: será el código del viaje con tres números y una letra.
- *Nombre*: la denominación del viaje.
- *Descripción*: descripción del viaje.
- *Precio*: el coste del viaje.
- *Plazas*: el número de plazas que tiene el viaje.
- *Fecha salida*: la fecha de comienzo del viaje.

Estos son los datos que vamos a recoger para cada uno de los viajes que venda la agencia.

Nos situamos en la ficha **Inicio**. El primer botón se llama **Ver**, y nos permite visualizar la tabla de diferentes formas:

1. **Vista hoja de datos**: para ver la tabla como una cuadrícula con sus datos incluidos.

2. **Vista Diseño**: para poder definir la estructura y características de la tabla.

Vamos a pulsar en **Vista Diseño** para definir la estructura de la tabla **Viajes**. Al pulsar esta opción, nos va a aparecer un cuadro de diálogo para que pongamos el nombre a la tabla y la guardemos; la llamaremos **Viajes**. Hasta ahora, esta tabla se llamaba *Tabla1*, que es el nombre que le da Access por defecto hasta que le ponemos el nombre definitivo.

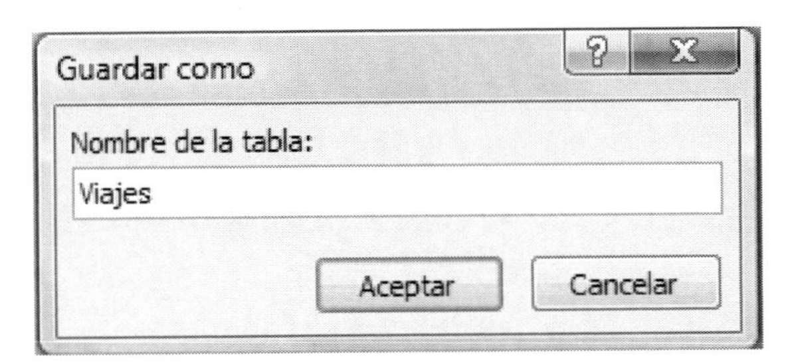

Se muestra entonces la vista diseño de la tabla:

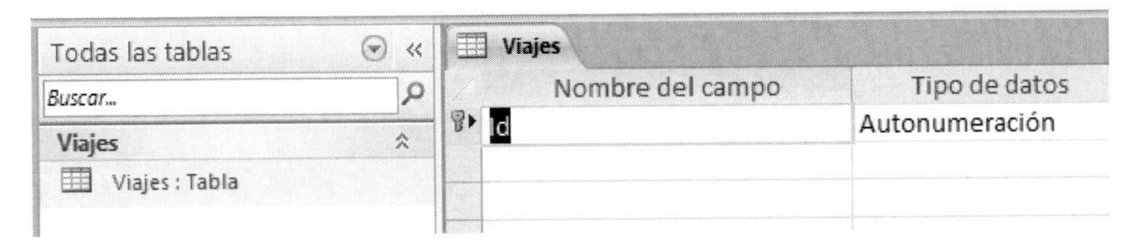

En la primera columna, **Nombre del campo**, es donde vamos a poner el nombre de cada uno de los campos que van a formar nuestra tabla. En la segunda columna, **Tipo de datos**, el tipo de datos que le corresponde a cada campo.

Iremos definiendo nuestra tabla para que quede de la siguiente forma:

viajes

Nombre del campo	Tipo de datos
Código	Texto
Nombre	Texto
Descripción	Texto
Precio	Moneda
Plazas	Número
Fecha salida	Fecha/Hora

4.6.2 Clave principal

Fijémonos en primer lugar en el campo **Código**. A su izquierda aparece un icono en forma de llave. Esto aparece así por defecto.

Con este icono estamos indicando que este campo, el campo **Código** es la **Clave principal** de esta tabla.

¿Qué es una **Clave principal**?

Es un campo o conjunto de campos que identifican de forma única cada registro de la tabla. Es decir, que no se puede repetir.

Por ejemplo, ¿El *Precio* nos serviría como campo clave para esta tabla? No porque puede haber varios viajes que tengan el mismo precio, ¿Y la fecha de salida, podría ser clave principal? Tampoco porque puede haber varios viajes que salgan el mismo día. ¿Y el código? Este campo sí que va a poder ser la clave principal de la tabla, ya que cada viaje tiene su código, diferente a todos los demás.

Para indicar que un campo es clave para una tabla:

1. Situar nuestro cursor en el campo que vamos a definir como clave principal.
2. Pulsamos en la ficha **Diseño**.
3. Dentro del grupo **Herramientas** pulsamos el botón **Clave principal**. Al pulsarlo el icono se muestra a la izquierda del campo en el que estamos situados. Si ya estaba puesto, como es nuestro caso, al pulsarlo se elimina. Para volver a ponerlo hay que pulsar de nuevo en este botón.

La **Clave principal** de la tabla ordena los datos incluidos en ella por ese campo. Aunque no es obligatorio que una tabla tenga **Clave principal**, sí que es conveniente que exista.

4.6.3 Tipos de datos

En lo que respecta a los tipos de datos, fijémonos en el ejemplo, hemos utilizado para los tres primeros campos el tipo de datos *Texto*, y a los siguientes *Moneda*, *Número* y *Fecha/Hora*.

Cuando pulsamos en la casilla de tipo de datos se despliega el listado de tipos de datos entre los que podemos elegir.

Vamos a analizarlos uno a uno:

- **Texto**: utilizaremos este tipo de datos cuando queramos almacenar texto o combinaciones de texto y números, así como números que no requieran cálculos, como los números de teléfono. Hasta 255 caracteres como máximo.

- **Memo**: igual que *Texto* pero con mucha más capacidad, hasta 63.999 caracteres. Lo utilizaremos cuando el campo requiera más de 255 caracteres.

- **Número**: para datos numéricos con los cuales se pretenda hacer cálculos matemáticos.

- **Moneda**: para números que incorporen el símbolo de moneda.

- **Fecha/Hora**: para fechas y horas.

- **Autonumérico**: número secuencial (incrementado de uno a uno) único, o número aleatorio que Microsoft Access asigna cada vez que se agrega un nuevo registro a una tabla.

- **Sí/No**: para campos que contengan uno de entre dos valores (Sí/No, Verdadero/Falso o Activado/desactivado).
- **Objeto OLE**: datos que provengan de otras aplicaciones, como por ejemplo una hoja de cálculo de Microsoft Excel, un documento de Microsoft Word, gráficos, sonidos, etc.
- **Hipervínculo**: texto o combinación de texto y números almacenados como texto y utilizados como dirección de hipervínculo.
- **Datos adjuntos**: cualquiera de los tipos de archivos admitidos.

4.6.4 Propiedades de los campos

Cada campo de la tabla tiene sus propiedades. Se muestran en la parte inferior de la ventana. Estas propiedades son diferentes para cada tipo de datos.

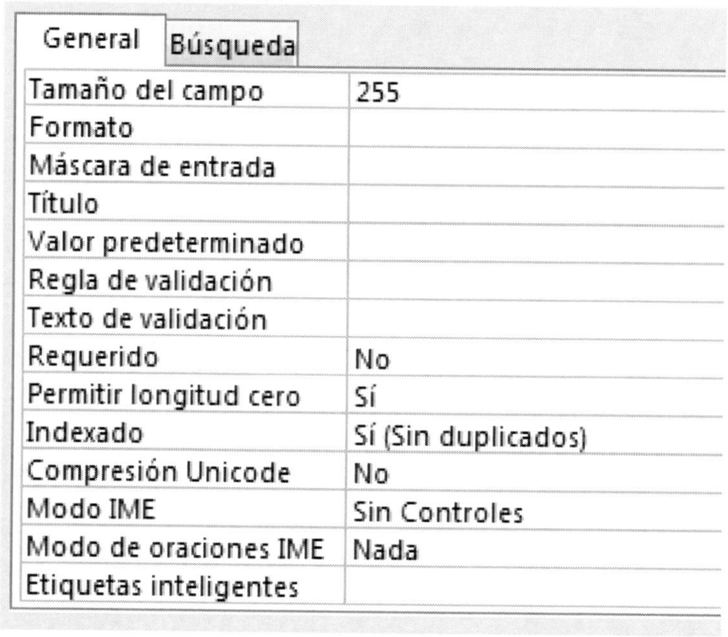

General | Búsqueda

Tamaño del campo	255
Formato	
Máscara de entrada	
Título	
Valor predeterminado	
Regla de validación	
Texto de validación	
Requerido	No
Permitir longitud cero	Sí
Indexado	Sí (Sin duplicados)
Compresión Unicode	No
Modo IME	Sin Controles
Modo de oraciones IME	Nada
Etiquetas inteligentes	

Las propiedades de la pestaña general pueden cambiar para cada tipo de dato, mientras que las de búsqueda cambiarán para cada tipo de control asociado al campo.

Vamos a ver algunas de las propiedades más importantes.

4.6.4.1 TAMAÑO DE CAMPO

Para los tipos de datos de texto indica el tamaño máximo que puede tener el campo. Por defecto está definido a 50 y como máximo hasta 255.

Para los tipos de datos numéricos las opciones son las siguientes:

Byte.	Para almacenar valores enteros entre 0 y 255.
Entero.	Para valores comprendidos entre -32.768 y 32.767.
Entero Largo.	Para valores enteros comprendidos entre -2.147.483.648 y 2.147.483.647.
Simple.	Para la introducción de valores comprendidos entre -3,402823E38 y -1,401298E-45 para valores negativos, y entre 1,401298E-45 y 3,402823E38 para valores positivos.
Doble.	Para valores comprendidos entre -1,79769313486231E308 y -4,94065645841247E-324 para valores negativos, y entre 1,79769313486231E308 y 4,94065645841247E-324 para valores positivos.
Id de réplica.	Se utiliza para claves autonuméricas en bases réplicas.
Decimal.	Para valores comprendidos entre -10^38-1 y 10^38-1.

4.6.4.2 FORMATO DEL CAMPO

A través de esta propiedad personalizamos la forma de presentar los datos en pantalla o en un informe.

Para los campos *Numérico* y *Moneda*, las opciones son:

Número general.	Presenta los números tal y como fueron introducidos.
Moneda.	Presenta los valores introducidos con el separador de millares y el símbolo monetario asignado en Windows como puede ser €.
Euro.	Utiliza el formato de moneda, con el símbolo del euro.
Fijo.	Presenta los valores sin separador de millares.
Estándar.	Presenta los valores con separador de millares.
Porcentaje.	Multiplica el valor por 100 y añade el signo de porcentaje (%).
Científico.	Presenta el número con notación científica.

Los campos Fecha/Hora tienen los siguientes formatos:

Fecha general.	Si el valor es sólo una fecha no se muestra ninguna hora; si el valor es sólo una hora no se muestra ninguna fecha. Este valor es una combinación de los valores de *Fecha corta* y *Hora larga.* Ejemplos: 3/4/93, 05:34:00 PM y 3/4/93 05:34:00 PM.
Fecha larga.	Se visualiza la fecha con el día de la semana y el mes completo. Ejemplo: Lunes 27 de julio de 2009.
Fecha mediana.	Presenta el mes con los tres primeros caracteres. Ejemplo: 27-Jul-2009.
Fecha corta.	Se presenta la fecha con dos dígitos para el día, mes y año. Ejemplo: 27/07/09.
Hora larga.	Presenta la hora con el formato normal. Ejemplo: 17:35:20.
Hora mediana.	Presenta la hora con formato PM o AM. Ejemplo: 5:35 PM.
Hora corta.	Presenta la hora sin los segundos. Ejemplo: 17:35.

Los campos Sí/No disponen de los formatos predefinidos Sí/No, Verdadero/Falso y Activado/Desactivado.

Sí, Verdadero y Activado son equivalentes entre sí; al igual que lo son No, Falso y Desactivado.

4.6.5 Introducción de datos en la tabla

Una vez que hemos diseñado la tabla, ya está lista para poder introducir los datos.

Habíamos realizado el diseño de la tabla, definiendo como clave principal el campo *Código*. Para pasar a introducir datos en la tabla pulsamos en el botón **Ver/Vista hoja de datos**.

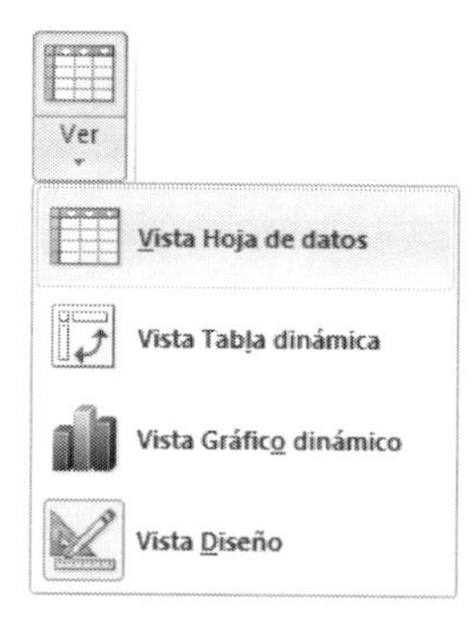

Se mostrará la tabla en blanco con el nombre de cada columna, en la que ya podemos comenzar a introducir datos. Vamos a insertar los siguientes:

viajes

Código	Nombre	Descripción	Precio	Plazas	Fecha salida
001A	CANARIAS	VIAJE DE 15 DIAS A CANARIAS EN RÉGIMEN TI	600,00 €	30	15/08/2010
12PR	PARIS	8 DIAS EN LA CIUDAD DE LA LUZ EN REGIMEN SOLO ALOJAMIENTO	650,00 €	9	11/09/2010
78CR	COSTA RICA	14 DIAS EN REGIMEN TI	1.500,00 €	59	02/08/2010
9MDG	MADAGASCAR	8 DIAS. SOLO ALOJAMIENTO	700,00 €	20	05/08/2010
JP45	JAPON	10 DIAS EN REGIMEN ALOJAMIENTO Y DESAYUNO	2.500,00 €	50	01/09/2010

4.6.6 Cerrar la tabla

Una vez que hemos terminado de escribir los datos, tenemos la opción de cerrar la tabla, aunque no sería del todo necesario, podemos seguir trabajando con otros elementos y mantener la tabla abierta.

Vamos a cerrar la tabla. Para ello, en la pestaña que lleva el nombre de la tabla, hacemos clic con el botón derecho del ratón y elegimos la opción **Cerrar**.

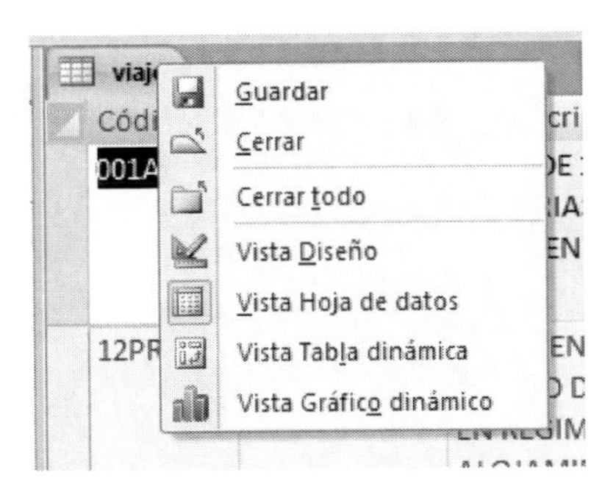

La tabla se cierra y aparece solamente el nombre en el panel de exploración.

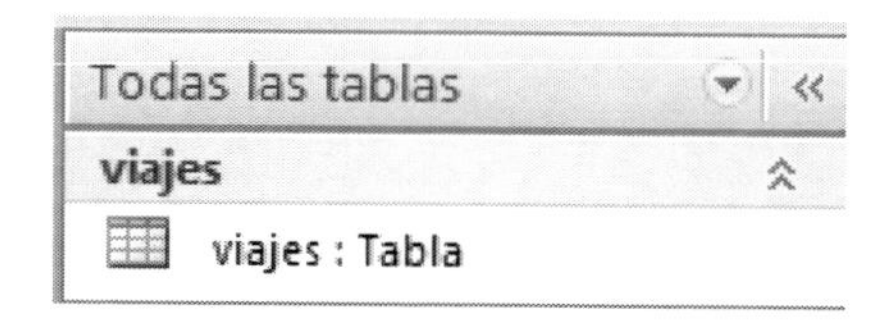

4.6.7 Abrir la tabla

Si quisiéramos abrirla de nuevo, simplemente tenemos que hacer doble clic sobre el nombre de la tabla.

4.6.8 Crear nueva tabla para base de datos Agencia de Viajes: Clientes

Para continuar con nuestro ejemplo vamos a crear una nueva tabla a la que llamaremos *Clientes*.

Tendrá el siguiente diseño:

CLIENTES

Nombre del campo	Tipo de datos
DNI	Texto
NOMBRE	Texto
APELLIDO	Texto
CODIGO VIAJE	Texto
PAGADO	Sí/No

Y los siguientes datos:

CLIENTES

DNI	NOMBRE	APELLIDO	CODIGO VIAJE	PAGADO
11111111P	JAVIER	ROLDAN ROLDAN	78CR	☑
45454454R	MATEO	GONZALEZ REAL	001A	☑
55555555T	LOLA	VICENTE MORA	JP45	☐
58795641Y	MARIA	SANTOS ARIET	12PR	☐
98989898T	ANGELA	MORENO LEAL	78CR	☑
				☐

1. Pulsamos en ficha **Crear**.
2. Botón **Tabla**. Se crea una nueva tabla.

3. Pulsamos en ficha **Campos**. Botón **Ver/Vista diseño**.

4. En el cuadro de diálogo **Guardar**, le damos nombre a la tabla: *Clientes*.

5. Le damos la estructura que se muestra en la primera imagen de este ejemplo.

6. Para poner como clave principal el campo *DNI*, nos situamos en esa fila y pulsamos el botón **Clave Principal** de la ficha **Diseño**.

7. Pulsamos en el botón **Ver/Hoja de datos** en la ficha **Diseño**.

8. Introducimos los datos que nos muestra la imagen anterior.

4.7 RELACIONES

Las relaciones nos sirven para reunir la información procedente de las diferentes tablas existentes en la base de datos.

Podemos relacionar dos o más tablas cuando tienen algún campo en común, que muestre la misma información y que sean del mismo tipo de datos.

Para crear relaciones entre las tablas de la base de datos, nos situamos en la ficha **Herramientas de la Base de datos** y pulsamos el botón **Relaciones**.

Se mostrará entonces un cuadro de diálogo donde aparece una lista de todas las tablas que contiene la base de datos para elegir las tablas que queremos relacionar.

Para el ejemplo que estamos desarrollando:

1. Elegimos las dos tablas *Viajes* y *Clientes.*

2. Hacemos doble clic sobre la tabla *Viajes* y doble clic sobre la tabla *Clientes.*

3. Una vez seleccionadas las tablas pulsamos en el botón **Cerrar** para cerrar el cuadro de diálogo.

La pestaña **Relaciones** tendrá el siguiente aspecto:

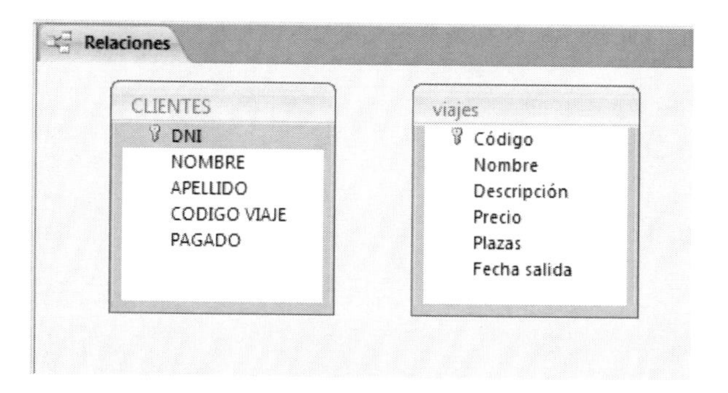

Se muestran ahora las tablas con todos los campos que contiene y además se indica, si es que existe, (con el símbolo de la llave amarilla) cuál es la clave principal de cada tabla.

Vamos a crear una relación de uno a varios, que quiere decir, que un registro de la tabla principal está relacionado con muchos registros de la tabla secundaria. Este tipo de relación es el más común.

Cuando queremos relacionar dos tablas con este tipo de relación, debemos tener en cada tabla un campo común que contenga el mismo tipo de información. Además en una de las tablas, concretamente en la tabla principal, ese campo debe ser la **Clave principal** de la dicha tabla.

En este ejemplo vamos a relacionar las tablas por los campos *Código* y *Código Viaje.* En la tabla *Viajes,* que es la tabla principal, *Código* es el campo clave y el campo *Código Viaje* es el campo que contiene la misma información en la tabla *Clientes,* la tabla secundaria. La relación que vamos a crear es de uno a varios, que lo que nos indica es que un viaje esta relacionado con muchos clientes que han contratado dicho viaje.

Para crear la relación:

1. Pulsamos sobre el campo *Código.*

2. Arrastramos *Código* hasta colocarlo encima de *Código Viaje,* de esta forma le estamos indicando que estos son los campos implicados en la relación, y se mostrará la siguiente ventana.

Desde aquí vamos a poder establecer las propiedades de esta relación que estamos creando:

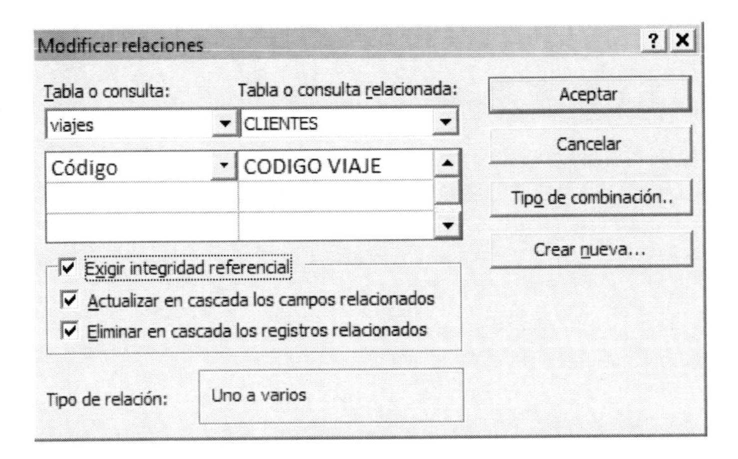

En este cuadro de diálogo podemos observar los dos campos implicados, en la parte superior la tabla de la que proceden y en la parte inferior algunas características de la relación y el tipo.

Exigir integridad referencial: nos permite asegurar que la información introducida en las tablas relacionadas es válida y evita la introducción de datos erróneos. Por ejemplo, una vez creada la relación, no podríamos introducir un cliente (en la tabla *Clientes*) con un código de viaje que no exista, nos daría un error, mientras que si no existe relación podríamos hacerlo.

Actualizar y borrar en cascada: estas opciones se refieren a las actualizaciones y borrados de la tabla principal, para que se borren o actualicen los registros relacionados en la tabla secundaria. Por ejemplo, eliminamos el viaje a Canarias, de forma automática se borrarán todos los clientes con ese código de viaje.

En nuestro ejemplo marcamos las tres casillas y pulsamos en **Crear**. Se mostrará una línea con la cardinalidad de la relación.

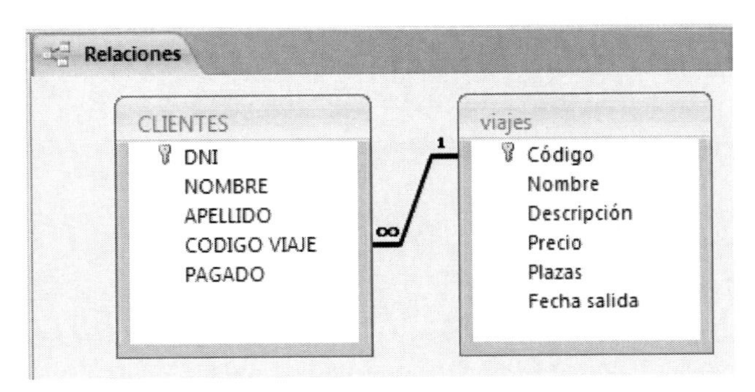

Una vez creada la relación vamos a intentar incluir un cliente con un código de viaje que no exista. Para ello abrimos la tabla clientes (haciendo doble clic en el panel de exploración) e incluimos el siguiente cliente.

22222222S	JUAN	GARCÍA GARRIDO	AAA	☑

Al intentar cerrar la tabla o pasar a otro registro nos saldrá este error.

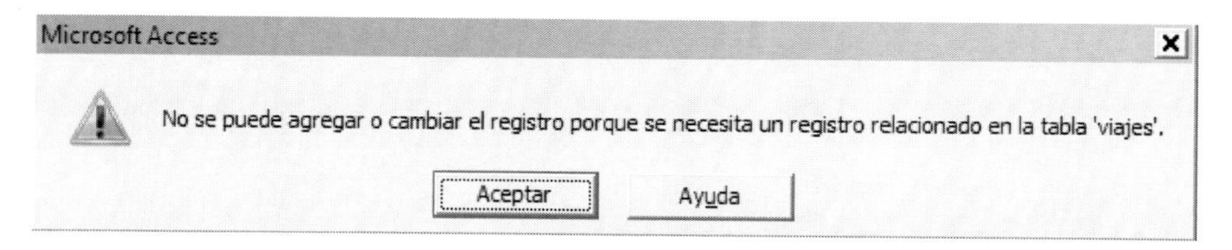

En el caso de querer eliminar la relación, pulsamos sobre esta línea que une las dos tablas y pulsamos en el teclado la tecla **Supr**. Se mostrará una ventana donde nos pregunta si queremos eliminar la relación. Pulsamos **Aceptar**.

4.8 CONSULTAS

Las consultas son elementos de la base de datos que nos van a servir, según el tipo de consulta, para realizar filtros sobre las tablas, para eliminar registros, actualizar tablas, etc.

Hay dos tipos básicos de consultas:

1. Consultas de selección.
2. Consultas de acción.

Una **consulta de selección** simplemente recupera los datos que coinciden con los criterios establecidos. Los resultados de la consulta pueden verse en la pantalla, imprimirse o copiarse al portapapeles. También se pueden utilizar como origen de registros para un formulario o un informe.

Una **consulta de acción**, como su nombre indica, realiza una tarea con los datos. Las consultas de acción pueden servir para crear tablas nuevas, agregar datos a tablas existentes, actualizar datos o eliminar datos.

4.8.1 Consultas de selección

Vamos a comenzar con las consultas de selección.

4.8.1.1 CREAR CONSULTAS

Para crear este tipo de consultas nos situamos en la ficha **Crear**. En ella tenemos un grupo de opciones llamado Consultas con dos botones: **Asistente para consultas** y **Diseño de consulta**.

Pulsamos el botón **Diseño de consulta** y se abre la ventana correspondiente al diseño de la consulta y un cuadro de diálogo donde tenemos que elegir la tabla o tablas de donde vamos a extraer los registros que queremos visualizar en la consulta.

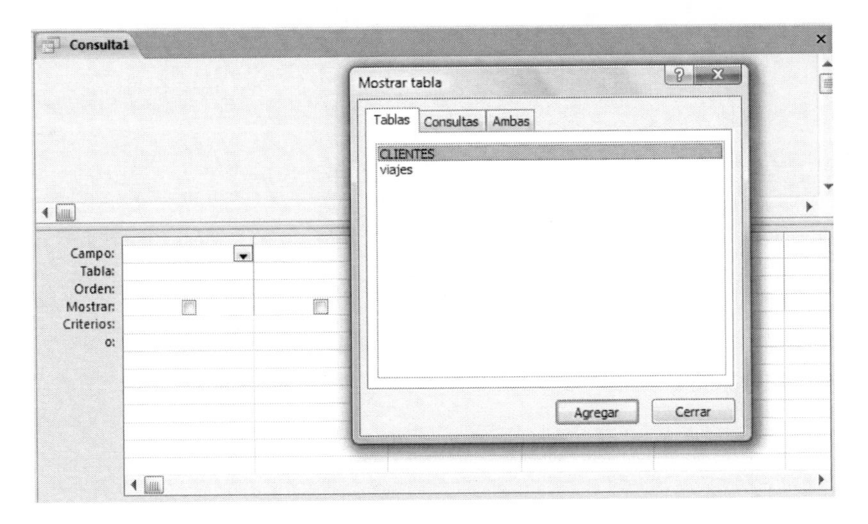

Elegimos la tabla *Viajes* y pulsamos en **Agregar**. Al pulsar en este botón la tabla *Viajes* se muestra en la parte superior de la ventana de diseño de la consulta. Si no deseamos añadir ninguna tabla más para crear la consulta pulsamos en el botón **Cerrar**.

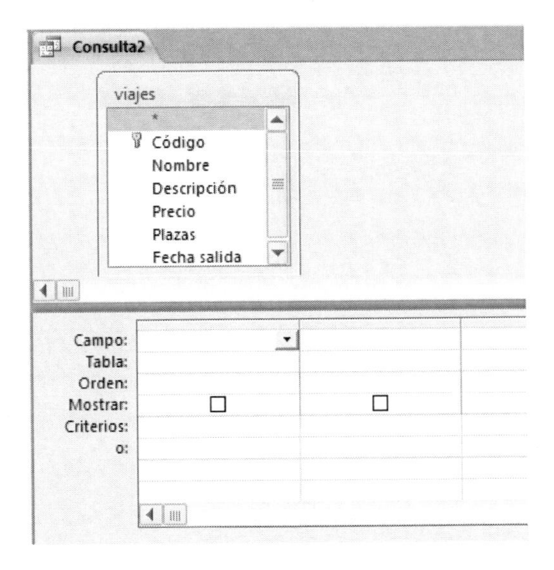

La ventana de diseño de la consulta se divide en dos partes. La parte superior nos muestra las tablas que hemos elegido para elaborar la consulta. Y la parte inferior nos muestra las columnas donde vamos a ir poniendo los campos que queremos visualizar en el resultado y los filtros que pondremos sobre determinados campos.

Al crear la consulta se visualiza también una nueva ficha en la banda de opciones llamada **Diseño**, que recoge todas las opciones relativas al diseño y tipos de consultas.

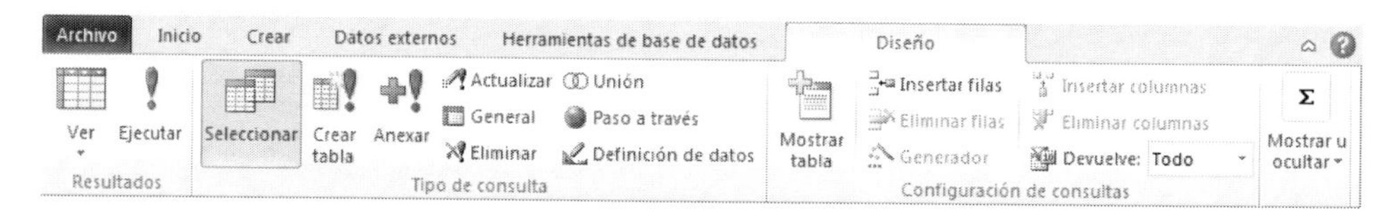

4.8.1.2 DISEÑO DE LA CONSULTA

Cada fila del diseño de la consulta nos sirve para detallar una información.

- **Campo**: colocaremos el nombre del campo que deseamos ver en el resultado de la consulta.
- **Tabla**: se rellena de forma automática al poner el nombre del campo. Nos indica de que tabla procede dicho campo.
- **Orden**: esta línea la utilizamos para ordenar los datos de forma ascendente o descendente.
- **Mostrar**: para indicar si esa columna se muestra o no en el resultado.
- **Criterios**: para especificar las condiciones que tienen que cumplir los registros resultantes.
- **O**: para combinar condiciones.

Con esta primera consulta que vamos a elaborar vamos a visualizar la descripción y el precio de todos los viajes.

Hemos comentado antes que en cada columna iremos poniendo cada uno de los campos que queremos visualizar, por lo tanto, en la primera columna en la fila campo situaremos el campo *Descripción*.

Podemos hacerlo de varias formas:

1. Pulsamos en la casilla **Campo** y en el desplegable elegimos *Descripción*.
2. Arrastramos el campo *Descripción* desde la tabla hasta la casilla **Campo** de la primera columna.
3. Hacemos doble clic en el campo *Descripción* y de forma automática se colocará en la casilla **Campo** de la primera columna vacía.

En la segunda columna colocamos el campo *Precio*.

Al colocar los campos en sendas columnas, se rellena automáticamente la fila inferior, la correspondiente a **Tabla**, que lo que nos indica es la tabla de la que procede el campo.

Y además se activa de forma automática la casilla **Mostrar**, que nos indica que esa columna de la consulta se mostrará en el resultado.

El diseño de la consulta nos quedará así:

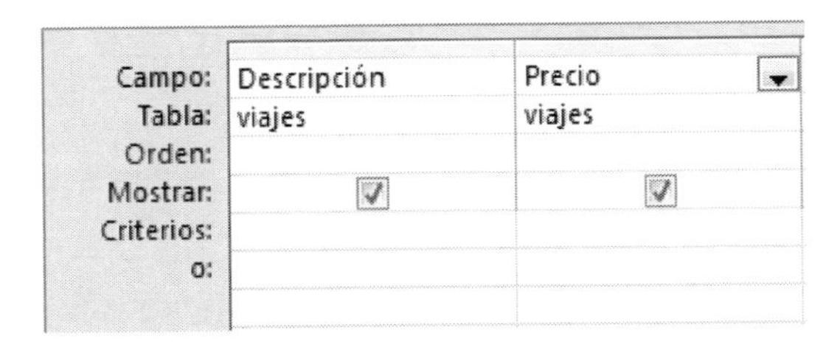

4.8.1.3 EJECUTAR CONSULTA

Pues bien, una vez que tenemos elaborado el diseño de la consulta nos falta ejecutarla. Ejecutar una consulta de selección significa visualizar su resultado, es decir, visualizar los registros, o parte de ellos, que cumplen las condiciones especificadas en el diseño de la consulta.

Para ejecutarla pulsamos en el botón **Ejecutar**, al principio de la ficha **Diseño**.

Al pulsar en **Ejecutar** se visualiza, en forma de tabla, el resultado de la consulta, que en este caso no es más que una relación de todos los viajes junto con su precio.

Consulta1

Descripción	Precio
VIAJE DE 15 DIAS A CANARIAS EN RÉGIMEN TI	600,00 €
8 DIAS EN LA CIUDAD DE LA LUZ EN REGIMEN SOLO ALOJAMIENTO	650,00 €
14 DIAS EN REGIMEN TI	1.500,00 €
8 DIAS. SOLO ALOJAMIENTO	700,00 €
10 DIAS EN REGIMEN ALOJAMIENTO Y DESAYUNO	2.500,00 €

Vamos a modificar el diseño de la consulta. Para volver al diseño de la consulta pulsamos en el botón **Ver/Vista Diseño**, situado al principio de la cinta de opciones.

Vamos a modificar el diseño de la consulta para visualizar *Descripción* y *Precio* y *Fecha salida* de todos los viajes con un valor inferior a 1000€. En este caso ya vamos a incluir condiciones que deberán cumplir los registros que se visualicen en el resultado.

Queremos visualizar el campo *Fecha salida*, con lo cual, a continuación de *Precio*, en la siguiente columna, colocamos este campo. En esta nueva consulta no vamos a visualizar todos los viajes, sino sólo aquéllos que cumplan una condición, que el precio sea inferior a 1000€.

En el diseño de la consulta tenemos una línea llamada **Criterios**. Es en esa línea donde pondremos las condiciones que tienen que cumplir los registros seleccionados para la consulta, siempre en la columna a la que corresponde la información.

En nuestro ejemplo, el filtro es sobre el campo *Precio*. Nos situamos en la columna donde hemos colocado este campo y en la línea criterios escribimos: >1000. El diseño de la consulta quedaría así:

Campo:	Descripción	Precio	Fecha salida
Tabla:	viajes	viajes	viajes
Orden:			
Mostrar:	☑	☑	☑
Criterios:		>1000	
o:			

Y al ejecutar la consulta solamente se visualizarían los viajes cuyo precio es menor de 1000€.

Vamos a modificar la consulta para que se visualicen todos los datos de los viajes con un precio superior a 1000€.

Para visualizar todos los datos de los viajes tendríamos que poner cada campo en una columna diferente. ¿Pero que sucede si son muchos campos? Tenemos la posibilidad de elegir un campo que equivale a todos los campos de la tabla. Es el asterisco (*). En vez de poner el nombre del campo ponemos "nombre de la tabla.*", de esta forma le estaremos indicando a Access que visualice todos los campos. La consulta quedaría de la siguiente forma:

Campo:	viajes.*	Precio
Tabla:	viajes	viajes
Orden:		
Mostrar:	☑	☐
Criterios:		>1000
o:		

En la primera columna hemos colocado el campo *Viajes.**, con lo que le indicamos a Access que se visualicen todos los datos de cada viaje (precio, fecha salida, descripción, etc.). En la segunda hemos incluido el campo *Precio* porque necesitamos especificar sobre esta columna el filtro que vamos a realizar sobre los registros, es decir, queremos visualizar aquellos viajes que tengan un precio superior a 1000€.

Si nos fijamos en esta columna también se ha desactivado la casilla **Mostrar**, porque sino estaríamos incluyendo este campo de nuevo en el resultado.

4.8.1.4 CRITERIOS

Volvamos al diseño de la consulta. Cuando estamos estableciendo criterios en campos numéricos vamos a utilizar los operadores de comparación, que son los siguientes:

Operador	**Significado**
<	Menor.
>	Mayor.
<=	Menor o igual.
>=	Mayor o igual.
<> NO	Distinto.
=	Igual. En el caso del igual se puede omitir.
Entre ...y ... >= .... Y <= ...	Para establecer un intervalo donde los extremos están incluidos.
> ... y < ...	Intervalo con los extremos excluidos.

Veamos algunos ejemplos:

Ejemplo	**Significado**
<>1500 o NO 1500	Todos los viajes que no cuesten 1500€.
>=2500	Los que tengan un precio mayor o igual a 2500€.
Entre 700 y 1500 o >= 700 y <=1500	Los viajes que tengan un precio entre 700€ y 1500€.
600	Precio igual a 600€.

Cuando establezcamos criterios para los datos de tipo **Texto** o **Memo** vamos a utilizar los siguientes operadores:

Elemento/Operador	**Significado**
=	Al igual que en los datos numéricos se puede omitir.
<> NO	Distinto, excluye el valor de los resultados.
*	Nos sirve para hacer patrones de búsqueda. Este símbolo equivale a cualquier carácter y cualquier número de caracteres.
?	Símbolo equivalente a cualquier carácter, pero sólo uno.

Ejemplos para datos de tipo **Texto** o **Memo** (Los tres primeros sobre el campo *Nombre*, el último sobre campo *Descripción*).

Ejemplo	**Significado**
<> PARIS NO PARIS	Excluye en el resultado los viajes a París.
= PARIS PARIS	Visualiza el viaje a París.
C*	Visualiza los viajes que empiecen por C.
* régimen TI*	Visualiza los viajes en régimen TI.

Los datos de tipo **Sí/No** son datos de tipo lógico. Su tratamiento es como si fuera texto, con el único detalle de que si queremos poner como criterio *Sí lógico*, éste sí lleva tilde en la i.

Los datos de tipo **Fecha/Hora** se tratan como datos numéricos, con lo cual podemos utilizar los operadores de comparación y establecer intervalos exactamente igual que para los números.

Ejemplos para datos de tipo **Fecha/Hora**:

Ejemplo	**Significado**
>1/9/2010	Visualizar los viajes a partir de septiembre de 2010.
Entre 1/8/2010 Y 31/8/2010	Visualizar los viajes del mes de agosto de 2010.

Todos estos son los criterios que podemos establecer.

4.8.1.5 CONDICIONES MÚLTIPLES

Si queremos elaborar consultas con varias condiciones tenemos que especificar cada condición en la columna a la que pertenezca la información.

Por ejemplo, queremos visualizar todos los viajes que se realizarán en la primera quincena de agosto y sean inferiores a 1000€, quedaría así:

Campo:	Nombre	Descripción	Precio	Fecha salida
Tabla:	viajes	viajes	viajes	viajes
Orden:				
Mostrar:	☑	☑	☑	☑
Criterios:			<1000	Entre #01/08/2010# Y #15/08/2010#
o:				

Cuando establecemos varias condiciones y queremos que se cumplan todas ellas, tenemos que ponerlas todas en la línea **Criterios**, en su columna correspondiente, de esta forma se seleccionarán los registros que cumplan todas las condiciones.

Si por el contrario, de todas las condiciones que establecemos queremos que se cumpla alguna de ellas o las dos, tendremos que ponerlas en líneas diferentes, de la siguiente forma:

Campo:	Nombre	Descripción	Precio	Fecha salida
Tabla:	viajes	viajes	viajes	viajes
Orden:				
Mostrar:	☑	☑	☑	☑
Criterios:				Entre #01/08/2010# Y #15/08/2010#
o:			<1000	

Otro ejemplo, queremos visualizar todos los viajes que se desarrollen en la primera quincena de agosto o en la primera de septiembre. Tenemos que establecer 2 condiciones sobre el mismo campo. Lo hacemos de la siguiente forma:

Campo:	Nombre	Descripción	Precio	Fecha salida
Tabla:	viajes	viajes	viajes	viajes
Orden:				
Mostrar:	☑	☑	☑	☑
Criterios:				Entre #01/08/2010# Y #15/08/2010#
o:				Entre #01/09/2010# Y #15/09/2010#

4.8.1.6 CONSULTAS DE VARIAS TABLAS

Hasta ahora todos los ejemplos que hemos realizado se referían a una sola tabla, pero vimos en el punto anterior, que si existe relación entre las tablas podemos realizar consultas que extraigan información de varias de ellas.

Por ejemplo, queremos visualizar los nombres, apellidos y DNI de los clientes que van a Costa Rica y a París.

Cuando creamos la nueva consulta, al añadir las tablas elegimos *Viajes* y *Clientes*, que ya se muestran con la relación que creamos en el punto anterior.

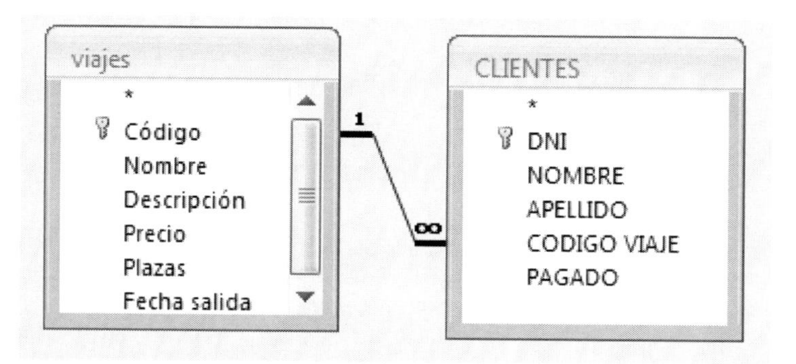

Ahora procederemos a realizar la consulta, como si fuera una consulta simple, añadiendo campos de una tabla u otra, según sea necesario. La consulta quedará así:

4.8.1.7 GUARDAR UNA CONSULTA

Para guardar una consulta podemos proceder de varias formas:

1. Pulsamos sobre el botón **Guardar** de la barra de acceso rápido.
2. Pulsamos sobre la ficha **Archivo** y elegimos la opción **Guardar**.
3. Pulsamos en la pestaña correspondiente a la consulta con el botón derecho del ratón y elegimos **Guardar**.

En cualquier caso nos aparecerá un cuadro de diálogo para darle nombre a la consulta. Podemos darle cualquier nombre excepto el nombre de las tablas ya creadas.

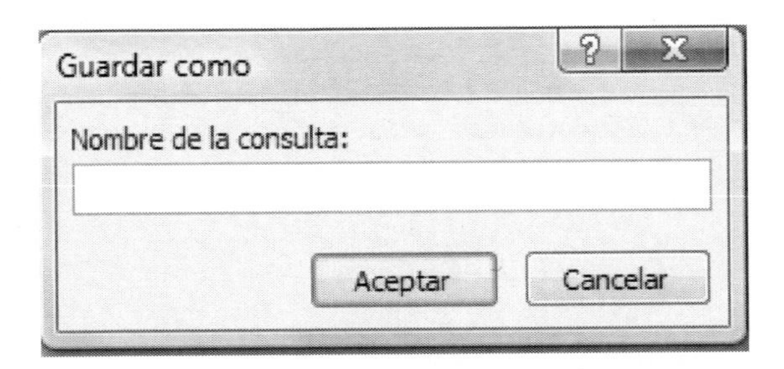

Una vez guardada podemos cerrarla haciendo clic en su botón .

4.8.2 Consultas de acción

Una consulta de acción, como su nombre indica, realiza una tarea con los datos. Las consultas de acción pueden servir para *crear tablas nuevas*, *agregar datos a tablas existentes*, *actualizar datos* o *eliminar datos*.

Los tipos de consultas de acción son los siguientes:

- **Consultas de creación de tablas**: este tipo de consulta se usa cuando hay que copiar los datos a una tabla o almacenarlos. Una consulta de creación de tabla recupera datos de una o varias tablas y, a continuación, carga el conjunto de resultados en una nueva. Esa nueva tabla puede residir en la base de datos abierta o puede crearse en otra base de datos.

- **Consultas de actualización**: se utiliza este tipo de consulta para actualizar o cambiar datos en un conjunto de registros.

- **Consultas de eliminación**: para eliminar registros completos (filas) que cumplan con los criterios que se especifican.

- **Consultas de datos anexados**: una consulta de datos anexados agrega un conjunto de registros (filas) de una o varias tablas de origen (o consultas) a una o varias tablas de destino. En general, las tablas de origen y de destino residen en la misma base de datos, pero no es imprescindible.

4.8.2.1 CONSULTAS DE CREACIÓN DE TABLAS

En la base de datos que estamos utilizando para realizar los ejemplos tenemos la tabla *Viajes* y la tabla *Clientes*.

Vamos a usar la tabla *Clientes* para este ejemplo. Lo que pretendemos es crear una nueva tabla, que se va a llamar *Costa Rica*, donde vamos incluir a todos los clientes que vayan a ese viaje, cuyo código es *78CR*.

Empezamos como en cualquier consulta, pulsamos en la ficha **Crear**, en el botón **Diseño de Consulta** y agregamos la tabla *Clientes*.

Ahora modificamos el tipo de consulta, ya que por defecto es una consulta de selección. Para ello, en la pestaña **Diseño** disponemos de un grupo de opciones llamado **Tipo de consulta**, donde se encuentran todos los tipos de consultas. Pulsamos en **Crear tabla**.

Se mostrará un cuadro de diálogo para indicar el nombre de la nueva tabla que vamos a generar al ejecutar esta consulta.

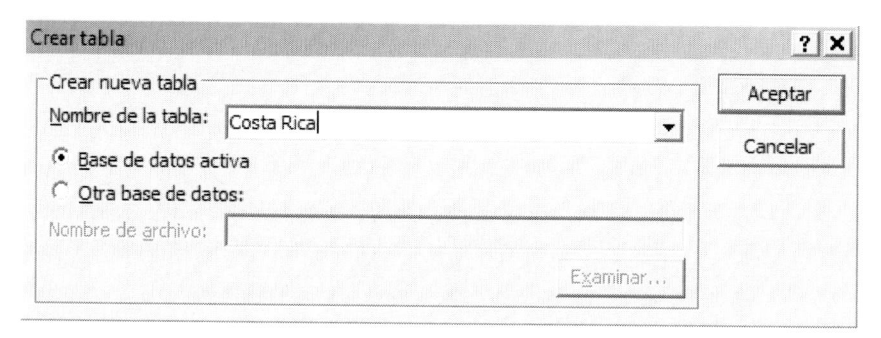

En el nombre de la tabla ponemos *Costa Rica* y pulsamos en **Aceptar.**

Ahora vamos a realizar el diseño de la consulta:

- En la primera columna del diseño de la consulta ponemos el *, que ya hemos visto que equivale a todos los campos de la tabla.
- En la segunda columna colocamos el campo *Código*, ya que lo necesitamos para indicarle que sólo queremos los viajes cuyo código sea *78CR*.
- Deshabilitamos de la columna *Código* la casilla **Mostrar**, ya que si no, estaríamos incluyendo este campo dos veces.
- En la fila **Criterio** de esta misma columna escribimos *78CR*.

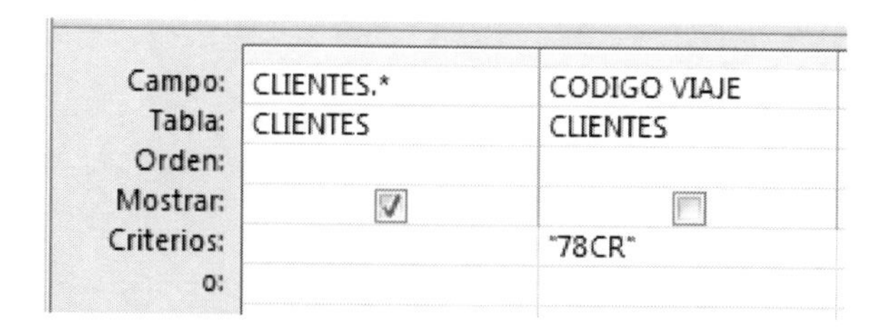

Ejecutar esta consulta significa realizar la acción que lleva implícita, que es crear esa nueva tabla con los registros que cumplan la condición. Al pulsar en **Ejecutar** se muestra un cuadro de diálogo como el siguiente para indicarnos el número de filas que va a tener la nueva tabla. Al pulsar en **Aceptar** se ejecuta y se crea la nueva tabla. Podemos verlo en el panel de exploración.

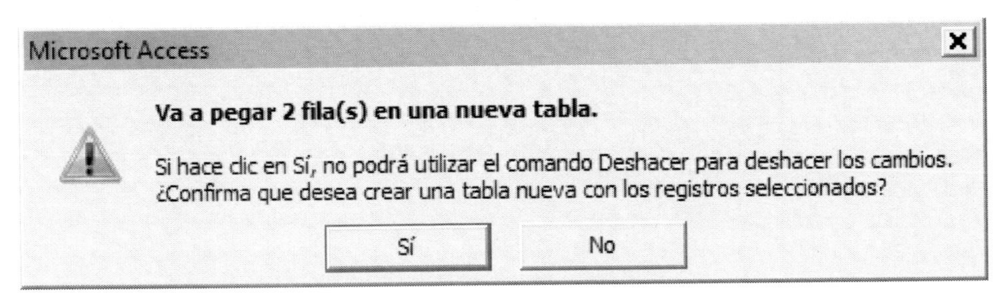

4.8.2.2 CONSULTAS DE ACTUALIZACIÓN

Nos servirá para modificar los datos de la tabla o tablas sobre las que hacemos la consulta.

Vamos a modificar el campo *Pagado* a *Sí* de todos los clientes que van a Japón.

Para hacer esta consulta necesitamos las dos tablas, ya que no conocemos el código del viaje a Japón.

Comenzamos como en cualquier consulta, pulsamos en la pestaña **Crear**, en el botón **Diseño de Consulta** y agregamos las tablas *Viajes* y *Clientes*.

Ahora modificamos el **Tipo de consulta**, y elegimos **Actualizar**.

Las filas de la consulta varían ligeramente:

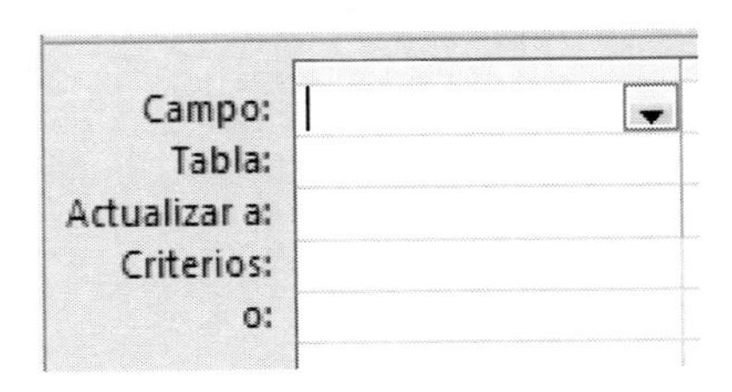

En este tipo de consultas sólo entran en juego los campos que vamos a actualizar y los campos sobre los que vamos a escribir los criterios.

Para la consulta que estamos diseñando elegimos el campo *Nombre* de la tabla *Viajes* en la cual escribimos el criterio Japón y en la siguiente columna colocamos el campo *Pagado* y en la línea **Actualizar** escribimos *Sí*. Lo que le estamos indicando es que para todos aquellos clientes cuyo viaje sea Japón vamos a actualizar su campo *Pagado* al valor *Sí*.

Campo:	Nombre	PAGADO
Tabla:	viajes	CLIENTES
Actualizar a:		Sí
Criterios:	"Japón"	
o:		

Al pulsar en el botón **Ejecutar**, la consulta se muestra un mensaje en el que nos indica cuántas filas de la tabla se van a actualizar. Al hacer clic en **SI** se realizan los cambios.

Si queremos visualizar el resultado tendremos que abrir la tabla *Clientes* y ver que efectivamente nuestro cliente que iba a Japón sí ha pagado.

4.8.2.3 CONSULTAS DE ELIMINACIÓN

Elimina los registro/s de la tabla seleccionada y que cumplen los criterios especificados.

Vamos a eliminar los clientes que han pagado. Necesitaremos solamente la tabla *Clientes*.

Comenzamos pulsando en *Crear* consulta en vista diseño, y agregamos la tabla. Ahora cambiamos el tipo de consulta. Elegimos **Eliminar**.

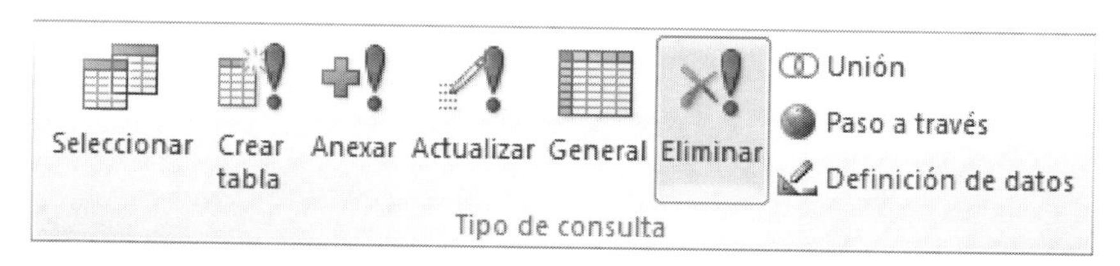

Cambian ligeramente las filas de la consulta:

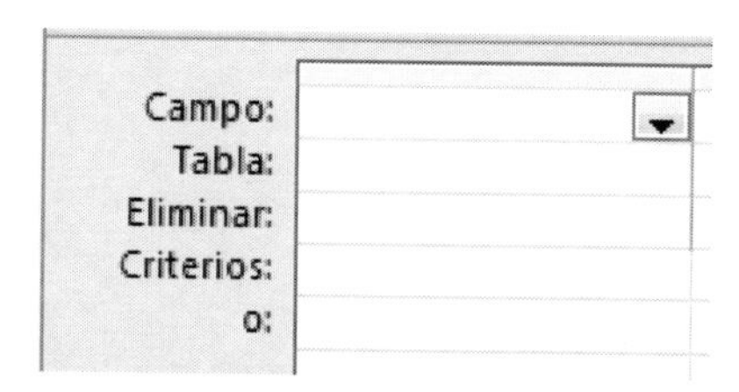

En **Campo** colocamos el campo *Pagado*, nos indica que pertenece a la tabla *Clientes* y en **Criterios** escribimos *Sí*. Al pulsar en **Ejecutar** se muestra un mensaje que nos indica cuántas filas de la tabla se van a eliminar.

Cuando hacemos clic en **SI** se eliminan.

Si queremos comprobarlo, abrimos la tabla *Cliente* y veremos que efectivamente los clientes que habían pagado se han eliminado de la tabla.

4.8.2.4 CONSULTAS DE DATOS ANEXADOS

Nos sirve para añadir datos a una tabla.

Vamos a añadir el contenido de la tabla *Costa Rica*, que creamos anteriormente, a la tabla *Clientes* (ya que los clientes que contiene la tabla *Costa Rica* los acabamos de borrar de la tabla *Clientes*).

Creamos de nuevo una consulta y elegimos la tabla que contiene los datos que queremos anexar, en nuestro caso la tabla *Costa Rica*.

A continuación cambiamos el tipo de consulta, elegimos **Anexar**:

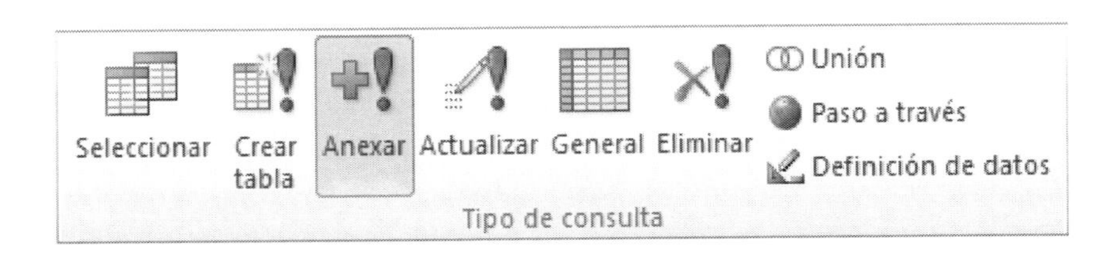

Se visualiza un cuadro de diálogo para indicar a qué tabla queremos añadir los datos de la tabla *Costa Rica*.

Elegimos la tabla *Clientes* y pulsamos en **Aceptar**.

Anexar
Anexar a
Nombre de la tabla: CLIENTES
Base de datos activa
Otra base de datos:
Nombre de archivo:
Examinar...
Aceptar
Cancelar

En estos tipos de consulta también varían un poco las filas de la consulta:

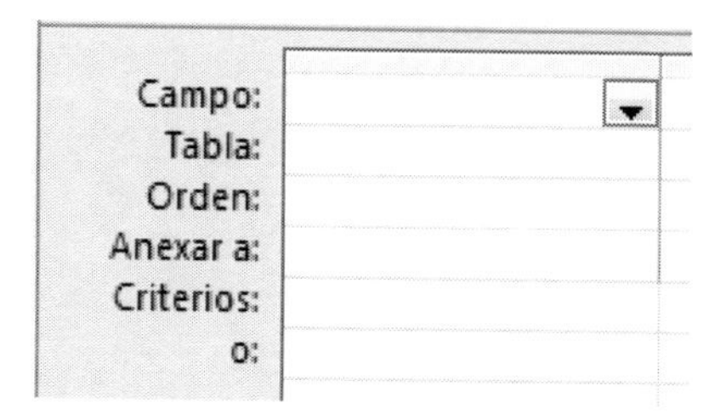

Podemos diseñar la consulta de dos formas, añadiendo uno a uno los campos que queremos anexar a la tabla clientes:

Campo:	DNI	NOMBRE	APELLIDO	CODIGO VIAJE	PAGADO
Tabla:	Costa Rica	Costa Rica	Costa Rica	Costa Rica	Costa Rica
Orden:					
Anexar a:	DNI	NOMBRE	APELLIDO	CODIGO VIAJE	PAGADO
Criterios:					
o:					

O como van a ser todos los campos, utilizar el comodín * para indicar que son todos los campos de la tabla los que vamos a añadir:

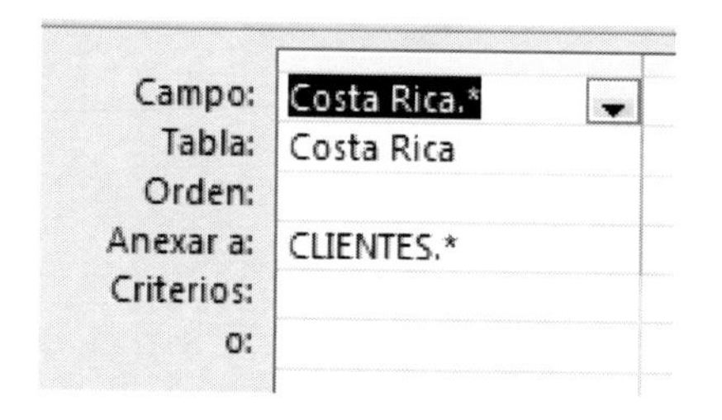

Al **Ejecutar** la consulta aparecerá un cuadro de diálogo para indicarnos el número de filas que se van a copiar a la tabla *Clientes*. Para poder comprobarlo, abrir la tabla *Clientes*.

4.9 FORMULARIOS

Los formularios son pantallas de *entrada*, *visualización* y *modificación* de datos.

Los botones que vamos a utilizar para crear formularios se encuentran ubicados en el grupo de opciones **Formularios** dentro de la ficha **Crear**.

4.9.1 Formularios rápidos

Para crear un formulario de forma rápida y sencilla, seguiremos estos pasos:

1. Seleccionamos en el **Panel de exploración** la tabla para la que queremos crear el formulario.

2. Pulsamos en la ficha **Crear** en el botón **Formulario** del grupo **Formularios**.

Se creará de forma automática un formulario.

Nos vamos a situar en la tabla *Clientes* y pulsamos en **Formulario**.

El formulario que aparece es el siguiente:

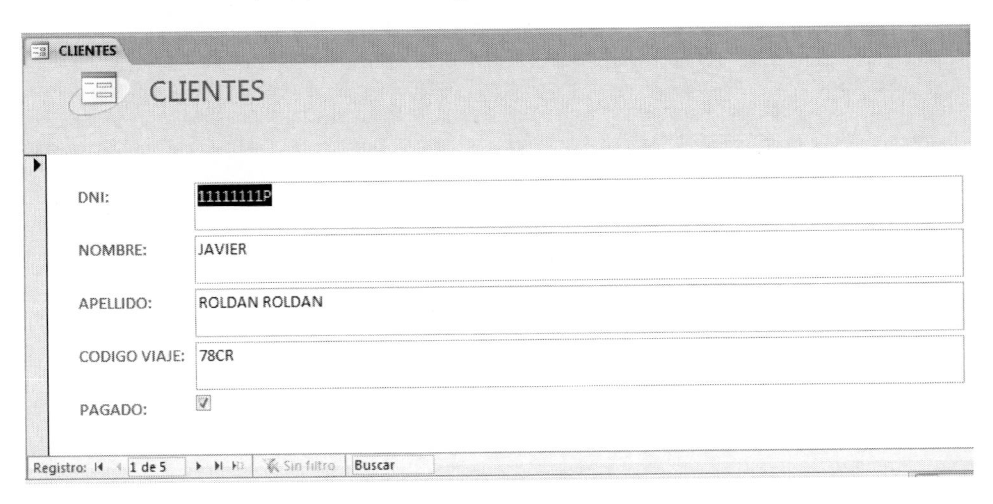

Este formulario ya está listo para usar. A través de él podemos visualizar, en forma de ficha, los datos de cada cliente, y a través de los botones que se muestran en la parte inferior del formulario podemos movernos por los diferentes registros, incluso añadir nuevos registros a la tabla.

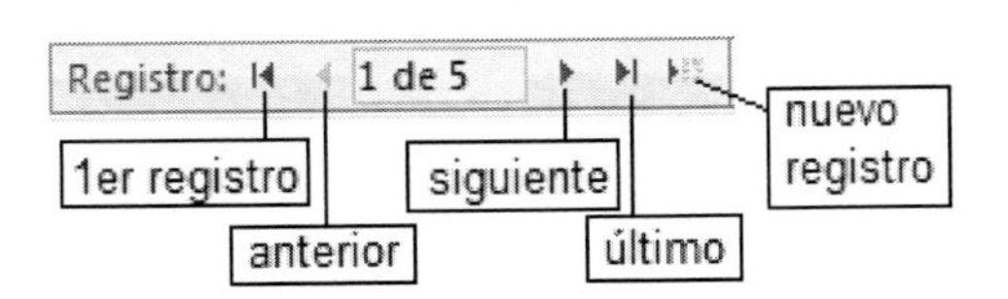

Una vez que el formulario esta creado aparecen tres nuevas fichas: **Diseño**, **Organizar** y **Formato**. Estas tres fichas agrupan todas las opciones que nos permiten modificar el formulario.

1. Ficha **Formato**: a través de las opciones que contiene vamos a poder cambiar el formato del formulario como poner otro color de fondo, cambiar el tipo de letra o poner de otro color las líneas.

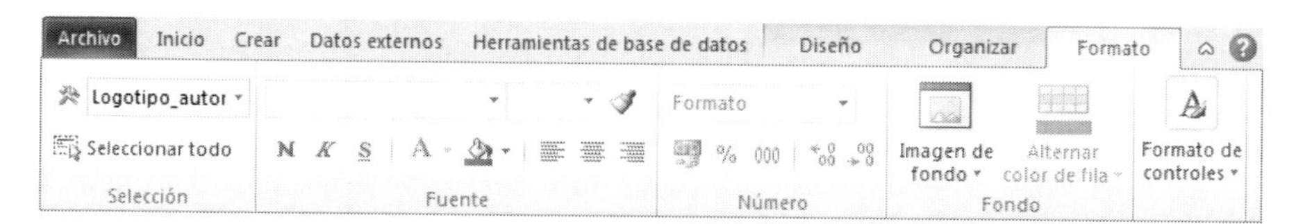

2. Ficha **Diseño**: para cambiar todas las opciones de diseño del formulario, como cambiar el control que representa un dato, modificar el lugar donde está situado o hacerlo más grande o más pequeño. Para poder utilizar todas estas opciones, tendremos poner el formulario en **Vista Diseño**. Para ello pulsamos en el botón **Ver** del grupo **Vistas**, el primero de esta ficha, y elegimos la opción **Vista Diseño**.

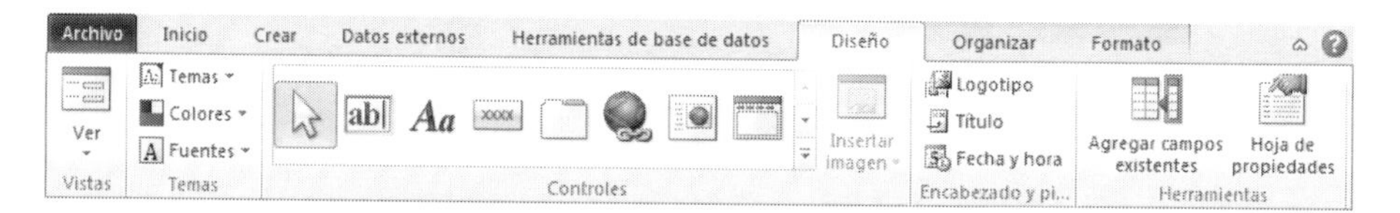

3. Ficha **Organizar**: a través de esta ficha podemos cambiar la organización del formulario. Por ejemplo subir y bajar los campos, insertar filas y columnas, desplazarlas, cambiar la disposición de los campos dentro del formulario, etc.

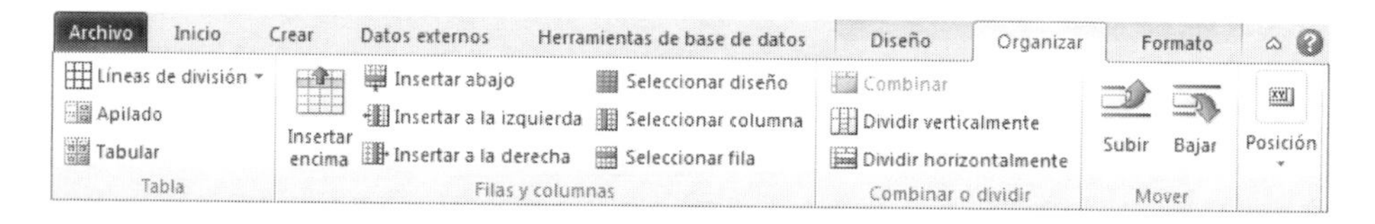

4.9.2 Asistente para formularios

El asistente para formularios es un pequeño programa que nos va a ayudar a crear un formulario, de tal forma que podremos seleccionar determinadas características de diseño, organización y formato.

Para iniciar el asistente, en la ficha **Crear** pulsamos en **Asistente para formularios**.

Veremos entonces la primera pantalla del asistente, donde vamos a elegir la tabla o tablas de donde queremos extraer los datos que posteriormente se visualizarán en el formulario.

Al elegir la tabla en la lista de **Campos disponibles** se muestran todos los datos que tiene la tabla, y con las flechas que hay en el medio tenemos que pasar estos campos a los **Campos disponibles**. Pasamos todos y pulsamos en **Siguiente**.

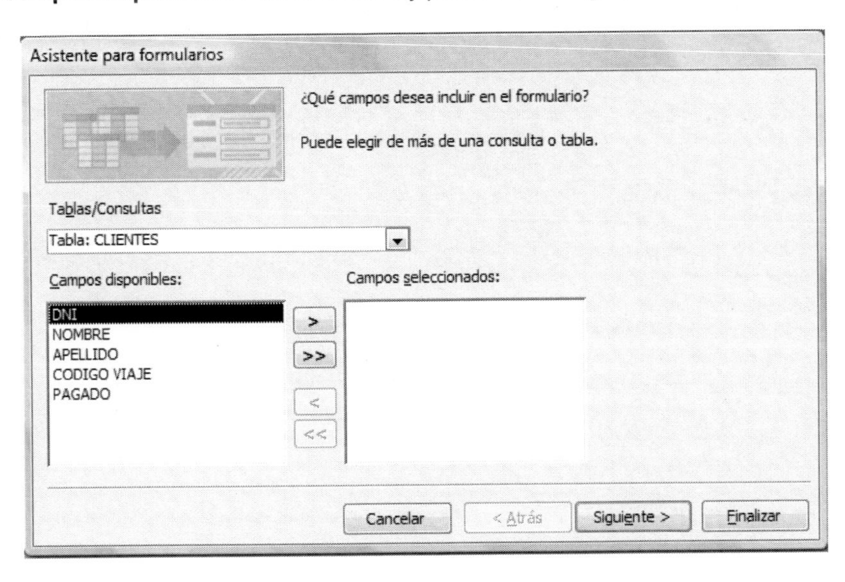

La siguiente ventana elegimos la distribución que queremos darle al formulario. Podemos elegir entre:

1. Columnas.
2. Tabular.
3. Hoja de datos.
4. Justificado.

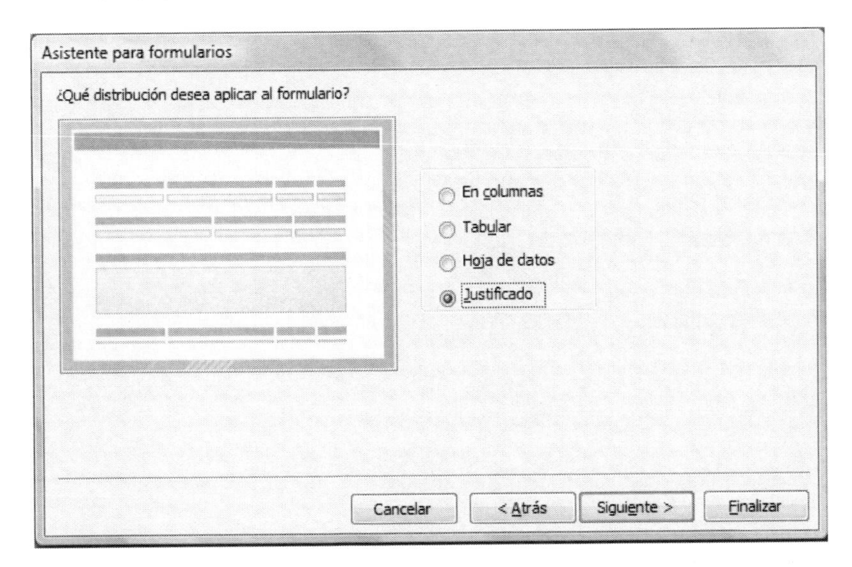

Y por último, le indicamos el **Título del formulario** y qué es lo que vamos a hacer a continuación: **Abrir el formulario para usarlo** o **Modificar su diseño**. Pulsamos en **Finalizar** y se muestra el formulario con las opciones que hemos elegido.

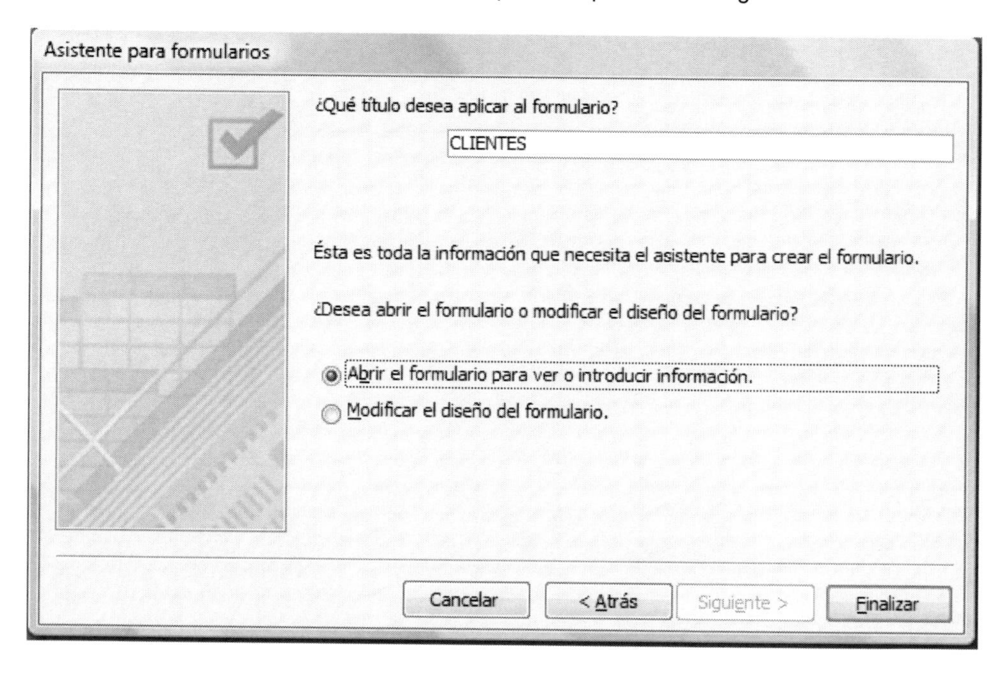

Una vez creado el formulario podemos utilizar las pestañas **Diseño**, **Organizar** y **Formato** para modificarlo.

4.9.3 Otros tipos de formularios

4.9.3.1 FORMULARIOS DIVIDIDOS

Es también una forma rápida de crear un formulario. Este tipo de formularios dividen el área del formulario en dos partes. En una se verá una ficha del registro en el que estemos situados, correspondiente a un elemento de la tabla, y en la otra se verá la tabla completa.

Los pasos a seguir son los siguientes:

1. Seleccionamos en el **Panel de exploración** la tabla sobre la que queremos crear el formulario, la tabla *Clientes*.

2. Pulsamos en la ficha **Crear**, en el botón **Más formularios** del grupo **Formularios** y elegimos **Formulario dividido**.

Se crea un formulario similar al siguiente:

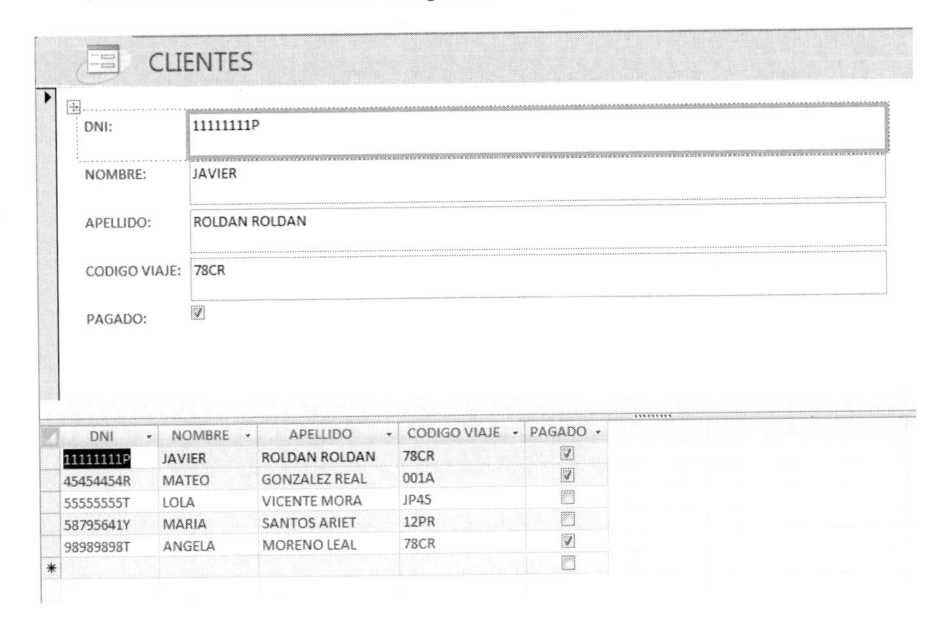

4.9.3.2 VARIOS ELEMENTOS

Es otra forma de crear automáticamente un formulario y su diseño es parecido al de una tabla.

Pasos a seguir:

1. Seleccionamos en el **Panel de exploración** la tabla sobre la que queremos crear el formulario, la Tabla *Clientes*.

2. Pulsamos en la ficha **Crear** en el botón **Más formularios** del grupo **Formularios** y elegimos **Varios elementos**.

Quedará así:

CLIENTES

DNI	NOMBRE	APELLIDO	CODIGO VIAJE	PAGADO
11111111P	JAVIER	ROLDAN ROLDAN	78CR	☑
45454454R	MATEO	GONZALEZ REAL	001A	☑
55555555T	LOLA	VICENTE MORA	JP45	☐
58795641Y	MARIA	SANTOS ARIET	12PR	☐
98989898T	ANGELA	MORENO LEAL	78CR	☑
				☐

4.9.4 Guardar formulario

Pulsamos en el botón **Guardar** de la barra de acceso rápido, o en la ficha Archivo y elegimos la opción **Guardar**, o en la pestaña del formulario con el botón derecho del ratón.

En cualquier caso, nos aparecerá un cuadro de diálogo donde tendremos que indicar el nombre que le vamos a asignar al formulario.

4.9.5 Formulario con subformulario

Seria interesante en nuestra base de datos *Agencia de viajes*, ver los datos de un viaje y también los clientes asociados a ese viaje.

Pues bien, a esto se le llama formulario con subformulario. El formulario principal será el de la tabla *Viajes* y el secundario o subformulario el de la tabla *Clientes*.

Se puede crear de forma automática creando un formulario sobre la Tabla *Viajes*:

1. Seleccionamos *Viajes* en el **Panel de exploración**.
2. Pulsamos en el botón **Formulario**. Quedará un formulario parecido al siguiente:

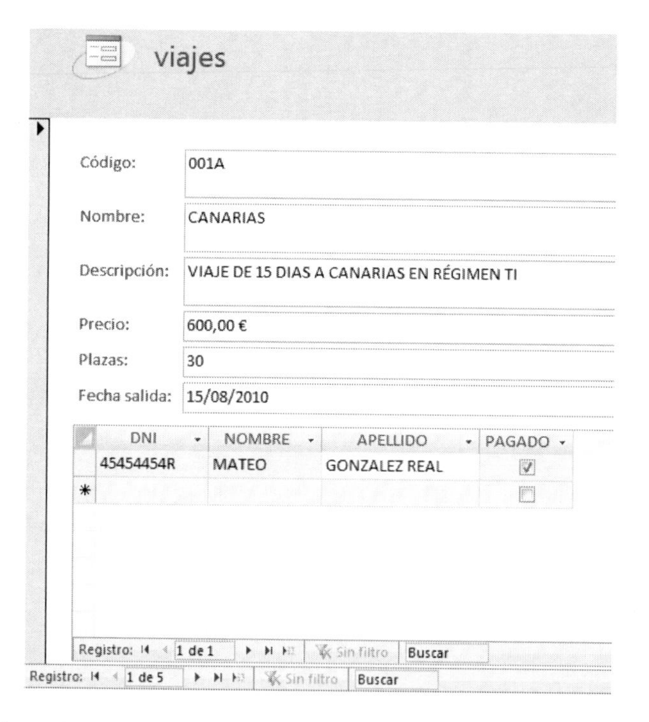

También podemos crear este tipo de formularios con el asistente.

4.10 INFORMES

Los informes sirven para resumir y presentar los datos de las tablas. Cada informe se puede diseñar para presentar la información de la mejor manera posible.

Un informe se puede ejecutar en cualquier momento y siempre reflejará los datos actualizados de la base de datos. Los informes suelen tener un formato que permita imprimirlos, pero también se pueden consultar en la pantalla, exportar a otro programa o enviar por correo electrónico.

4.10.1 Informes rápidos

Para crear un informe de forma rápida:

1. Seleccionar la tabla en el **Panel de exploración**.
2. Pulsar en el botón **Informe**, que se encuentra incluido en la ficha **Crear**, dentro del grupo **Informes**.

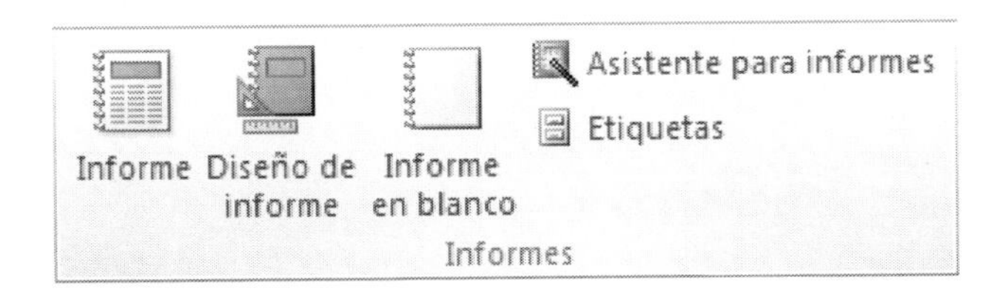

Se generará un informe automático similar al siguiente:

CLIENTES

jueves, 15 de julio de 2010
12:02:01

DNI	NOMBRE	APELLIDO	CODIG
58795641Y	MARIA	SANTOS ARIET	12PR
55555555T	LOLA	VICENTE MORA	JP45
45454454R	MATEO	GONZALEZ REAL	001A
11111111P	JAVIER	ROLDAN ROLDAN	78CR
98989898T	ANGELA	MORENO LEAL	78CR
5			

Al igual que para los formularios, una vez creado el informe aparecen cuatro nuevas fichas que nos proporcionaran todas las herramientas para su modificación: **Diseño**, **Organizar**, **Formato** y **Configurar página**.

4.10.2 Informes con asistente

También podemos utilizar el asistente donde vamos a poder elegir los campos que queremos en el informe y algunas características de diseño, organización y formato.

En la parte derecha del grupo Informes encontramos la opción **Asistente para informes**, lo pulsamos para iniciar dicho asistente.

La primera pantalla nos permite elegir la tabla o tablas de las que van a proceder los campos que vamos a insertar en el informe.

En la casilla **Tablas/Consultas** elegimos la tabla, en nuestro caso *Clientes*. Inmediatamente se muestra en la parte inferior, en **Campos disponibles**, el listado de campos que contiene dicha tabla.

Tendremos que pasar a la lista **Campos seleccionados** los campos que queramos incluir en el informe. Para hacer esto pulsamos en el botón [>] si queremos pasarlos uno a uno o en el botón [>>] si queremos pasar todos los campos a la vez.

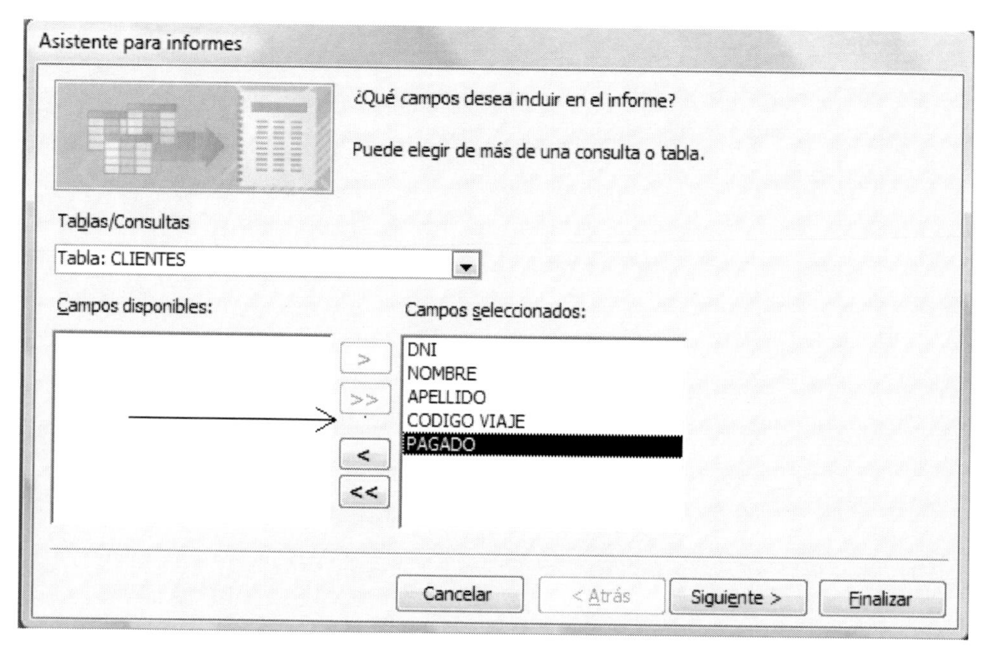

Para nuestro ejemplo hemos pasado todos los campos.

Al pulsar **Siguiente**, en la próxima pantalla del asistente nos pide agregar algún **Nivel de agrupamiento**.

Significa que los datos están agrupados por un determinado campo, en nuestro caso hemos seleccionado el campo *Pagado* (se selecciona y con la flecha hacia la derecha le indicamos que es el campo que queremos como agrupación).

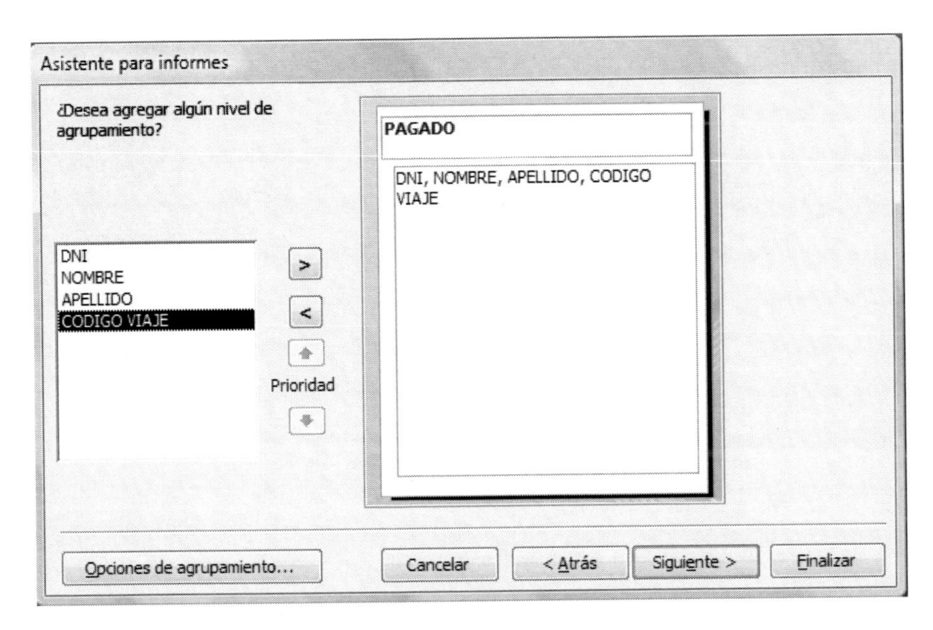

A continuación podemos elegir el **Orden de los elementos**, seleccionando los campos por los que vamos a ordenar y eligiendo si va a ser **Ascendente** o **Descendente**.

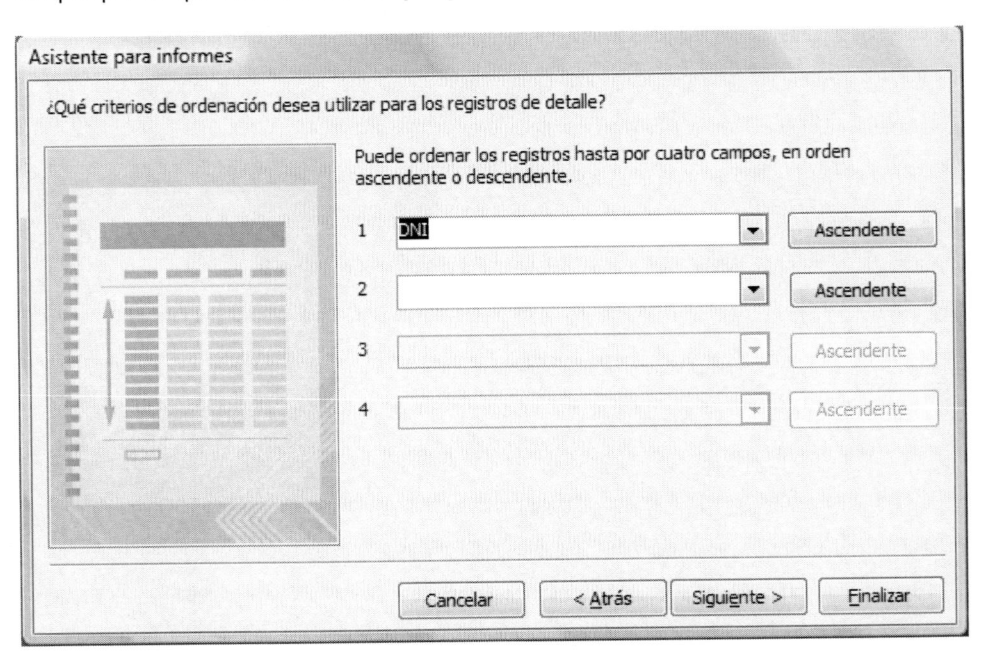

En la siguiente pantalla vamos a elegir la **Distribución**, es decir, como están colocados los datos, y la **Orientación** del papel, horizontal o vertical.

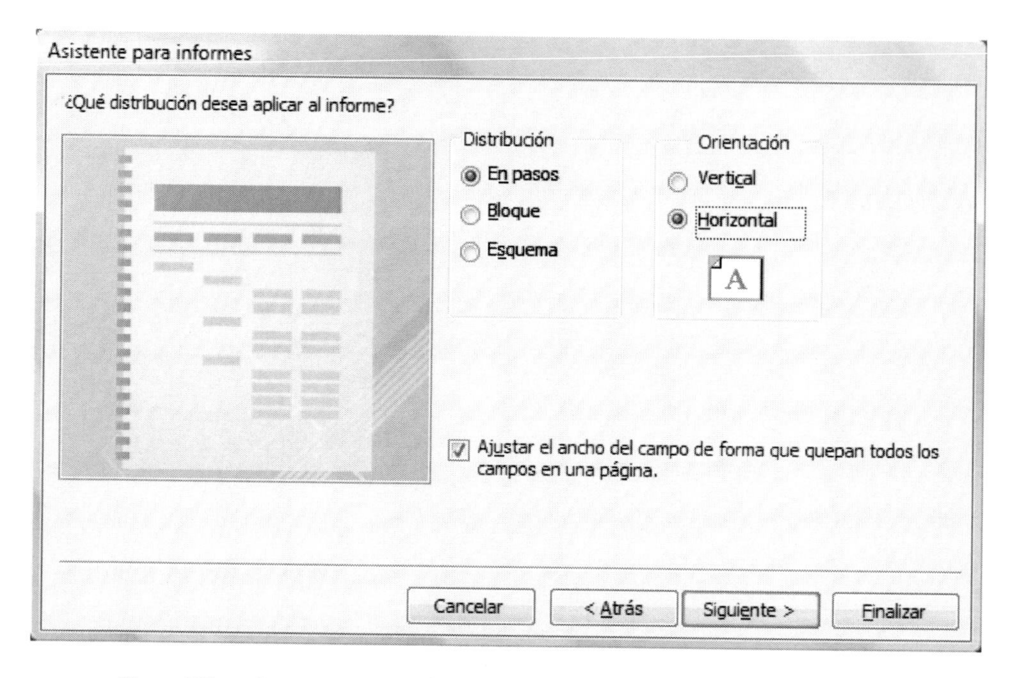

Y por último, le ponemos el **Título al informe** e indicamos lo que vamos a hacer a continuación, **Vista previa del informe** o **Modificar su diseño**.

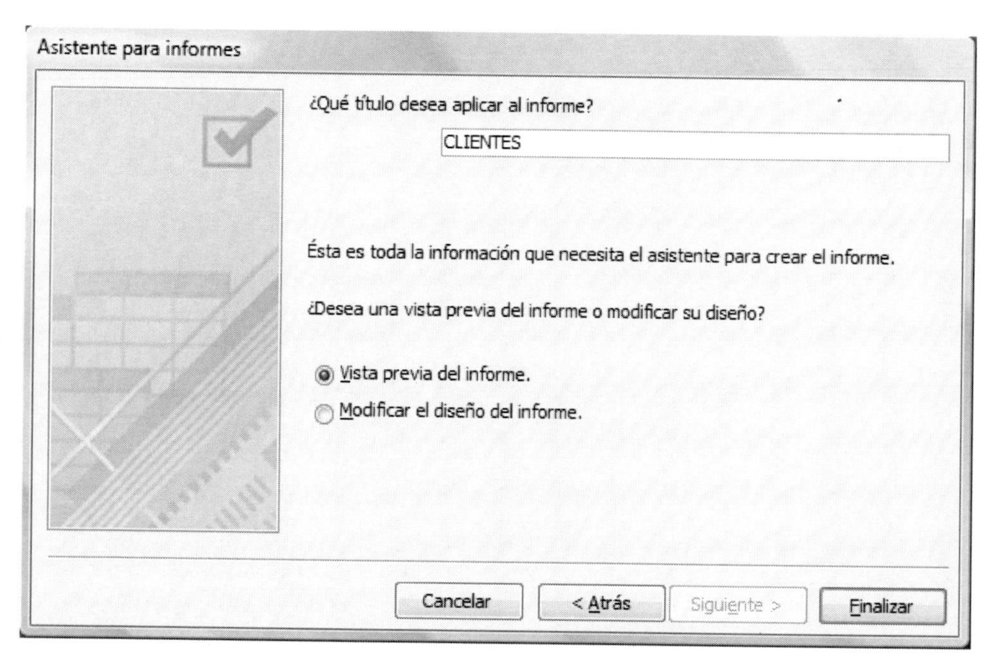

Se generará un informe con las características señaladas.

4.10.3 Informe con subinforme

Al igual que realizamos un formulario con subformulario, podemos hacer lo mismo con los informes. Lo llevaremos a cabo con el **Asistente para informes**.

De esta forma podemos crear un informe donde se visualicen los datos del viaje y una relación de los clientes asociados a ese viaje.

Pasos:

1. En la ficha **Crear**, grupo **Informes**, pulsamos el botón **Asistente para informes**.

2. En la primera pantalla del asistente elegimos la tabla *Viajes* y seleccionamos los campos: *Nombre* y *Precio.*

3. Seguidamente seleccionamos la tabla *Clientes* y elegimos los campos *DNI*, *Nombre* y *Apellidos*. Nos quedará así:

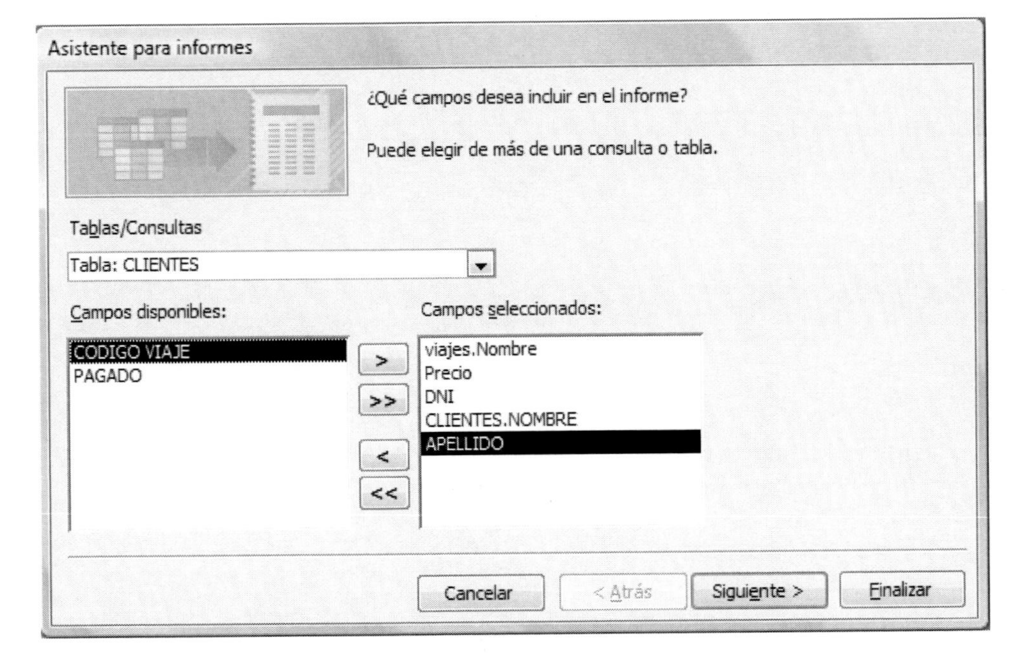

4. Pulsamos **Siguiente**.

5. Elegimos cómo queremos visualizar los datos. Tenemos que seleccionar que vamos a visualizarlo por la tabla *Viajes*, que es la tabla principal, para que se cree el subformulario.

6. Elegimos el resto de características que nos va mostrando el asistente, como vimos en el punto anterior.

Al finalizar nos mostrará un informe similar a este:

viajes1

viajes.NOMBRE	Precio	APELLIDO	DNI	NOMBRE 1
CANARIAS	600,00 €			
		GONZALEZ REAL	45454454R	CANARIAS
PARIS	650,00 €			
		SANTOS ARIET	58795641Y	PARIS
COSTA RICA	1.500,00 €			
		MORENO LEAL	98989898T	COSTA RICA
		ROLDAN ROLDAN	11111111P	COSTA RICA
JAPON	2.500,00 €			
		VICENTE MORA	55555555T	JAPON

ÍNDICE ALFABÉTICO

G

H

I

J

L

M

N

O

P

R

S

T

V

W